近現代新編叢書述論

林慶彰主編

鄭誼慧編輯

臺灣 學生書局 印行

編　序

由於喜歡書，大學二年級時，每天看《中央日報》副刊底下的「文化廣告」，買了不少書。當時，楊家駱教授刊登廣告，可以到他家買《叢書大辭典》、《叢書子目類編》等書，我就到楊教授府上買了這兩部書。後來，又跟新興書局買了《漢魏叢書》。家裡以「叢書」為名的書，已有數部，但什麼是叢書，並沒有去深究。

民國六十四年，進入東吳大學中國文學研究所就讀，開始利用《叢書子目類編》來找叢書中所收的書。迄今已三十年，新編出版的叢書越來越多，嚴靈峰教授所編的就有十餘種，與《四庫全書》有關的也有四、五種。至於新文豐出版公司和上海書店，都在重炒《叢書集成》一書，各編了新的叢書。另外，如《民國叢書》、《善本戲曲叢刊》等書，對國內外學術界都有相當的影響。應該有學者對這些新編叢書作研究才對。

民國八十七學年度下學期（八十八年二月）起，我有機會在東吳大學中國文學系碩、博士班講授「叢書學研究」（該課程本由吳哲夫教授講授，吳教授不能來，改由本人授課），以李春光先生《古籍叢書述論》為課本，期末要求學生編輯《叢書總目三編》（1974－1998）。九十學年度下學期（民國九十一年二月至六月）由本人正式講授《叢書學研究》，將《四部叢刊》以來的新編叢書擬成十數個研究論題，請來選修的學生寫成研究報告。每篇至少一萬字。必須按照本人所著《學術論文寫作指引》的格式來寫作。所以，學生所撰的報告大抵符合學術論文的要求。報告完成後，經數次修改，由本人挑選較理想的論文，準備編成一書。當時，準備收入的有下列數篇：

1.《百部叢書集成》簡論　鄭誼慧

2.新文豐《叢書集成新編》一至三編試論　鄭誼慧

3.嚴靈峰所編各種叢書之檢討　簡崇元

4.四庫相關叢書的探討　劉康威

5.《民國叢書》試論　何淑蘋

由於僅得五篇論文，篇幅不足以編成一部專書，所以決定擴大收錄範圍，將本人授課前一年（八十九學年度上學期），由王國良教授講授「叢書學研究」的報告，九十三學年度上學期臺北大學古典文獻學研究所「文史哲工具書研究」的報告，也挑選優秀的來刊登。另外，現有的期刊論文也選適合的，這幾類的論文，分別是：

㈠王國良教授期末報告

1.《四部備要》略論　陳進益

2.《叢書集成初編》及其相關叢書考述　張俐雯

㈡本人講授「文史哲工具書研究」期末報告

1.略論《中國叢書綜錄》與《中國叢書廣錄》　周延燕

㈢現有期刊論文轉載

1.民國時期叢書出版述略　賈鴻雁

2.《古逸叢書》與中日漢籍交流　陳東輝

3.張元濟和《四部叢刊》　張人鳳

4.《四部備要》版本糾繆　李向群

5.《四部備要》版本勘對表　李向群

6.《百部叢書集成》評　洪湛侯

商務印書館遷臺後，由王雲五先生重編《四部叢刊》，書名雖同，內容已大不相同，現有的期刊論文中，對此事又無合適的研究論文。乃請中國文化大學中國文學研究所陳惠美博士補撰〈王雲五與《四部叢刊》〉一文。另附錄所收兩種目錄，一是〈叢書總目三編（1974－2000）〉，是本人在八十七學年度下學期（民國八十八年二月至六月）講授「叢書學研究」時學生的期末報告，本來編至一九九八年，為求完整，請本書編輯鄭誼慧學弟補編至二〇〇〇年。另一篇〈近現代新編叢書研究論著目錄〉，是本人要求鄭誼慧、劉康威兩學弟專為本書所編的目錄。

在本書之前，對古籍叢書作較全面述評的僅有劉尚恒的《古籍叢書概說》（上海：上海古籍出版社，1989 年 12 月）、李春光的《古籍叢書述論》（瀋陽：遼瀋書社，1991 年 10 月）和劉寧慧教授的博士論文《叢書淵源與體制形成之研究》（臺北：臺灣師範大學國文研究所博士論文，2001 年 6 月）。古籍叢書有數千種，每種收書十數種至數千種不等，計收入叢書之書有數萬種。將這些叢書作系統述評的僅以上數書，中國大陸有數十所大學有古籍或古文獻研究所，師生都在做什麼？

為了讓研究生和學界人士能對近現代叢書有較深入的了解，乃將上文所提到的論文編輯成一書，題名為《近現代新編叢書述論》。所收入之論文，大部分已得原作者之同意，無法連絡上之作者，繼續連絡中。感謝本書中十餘篇論文的作者，願意讓他們的論文，收入這本小書中。也感謝鄭誼慧學弟編輯此書的辛勞。

叢書的研究在文獻學中至為重要，希望本書能發揮拋磚引玉的作用，提昇學界人士研究叢書的興趣。

民國九十四年八月十七日

林慶彰　誌於

中央研究院中國文哲研究所

近現代新編叢書述論

目　次

民國時期叢書出版述略

賈鴻雁*

叢書是一個古老的圖書品種，在我國已有一千多年的歷史。由於它具有能夠系統保存與提供資料、社會影響大、價格低廉等優點，長期以來倍受人們的青睞。民國時期，在新的歷史條件下，叢書出版興旺發達，出現空前繁榮的局面，並表現出諸多現代特色，在我國圖書出版史上寫下了極其重要的一頁。

一、出版背景

中國叢書千餘年的發展，特別是清代叢書的繁榮，為民國的叢書出版打下了深厚的基礎。進入民國，人們對叢書的認識日益加深，社會需求日益迫切，印刷技術日益進步，這些構成了民國叢書出版興盛的社會背景。

㈠人們對叢書的需求更加迫切

民國時期，人們認識到叢書對於社會的發展關係極大。叢書最基本的特徵是匯集群書，具有系統性和完整性，能夠系統地保存和

*賈鴻雁，武漢大學信息管理學院博士生。

提供某一方面的文化知識，正如魯迅先生所指出的：「（叢書）的好處是把研究一種學問的書匯集在一處，能比一部一部的自去尋求更省力；或者保存單本小種的著作在裡面，使它不易於滅亡。」（魯迅《且介亭雜文一集·書的還魂與趕造》）社會各界對叢書的需求更為廣泛和迫切，這些需求來自讀者、出版者等各方面。

對讀者而言，叢書可以方便讀者系統閱讀，獲取某方面的較系統的知識或資料，對初學者還可以在一定程度上起到指導閱讀的作用；方便讀者系統地收藏某一方面的著述，可以讓讀者見到一些不易搜求的珍本、孤本。叢書的價格往往低於單行本的價格，物美價廉，經濟實惠。民國時期，隨著教育的普及，讀者群迅速擴大，閱讀能力大為提高，各項科學研究也日漸展開，人們迫切想了解古今中外各方面的知識、各種思潮和研究成果，也希望以閱讀來消遣，這就需要大量有系統的叢書滿足讀者的求知欲望和娛樂要求。

對出版者而言，由於叢書比單種書往往能產生更大的社會影響，因而能夠樹立一個出版者在讀者和同行中的形象，創出牌子，贏得聲譽，把廣大作者和讀者緊緊團結在自己的周圍；又能夠提高銷售量，一些個人和圖書館也願意收全一套叢書，從而使出版者獲得較好的經濟效益，名利雙收。民國時期，新興的民營出版企業是出版業的主流，他們對商業利益的重視遠遠超過以往，因此對叢書也就更感興趣。

㈡印刷技術的日益進步

民國時期印刷技術的進步為叢書出版提供了技術保障。十九世紀初葉以來，西方的凸版、平版、凹版印刷術相繼傳入我國。進入民國，積極引進西方先進技術，改進排字設備和排字法，培養熟練技術人才的工作一直沒有間斷。這些工作極大地提高了勞動生產率，降低了生產成本，使圖書出版周期縮短，圖書價格低廉且更加精美，從而為叢書出版創造了良好的條件。

二、出版概況

㈠出版數量

民國時期出版叢書知多少，至今尚無準確的統計數字。筆者依據《中國叢書綜錄》、《中國叢書綜錄補正》和《中國近代現代叢書目錄》做了一個不完全的統計：

《中國叢書綜錄》收錄民國時期出版的叢書七九九種；

《中國叢書綜錄補正》補入民國版本十八種；

《中國近代現代叢書目錄》收錄叢書五五四九種。據《中國近代現代叢書目錄·編例》，其中《中國醫學大成》等七種與《綜錄》重複，另《中國文學珍本叢書》、《二十五史》、《二十五史補編》三種亦與《綜錄》重複。

據此，民國時期的叢書出版總數當在六千四百種以上，超過了此前歷代出版叢書的總和，數量的確是空前的。

民國出版的叢書中，有確切年份可考的近六千種。茲將各年度出版數量列表如下：

表1 民國時期各年度叢書出版數量統計表

年份	數量	年份	數量	年份	數量	年份	數量
1912	13	1922	64	1932	172	1942	197
1913	20	1923	71	1933	288	1943	207
1914	23	1924	74	1934	233	1944	217
1915	41	1925	122	1935	261	1945	180
1916	28	1916	106	1936	320	1946	269
1917	29	1927	118	1937	236	1947	313
1918	30	1928	168	1938	221	1948	292
1919	31	1929	233	1939	234	1949	185
1920	37	1930	213	1940	269	年份不詳	427
1921	54	1931	192	1941	260	總計	6358

從表中可以看到，民國叢書的出版以抗戰為界分為前後兩個時期。前期從中華民國建國到一九三七年抗戰爆發前，叢書出版整體上呈上升趨勢。這一時期，雖然也有戰爭，但影響範圍遠不及後來的抗日戰爭。民國初創，言論出版相對自由，思想活躍，科學進步，教育普及，新興的民營出版業日益壯大，新式印刷技術被越來越廣泛地採用，因而叢書、大部頭書出版日益繁榮。特別是一九二七年國民政府成立後，政局相對穩定，叢書出版量增勢迅猛。一九三六年叢書出版達到頂峰，多達三百二十種。這一時期，大部叢書相當多。《四部備要》、《四部叢刊》、《叢書集成》、《萬有文庫》等著名的大部叢書均出版於這一時期。

一九三七年抗日戰爭爆發到一九四九年中華人民共和國成立為後期。由於戰爭影響，出版業處境艱難，這種情況一直延續到中華人民共和國成立前夕。出版業的巨擘商務印書館舉步維艱，中華書局亦僅以印刷業務維持，出書類於裝點門面。因而這一時期的叢書出版量再無突破，只在二百－三百種之間徘徊，大部叢書的出版更是直線下降。值得注意的是，這時中國共產黨領導的抗日根據地和解放區的出版業逐漸發展起來，也出版了一部分叢書，從而使這一時期的叢書出版總量能夠維持在一定的水平。

㈡出版者

民國時期的出版機構以其主辦者劃分主要有民營、國民黨辦、中國共產黨辦、教會辦等，舊式書肆與學校、機關、團體及一些個人也是出版力量之一。這些形形色色的出版者對叢書都情有獨鍾，紛紛參與叢書出版，共同支撐起民國叢書出版的繁榮局面。

1.私人出版者。私人刻書曾是古代出版業的三大支柱之一，明清的絕大部分叢書均出於私家之手。民國時期，私刻叢書之風延續下來，先後有三百一十三家出版了四百多種叢書（據《中國叢書綜錄》統計）。與前代相似，參與叢書出版的主要是一些藏書家、校勘家、版本目錄學家。著名者如陶湘、劉承幹、董康、羅振玉、繆荃孫等，以江浙為中心，遍布全國，是古籍叢書出版的一支重要力量。他們或學有專長，如羅振玉輯印的《鳴沙石室佚書》、《吉石庵叢書》、《鳴沙石室古籍叢殘》、《貞松堂藏西陲秘籍叢殘》等與古文獻有關的叢書，充分體現了他作為一位考古學家的特點。或藏書豐富，如劉承幹嘉業堂藏書達五十多萬卷，陶湘涉園藏書也有三十萬卷，其中不乏宋元珍本和稿本、舊鈔本，為叢書輯印創造了良好條件。劉承幹《嘉業堂藏書》五十種均為「世間不經見之書」，（劉承幹《嘉業堂叢書・自序》）沒有豐富的藏書作後盾是不易辦到的。私人出版家大多注重叢書的底本選擇和印刷質量，多有刻、印俱佳的精品。劉承幹每刻一書都先請專家審定，所刻《章氏遺書》為著名歷史學家沈曾植推薦，《嘉業堂金石叢書》為金石學家褚德彝校訂；陶湘影刻的《百川學海》底本是明文徵明玉蘭草堂、清徐乾學傳是樓、季振宜靜思堂等藏書名家的遞藏珍品，由當時著名書手饒星舫手寫上版。著名刻工陶子麟和書鋪北京文楷齋為劉承幹、董康、陶湘、徐乃昌、張鈞衡等人都刻過書。張鈞衡《擇是居叢書》，劉承幹《嘉業堂叢書》、《求恕齋叢書》，劉世珩《貴池先哲遺書》等，無不精雅過人。

2.舊式書肆。書坊刻書也是古代刻書的一支重要力量，民國初年尚存在這樣一批舊式書肆，集中於上海、北京等地，出版叢書的約有六七十家，共出版叢書百餘種。較著名的有上海掃葉山房（1912－1934年出版叢書14種，均為石印）、博古齋（20世紀20年代出版叢書11種，均為影印）、古書流通處（1921－1924年出版叢書8種，均為影印）等。其中相當一部分是重印古代較有影響的叢書，如上海博古齋影印的《百川學海》、《津逮秘書》、《拜經樓叢書》、《岱南閣叢書》等。民國中後期，這類書肆便衰落下去。

3.民營出版機構。中日甲午戰爭以後，中國的民族資本主義進一步發展。在出版領域，民族資本主義的出版企業突破長期以來官、私、坊刻鼎立的局面而異軍突起。民國時期，這類出版機構發展迅速，在出版業中佔據主導地位，也是叢書出版的主力軍。商務、中華、世界、開明等大出版社資本雄厚，出版叢書不僅數量多，而且多大部頭叢書。其中商務印書館自一八九七年創立到一九四九年共出版叢書二百五十七種，數量超過其它任何一家出版機構；品類齊全，既有《萬有文庫》、《大學叢書》等綜合性的，也有哲學、社會科學、自然科學、文藝等方面的專科性叢書；既有翻譯著作，如《漢譯世界名著》，又有國人著述，如《中國文化史叢書》；既有學術著作，也有大量的普及讀本和古籍……可以說商務印書館的叢書出版是當時整個叢書出版的縮影。商務印書館出版的不少叢書，或是規模空前，如《萬有文庫》、《叢書集成》；或是價值極高，如百衲本《二十四史》、《四部叢刊》、《中國文化史叢書》等，影響巨大，成為叢書出版史上的一座座豐碑。僅次於商務的中華書局在叢書出版上也做了很大努力，一九一二－一九四九年間出版各類叢書一百九十五種，其中有相當一部分是中小學課外讀物和兒童叢書。中小出版社數目繁多，出版了大量以小卷帙為主的叢書（有些叢書僅包含數種甚至一、二種圖書）。民營出版機構出版的叢書，無論在數量上還是在規模上，都為其它類型的出版者所望塵莫及。

4.國民黨的出版機構。自一九二一年國民黨上海總部籌設民智書局起，國民黨先後創辦了正中書局、中國文化服務社、獨立出版社、撥提書店、鐵風出版社等不下十餘家出版機構，出書數十到千餘種不等。出版的叢書約一百四十種，內容以哲學、社會科學為主。其中正中書局出版八十八種，為數最巨。

5.共產黨的出版機構。中國共產黨非常重視出版工作，在一九二一年成立之初，就把宣傳、介紹和普及馬克思主義作為自己的重要任務，在極為困難的環境中創辦了一系列出版發行機構。一九三七年抗戰爆發前，中國共產黨在國統區的新青年社、人民出版社、上海書店、長江書店、華興書局、北方人民出版社及蘇區的一些出版機構分別出版了一至數種不等的叢書，如《馬克思全書》、《列寧全書》、《新青年叢書》等。抗戰爆發後，中國共產黨的出版機構主要是延安解放社和各地新華書店，共出版叢書近百種。

6.教會出版機構。民國成立後，由於政府表示對各派宗教一視同仁，基督教獲得較大發展，出版活動甚為活躍。教會出版機構主要有廣學會、聖教書局、美華書館、華美書局、基督教青年協會書局、美華浸會書局等十四家。出版的叢書內容除宣傳、闡釋教義外，也有部分社會政治類著作。

7.機關、團體、學校等的叢書出版。除以上幾種出版機構和個人外，還有大批的黨政機關、軍隊、學校、報社、雜誌社、科研機構、圖書館及各種社會團體參與了叢書出版。這些單位所出的叢書一般來說內容比較專門，針對性較強。它們雖然不是專門的出版機構，出版叢書種數也不是很多，但由於這些「業餘」出版者名目繁多，總量巨大，涉及面廣，幾乎遍及全國各地，因而從總體上看，這些出版者仍是叢書出版的重要力量，他們出版的叢書極大地豐富了叢書的數量和種類。

㈢出版形式

民國時期印刷技術處於變革之中。叢書的出版形式反映了這一變革，採用了雕版印刷、木活字印刷、石印、影印、鉛印等多種形式。傳統的雕版印刷和木活字印刷在民國時期仍有一定市場，以私人出版家應用最為廣泛，刻印的主要是古籍叢書。採用雕版印刷出版叢書的有一百多家。除河南官書局、四川官書局、浙江圖書館、湖南叢書處等個別出版單位和上海蟫隱樓等少數書肆外，絕大多數都是私人出版家，出版的叢書在一百七十種以上。其中包括陶湘刻《儒學警悟》、《百川學海》，劉承幹刻《嘉業堂叢書》，張鈞衡刻《適園叢書》，朱孝臧刻《彊村叢書》，南昌豫章叢書編刻局刻《豫章叢書》等影響較大的古籍。採用木活字印刷出版叢書的有西泠印社、蘇州文學山房、陶社、味經堂、慕雲山房和秦寶瓚、太平金氏等十餘家，刊印叢書約二十種。

石印以其存真、效率高、成本低，自十九世紀末傳入中國以來一度風行，壟斷出版業數十年之久。民國時期六十餘家民營出版機構、私人出版家和舊式書肆等大量運用石印，以上海最為集中，出版叢書逾百種。上海掃葉山房在民國期間出版的十四種叢書全部採用石印。影印是保持古籍、書畫等原貌的最佳形式，在古籍叢書的出版中使用最多，有六七十家各類出版者以影印方式出版叢書一百四十多種，其中商務印書館影印叢書近三十種，包括《四部叢刊》初編、續編、三編，百衲本《二十四史》，《十通》等宏篇巨製；上海博古齋出版的十一種叢書和古書流通處出版的八種叢書均採用影印。民國中後期，鉛印在出版業中佔據了統治地位。民國出版的叢書絕大多數是鉛印的。在叢書的裝幀上，古籍類叢書多有襲用線裝者，其它則以平裝為主。一些叢書還根據不同的讀者需求出有不同裝幀形式的本子，如《四部備要》既有古雅的線裝本，也有實用的平裝本。

㈣地區分布

民國時期叢書出版活躍，表現在地區分布上，與出版業的發達程度和變遷相對應，有三個特點。

1.地區分布的普遍性。根據《中國叢書綜錄》和《中國近代現代叢書目錄》統計，民國出版的叢書中有地區可查的有四七六一種。除新疆、西藏、寧夏、青海四個邊遠省區外，其它省、市、區及港、澳、臺地區均有叢書出版。

2.地區分布的不平衡性。叢書出版高度集中於政治、經濟、文化中心和有優良刻書傳統的江浙一帶，集中於大城市。出版叢書百種以上的省份依次為江蘇省（392 種），浙江省（248 種），廣東省（152 種），四川省（100 種），中原、華北、西北、西南（除四川）、東北等地叢書出版相對偏少。出版叢書八十種以上的城市依次為上海（2524 種），重慶（370 種），南京（291 種），廣州（129 種），北京（120 種），杭州（99 種），香港（94 種），武漢（85 種），成都（81 種）。其中上海佔半壁江山。上海是近代以來迅速崛起的大城市，經濟文化發達，民國初年即成為全國的出版中心，民國最大的五家出版機構商務、中華、世界、大東、開明都在上海，叢書出版高居榜首順理成章；北京是民國初期的政治中心，文化一向發達，清末也是書業的一個集中地，又有北大、清華等一批著名的高等院校和科研機構；南京等地均為一段時期的政治、文化中心或文化發達地區，因而叢書出版量遠遠高於其他城市。

表 2　民國時期叢書出版的地區分布

出版地	數量	出版地	數量
上海	2524	黑龍江	35
江蘇	392（其中南京 291 種）	天津	30

重慶	370	安徽	29
浙江	248（其中杭州 99 種）	山西	22
廣東	152（其中廣州 129 種）	貴州	21
北京	120	河北	21
四川	100	雲南	19
湖北	98（其中武漢 85 種）	河南	13
香港	94	臺灣	10
福建	88	吉林	7
山東	74	澳門	6
廣西	71	甘肅	3
遼寧	61	海南	3
湖南	57	內蒙古	1
江西	51		
陝西	37	總計	4761

3.地區分布的多變性。民國時期社會條件複雜多變，叢書出版的地區分布隨時勢變化屢有變動，出版重心經過了數次轉移。抗戰爆發前，叢書出版集中於上海、南京、浙江、北京等地。抗戰初期，一些出版社開始內遷，出版重心向武漢、長沙、廣州等地轉移。上海淪陷後，武漢一度成為全國的政治文化中心，叢書出版數量激增，一九三七年七月到一九三八年十月，各出版社就出版叢書五十一種。[1]然而武漢、長沙、廣州很快失守，機關、學校、文化科研機構、出版機構紛紛向內地轉移，重慶成為臨時首都，重慶、

[1] 據魏啟元：〈抗戰初期中國共產黨在武漢的出版活動〉，載《新民主主義革命時期出版史學術討論會文集》。

成都、桂林等地成為叢書出版中心。抗戰勝利後，這些機構回遷，上海等他的叢書出版回升，但由於這時國民政府對新聞出版限制很多，已難以恢復到戰前水平。而中國共產黨領導下的解放區不斷壯大，出版業不斷發展，東北、西北、華中、華東解放區的叢書出版數量顯著增長。

三、出版內容

叢書發展到清代，已明顯地表現出兩大傾向：一是綜合化、大型化，二是專門化。民國時期的叢書出版沿著這兩個方向繼續前進，同時注入了新的時代特點，形成綜合性叢書與專科性叢書齊頭並進的局面。

㈠綜合性叢書

在民國時期出版的叢書中，綜合性叢書佔有相當比例。以商務為例，商務印書館在一八九七－一九四九年間共出叢書二百五十七種，其中總類叢書五十八種，除四種為圖書館學叢書外，其餘均為綜合性叢書，佔整個叢書出版的五分之一強，在一定程度上反映了當時整個叢書出版的面貌。民國時期出版業的發展為綜合性叢書的出版提供了有利條件。商務、中華等大型出版社的建立，使得大量的人力、物力、財力得以集中，遠非清代的私刻叢書所能比。出版社之間的競爭也使大出版社憑藉自身的雄厚實力，揚己所長，出一些卷帙大、影響大的圖書，對綜合性叢書的發展起到了推波助瀾的作用。民國時期出版了一批影響較大的綜合性叢書。古籍方面以

《四部叢刊》、《四部備要》、《叢書集成》等為代表；百科叢書以《萬有文庫》為首；其它如《中華文庫》、《中華百科叢書》、《新中華叢書》、《ABC 叢書》、《大學叢書》等等，都是綜合性叢書的突出代表。

㈡專科性叢書

民國時期出版的叢書更大量的是各類專科性叢書。專科性叢書的出版有三個特色：第一，學科齊全。民國時期專科叢書的出版，突破了四部的範圍，涉及到哲學、宗教、心理學、社會科學、政治、法律、軍事、經濟、文化、教育、體育、語言文字、文學、藝術、歷史、地理、自然科學、醫藥衛生、農林牧業、工程技術等各種學科門類，每一學科都有其專門叢書。

第二，內容專門，向專業化方向發展。以中華書局所出的幾種叢書為例。如《佛教報恩理論叢書》、《標準國音叢書》、《實用看護學》、《小學教員檢定叢書》、《中國蠶絲叢書》、《都市地理小叢書》、《財政金融研究所叢書》等，或是專業面極狹，內容極為專門；或是針對某一類讀者，針對性極強。類似的叢書在民國出版的專科叢書中不在少數，主要是由於編輯者、學術團體及出版社等致力於某一專題、某一領域的研究，這也是科學發展到一定程度向縱深化、專門化發展的必然趨勢所決定的。

第三，發展不平衡。總體來講，人文科學方面的叢書比重遠遠大於自然科學方面的叢書。如中華書局一九一二－一九四九年出版的一百九十五種叢書中，自然科學與技術方面的僅二十七種，約佔百分之十三。人文科學中，文學、教育類叢書的出版尤為突出。自然科學和技術類中，醫學和農學所佔比例較大。還以中華書局版叢書為例，農學叢書七種，醫學五種，分別佔自然科學叢書總量的百分之三十和百分之十八。通過對商務印書館出版叢書的分類統計可以更加直觀地說明這一點（如表 3）。叢書出版學科分布的不平衡與當時學術發展的不平衡是相聯繫的。人文科學在中國古代即已發達，此時是更上一層樓；自然科學研究雖然也有較大進步，但由於起點低，仍無法與人文科學抗衡。文學和教育類叢書的豐富則是與文學創作的繁榮及大批課本、讀物、教學參考書等的出現相一致的。

表 3　商務印書館 1897－1949 年出版叢書分類統計

<table>
<tr><th>類別</th><th>數量</th><th colspan="2">類別</th><th>數量</th></tr>
<tr><td>綜合</td><td>55</td><td rowspan="7">社會科學</td><td>總論</td><td>6</td></tr>
<tr><td>國學</td><td>15</td><td>政治</td><td>12</td></tr>
<tr><td>圖書館學</td><td>4</td><td>經濟</td><td>16</td></tr>
<tr><td>哲學</td><td>6</td><td>教育</td><td>40</td></tr>
<tr><td>語文學</td><td>5</td><td>兒童讀物</td><td>13</td></tr>
<tr><td>藝術</td><td>11</td><td>商業交通</td><td>6</td></tr>
<tr><td>文學</td><td>29</td><td>社會禮俗</td><td>3</td></tr>
<tr><td>史地</td><td>16</td><td rowspan="3">總計</td><td rowspan="3"></td><td rowspan="3">257</td></tr>
<tr><td>自然科學</td><td>13</td></tr>
<tr><td>應用技術</td><td>16（其中醫學 4，農學 6）</td></tr>
</table>

四、出版特點

民國時期的中國社會正站在一個新舊交替的轉折點上，處於這個大背景下的叢書的編輯出版，表現出和以往不同的一些新特點。其中選題的時代性、取材的廣泛性、編輯方法的創造性等特點筆者已專文另述，這裡就其濃厚的商業性這一點加以闡述。

古代出版業官、私、坊三足鼎立，叢書出版以私家用力最多。民國時期新興的民營出版業發展壯大，成為出版業的主導，也成為叢書出版的主要力量，因而民國時期叢書的出版中顯示出濃厚的商業性。

從選題來看，叢書本身就比單種書更容易造成社會影響且易贏利。民國時期出版家看好叢書，出版的叢書眾多，這也是一個原因。具體到一部叢書能否贏利，和它的選題也關係密切。古籍和西學是叢書出版的兩大主題，除此以外，另一大主題便是教育。因為這類讀物的需求量大，有利可圖。

從出版所用的方法來看，經濟槓桿也在時時發揮作用。最典型的如大部叢書預約。預約是出版商學習日本辦法而採取的純商業性手段。在書沒有印成之前，就刊登廣告，散發宣傳品，發售預約，收到預約款後分期或在一二年內出書。出版大部叢書需要大量的資金保證，預約可吸收巨額現金來周轉運用，又因為要按期出版，所以在一定程度上可以保證叢書出版的計畫性。商務發售大部預約書，從一九二〇年的《四部叢刊初編》開始，以後更印二編、三編，此外還有《學津討源》、《續道藏》、《正統道藏》、《四庫全書珍本初集》、《宛委別藏》、《北京圖書館所藏善本叢書》和

《萬有文庫》第一、二集，《叢書集成》等，每部叢書多的達三四千冊，少的也有千把冊，定價都在幾萬元以上。

民國時期叢書出版的商業性還表現在出版社之間的競爭上。往往是一個比較好的選題，為多家出版社選中，一種選題，多家出書，各顯神通。如兒童讀物受社會歡迎，商務、中華、世界、開明等一大批出版社都染指其中，僅一九三三年就有廣益書局、小朋友書局、北新書局、良友圖書印刷公司、兒童書局、大東書局、亞東圖書館、商務印書館、中華書局、世界書局等十餘家出版社出版兒童叢書三十多種。

參考文獻

1. 上海圖書館編　《中國叢書綜錄》　上海　上海古籍出版社 1986年2月。
2. 上海圖書館編　《中國近代現代叢書目錄》　上海　上海圖書館，1979年。
3. 陽海清編　《中國叢書綜錄補正》　揚州　廣陵古籍刻印社 1984年8月。
4. 商務印書館編　《商務印書館圖書目錄 1897－1949》　北京　商務印書館　1981年。
5. 中華書局編輯部編　《中華書局圖書總目 1912－1949》　北京　中華書局　1987年。
6. 商務印書館編　《商務印書館九十五年》　北京　商務印書館 1992年。
7. 張靜廬　《中國現代出版史料》甲、乙、丙、丁　北京　中華書局　1954－1957年。

8.鄭世興　《中國現代教育史》　臺北　三民書局　1981年。

——原載《圖書館理論與實踐》2002 年第 6 期（2002 年 12 月），頁 63－66。

《古逸叢書》與中日漢籍交流

陳東輝*

在中日兩國源遠流長的關係史上，書籍的交流無疑是其繁富而燦爛的篇章。作為中華民族古老文明與絢麗文化的重要載體和突出象徵的漢籍，曾經源源不斷地傳向東鄰日本，對彼邦文化的形成和發展產生了無法估量的影響。而隨著歲月的推移、人事的變遷，部分東傳漢籍已在中土逸失，但卻被保存於日本。嗣後，尤其是在近現代，這些「佚書」逐漸為東渡扶桑的中國學人驚喜地發現，視為至寶，便以摹刻、抄錄方式（現代則還可攝製或複印）將其傳返故土，這也就是日方學者所謂的「逆輸出」。這是一個值得探究的重要課題，不但可以拓展中日漢籍交涉史的研究領域，而且對於研究中國文獻學史和當今的古籍整理研究工作，亦頗具參考價值。

收有來自扶桑的中土佚書

晚清光緒年間從日本輯刻的著名的《古逸叢書》，即收有許多來自扶桑的中土佚書。擔任《古逸叢書》的搜輯、編校和刊刻工作的，是黎庶昌和楊守敬。黎庶昌（1837－1898），字蒓齋，貴州遵義

---

*陳東輝，浙江大學古籍研究所教授。

人，光緒間曾兩次出任駐日公使，前後共六年。楊守敬（1839－1915），字惺吾（又作星吾），號鄰蘇，湖北宜都人，乃著名的歷史地理學家和版本目錄學家。光緒六年（1880），楊守敬應出使日本大臣大埔何如璋（字子峨，廣東香山人）之邀，赴日任使館參贊，及至東京，何如璋它調，繼任者許景澄旋丁憂離職，由黎庶昌接替。楊氏初到日本時，曾得到當時任駐日使館參贊的著名學者黃遵憲的指點，從而獲悉日本有許多唐鈔宋刻等中土珍本。守敬於是日遊市上，訪得許多舊本。其時日本正值明治維新，講求新學，唾棄舊學，故家所藏漢籍竟有作為廢紙出售者。楊氏曾詳記其事云：「余之初來也，書肆於舊板尚不甚珍重，及余購求不已，其國之好事者遂亦往往出重值而爭之，於是舊本日稀，書估得一嘉靖本，亦視為秘籍，而余力竭矣。然以余一人好尚之篤，使彼國已棄之肉復登於俎，自今以往，諒不至拉雜而摧燒之矣，則彼之視為奇貨，固余所厚望也。」❶值得一提的是，楊守敬曾以重價購得日本學者澀江全善、森立之的《經籍訪古志》抄本，不久又與森立之相識，成為好友。守敬即以《經籍訪古志》為線索，按目求書。在搜訪中，凡能購到之書，楊氏總是不惜重值，遇有不能以金幣購得者，則常常用從中國攜去的漢魏六朝金石碑版及古錢、古印等與日人交換。由於楊氏的刻意搜求，所獲頗豐，未及一年，購得古籍即達三萬餘卷之多，其中有為森立之之書所不載者數百種。

黎庶昌是桐城派後期者名文學家，影響甚廣的《續古文辭類纂》即為其所編刻。他曾出使英、法、德、美諸國，因而視野開

---

❶ 《日本訪書志緣起》。

闊，見聞廣博。黎氏幼年已受其鄉賢鄭珍的學風所薰染，於典籍頗感興趣。他出任駐日公使後，便大力支持楊守敬搜訪古籍的工作。守敬曾手擬了一篇《日本訪書緣起條例》，黎氏閱後大為感動，且引起興趣，遂萌發輯刻《古佚叢書》之雅意，委守敬主其事。

楊守敬協助黎庶昌編印

從光緒八年（1882）至十年（1884），楊守敬大力協助黎庶昌編印《古逸叢書》。守敬在工作中竭盡全力，認真細緻，對刻工要求極嚴，每鐫一書，必先挑出版刻技藝最佳者作為準繩，要求其餘工人依其筆法精心剞劂。由於楊氏對版刻富有卓識、鑒別入微，東瀛之士深表欽佩，詫為異人。《古逸叢書》刻印精湛，傳至蘇州，潘祖蔭、李鴻裔等見到後，驚嘆欲絕，認為這樣的刻板乃兩宋以後所未睹，清代諸家的仿刻本，俱不足與之相比。誠如葉昌熾所贊，《古逸叢書》「裒然鉅帙，摹勒精審，毫髮不爽。初印皆用日本皮紙，潔白如玉，墨如點漆，醉心悅目」。❷陳矩則認為其書「無美不備，宜海內有洛陽紙貴之譽也……數百年後，好古者必更有孔廟、虞書、貞觀刻之嘆」。❸此書東京初印美濃紙本，尤為學林所重，幾與宋槧元刊等視，黎氏以之贈送當時顯貴，皆驚為精絕；另有光緒中遵義黎氏日本東京使署影刊本。黎庶昌任滿歸國時，將這部叢書的全部板片帶回，交與江蘇官書局，受到國人重視，然其摹

---

❷ 《藏書紀事詩》卷七。

❸ 《東遊文稿·記遵義黎蒓齋先生刊古逸叢書》。

印遠不如前。由於屢經刷印，字多剝蝕，故至一九二一年，曹允源用初印本照相補刻，補版的計有《荀子》、《莊子註疏》、《尚書釋音》、《玉篇》、《草堂詩箋》等六種，共補一〇四頁。曹氏還撰寫了〈重修古逸叢書序〉，記述了補刻經過，同時極力稱頌黎氏輯刻逸書的重大貢獻。現在流傳較廣的即為曹氏重補本。經曹氏補版的《古逸叢書》的板片，於今仍存放在揚州的江蘇廣陵古籍刻印社。

十九世紀後期我國出版界的熱潮

于乃義先生認為：「十九世紀後期，我國的藏書家與刻書家出現兩股熱潮：一是編刻大量叢書，一是對版本之學精益求精，從珍視宋元版上溯到六朝唐五代寫本。集此兩特點於一身且有國際影響，應推黎庶昌主持得日本友人相助，進行影刻的《古逸叢書》。」❹《古逸叢書》共收書二十六種，凡兩百卷，「以其多古本逸編，遂命之曰古逸叢書。」❺內中有在淵源所自的本土已失傳的佚書，如影舊鈔卷子原本《玉篇》零本三卷半、覆舊鈔卷子本《玉燭寶典》十卷、影舊鈔卷子本《文館詞林》十三卷半、影舊鈔卷子本《琱玉集》二卷、影北宋本《姓解》三卷、覆永祿本《韻鏡》一卷、影宋本《史略》六卷、影舊鈔卷子本《碣石調幽蘭》一

---

❹ 〈中日兩國人民圖書交流史舉隅〉，載《文獻》第十三輯（書目文獻出版社，1982 年版）。

❺ 黎庶昌：〈刻古逸叢書序〉。

卷、影舊鈔卷子本《天台山記》一卷、影宋本《太平寰宇記》補闕五卷半等；亦有多種東鄰收藏而國內罕觀的隋唐寫本與宋元刻本，計有影宋蜀大字本《爾雅》三卷、影宋紹熙本《穀梁傳》十二卷、覆元至正本《易程傳》六卷、《繫辭精義》二卷、覆舊鈔卷子本唐開元御註《孝經》一卷、影宋台州本《荀子》二十卷、影宋本《莊子註疏》十卷、覆元本《楚辭集註》八卷《辯證》二卷《後語》六卷、覆宋本重修《廣韻》五卷、覆元泰定本《廣韻》五卷、影唐寫本《漢書食貨志》一卷、覆麻沙本《草堂詩箋》四十卷《外集》一卷《補遺》十卷《傳序碑銘》一卷《目錄》二卷《年譜》二卷《詩話》二卷等；同時還有日本刊刻的中國典籍，即覆正平本《論語集解》十卷、集唐字《老子註》二卷和仿唐石經體寫本《急就篇》一卷；此外尚有一種彼邦漢籍——影舊鈔卷子本《日本國見在書目》一卷；只有影宋蜀大字本《尚書釋音》一卷是個例外，並非搜訪於日本，而是黎庶昌的女婿張沆從武昌張廉卿處獲得，因庶昌之堅持而輯入《古逸叢書》，楊守敬對此則持有異議。《古逸叢書》由黎庶昌主編，書前有其自序和敘目，簡要考釋了所收各書的版本源流。實際上，這部叢書的許多具體審定和編輯工作是由楊守敬完成的。叢書中楊氏為跋者凡九種，詳細敘述了各書的有關情況，同時還選錄了森立之《經籍訪古志》及陳振孫《直齋書錄解題》等書中的有關條目，對我們瞭解和使用《古逸叢書》大有助益。值得一提的是，《古逸叢書》中有的典籍以多種版本補配，可以稱之為「百衲本」。後來張元濟先生主持校印《百衲本二十四史》時，也採用了這一編例。應該指出的是，《古逸叢書》中所收的僅僅是黎、楊二氏在日本所搜訪古籍中的一小部份，多為較易刻成且篇幅不大的書，而如古寫卷子本《春秋經傳集解》三十卷、北宋本杜佑《通典》二百卷、翻刻宋蜀大字本《任淵山谷詩註》二十卷等許多珍本秘籍，卻因卷帙浩繁等種種原因而未能謀刻。❻

新史料的學術價值

在十九世紀末二十世紀初，我國發現了甲骨文、鐘鼎文這類商周遺存，秦、漢、晉簡牘，敦煌石室文獻等新史料。這些新史料對於中國古代學術的研究產生了無以估量的極大影響，具有劃時代的重要意義。筆者認為，近代從國外重新傳回中土的「逸書」，也當視為一種新史料。從某種意義上說，這些「逸書」的價值並不亞於商周遺物或敦煌遺書。《古逸叢書》就是這類新史料中引人注目的一種。《古逸叢書》於版本學、校勘學、辨偽學、輯佚學等諸多學科的研究都有很大參考價值。直至今日，仍在古籍整理研究工作中發揮著重要作用。同時，本叢書對於研究古代中日漢籍交涉史以及中國典籍在日本的流傳與影響，亦有重要意義，洵應充分估量其學術價值而予以深入研究。

列為《古逸叢書》之首部的是影宋蜀大字本《爾雅》三卷。本書係晉郭璞註，首載郭序。每卷題《爾雅》卷幾、郭璞註，次行列篇目。全書文字豐肥，楷法端勁。敬、惊、弘、殷、匡、玄、朗、恒、禎、真、徵等字闕筆。間有南宋孝宗時補刊，桓、遘、慎三字闕筆。此書末有「經凡一萬八百九言，註凡一萬七千六百二十八

---

❻ 參見黎庶昌：〈古逸叢書敘目〉。

言」兩行及「將仕郎守國子四門博士臣李鶚書」一行。楊守敬認為此版係眾版之祖，黎庶昌指出此版為蜀本真面目，最為可貴。影宋蜀大字本《爾雅》三卷是現存《爾雅》單註本中一個較早的本子，具有頗高的校勘價值。

覆正平本《論語集解》十卷乃日本刊刻的中國典籍，其書卷末云：「堺浦道祐居士重新命工鏤梓，正平甲辰五月吉日謹誌。」正平甲辰相當於我國元順帝至正二十四年（1364），既云重新鏤梓，說明此前已有刻本，但具體已無從考證。楊守敬認為此書格式字體源於古卷軸，與宋本絕不相涉。其文字較之《群書治要》、唐石經也頗有異同，而間或與漢石經和《史記》、《漢書》、《說文解字》等書所引文字相合，與陸德明《經典釋文》中的有關文字則相合甚多。據此，日本學者普遍認為此書的版本淵源應上溯到六朝時期，而並非唐初諸儒定本。覆正平本《論語集解》十卷在版本學和校勘學上的重要價值是顯而易見的。

覆元至正本《易程傳》六卷、《繫辭精義》二卷乃積德書堂刊本。《易程傳》雖係元代坊刻本，然宋諱如貞、恒、桓、慎、敦等字多缺筆，則可知為元翻宋本。程傳原本現已不得見，而《易程傳》中將所有異同附於各行字句之下，當為呂祖謙參定之本，其價值尤為突出。《繫辭精義》，據《中興館閣書目》考證，當偽託呂祖謙之名者所為；此書中所載諸家之說紊亂失當，楊守敬亦斷為偽託之書，但筆者認為此書雖偽，仍可資參考。

黎庶昌在日收購中土佚書

影宋本《莊子註疏》十卷係南宋槧本，每卷首題南華真經註疏卷第幾，次題莊子某篇某名第幾、郭象註，次題唐西華法師成玄英疏。黎氏〈古逸叢書敘目〉云：「此本為日本新見旗山所藏，字大如錢，作蝴蝶裝，僅存十分之五，予見而悅之，以金幣為請，新見氏重是先代手澤，不欲售，願假以西法影照上木而留其真。予又別於肆中收得《養生主》一卷、《德充符》數葉，為新見氏所無，並舉而歸之。」由此既可瞭解此書珍貴之程度，又得獲知黎氏與日本學人以書交友的佳話。

《廣韻》有詳註本和略註本兩種。詳註本乃宋陳彭年等原著，略註本則為元人據宋本刪削而成。清初張士俊據汲古閣毛氏所藏宋本和徐元文所藏宋本校訂重雕，《廣韻》原書面目方為世人所知。但張氏雖名影宋，然據《玉篇》、《廣韻》改字頗多，並不完全允當。《古逸叢書》中的覆宋本重修《廣韻》五卷係宋徽宗時所槧，但黎氏在刊刻時，又用張本校其異同，雖增改頗多，然書末附有札記，謹慎而便後學。賴是書所附校札，今人得窺宋本原貌，洵為學林之幸事。另有覆元泰定本《廣韻》五卷，亦係珍貴之本。自重修本《廣韻》流行後，此本傳世日稀，就連向稱博洽的顧炎武亦未曾寓目。黎氏〈敘目〉謂：「卷中匡、朗等字時有闕筆，其為出自宋版無疑。惟俗體頗多，譌舛亦眾，今擇其顯然太甚者正之，餘悉仍舊。」上述兩種珍本，為考究《廣韻》的版本源流提供了重要依據，在音韻學和校勘學上亦很有參考價值。

《玉篇》零本乃佚書中瑰寶

更引人青睞的是，《古逸叢書》還收錄了多種在中土失傳已久的逸書。影舊鈔卷子原本《玉篇》零本乃此中瑰寶。據史料記載，原本《玉篇》在唐代已由留學僧人攜歸扶桑，乃漢文字典首次傳入日本，從此日人即以《玉篇》為中日字典之代名詞。原本《玉篇》對日本的辭書編纂產生了深遠影響，日本高僧弘法大師空海所編的《篆隸萬象名義》即以原本《玉篇》為藍本。《古逸叢書》中的原本《玉海》零本（含續收部份）包括以下幾卷：卷九，言部（首缺）至幸部（有殘缺），共二十六部六百九十字；卷十八之後分，放部至方部，共十二部一百六十一字；卷十九，水部（首尾缺），存一百四十四字；卷二十二，山部至厽部，共十四部六百十一字；卷二十七，系部（首缺）至索部，共七部四百二十字。如此，《古逸叢書》中的原本《玉篇》殘卷共計五卷六十部二千零二十六字，字數約當原本《玉篇》所收字數的十分之一。與流傳至今的《大廣益會玉篇》相較，原本《玉篇》的學術價值是顯而易見的。《大廣益會玉篇》增字較多，釋義粗疏，一般沒有書證、疏證，顧野王案語也被刪去，且有增字重出和漏奪原文之病。原本《玉篇》雖僅存若干殘卷，但已可使我們窺其真貌。首先，原本《玉篇》釋義完備、例證豐富，如方部方字下註文共有五百二十二字，其中案語詳盡，並且廣引《尚書》、《毛詩》、《周易》、《論語》、《國語》等書證，而《大廣益會玉篇》該字下僅有「甫芒切。法術也。《說文》云：『並船也。』」等數字。繁簡之懸殊，已不可同日而語。同時，原本《玉篇》廣徵博引，經史子集，無所不包，僅有關註釋

《漢書》的典籍，即有應劭的《漢書音義》，文穎、蘇林、張晏、如淳等的《漢書註》，孟康、韋昭等的《漢書音義》，晉灼的《漢書集註》，臣瓚的《漢書集解音義》等多種。並且，原本《玉篇》徵引之書，咸屬梁朝內府所藏珍本秘籍，其價值當在宋元刻本乃至隋唐寫本之上，我們可以藉此考究許多古籍的原貌，為校勘之學提供了豐富的佐證。尤為寶貴的是，原本《玉篇》還保存了多種亡逸已久之典籍，真可謂乃逸書之逸書也，琅嬛星鳳，珍逾拱璧。此外，原本《玉篇》是我國第一部以楷書為正體的字書，它在收字、釋義、註音方面吸收了《說文》的不少長處，並根據時代和語言自身的發展情況作了很大改進，還注意收錄漢魏六朝時期的俗語詞，因而在中國語言學史上佔有極重要的地位。

《文館詞林》殘卷傳回中土

《文館詞林》是唐代許敬宗等奉敕編纂的一部總集，凡一千卷。是書分類纂輯自先秦至唐代的各體詩文。原書北宋時散佚，而流傳日本的《文館詞林》有一些殘卷被保存下來。據日本已故文獻學大師阿部隆一先生考證，《文館詞林》曾完整地傳入日本，庋藏於冷然院，但由於種種原因，此書在日本受到冷遇，遂日漸流散，只剩下若干殘卷。直到江戶時代，《文館詞林》始又受到人們的重視。清末以來，《文館詞林》的殘卷逐漸傳回我國。《古逸叢書》即收有影舊鈔卷子本《文館詞林》殘本十三卷半，字分大、小兩種。大字本收卷四五二、四五三、四五九、六六五、六六六、六六七、六九一、六九五；小字本收卷一五六、一五七、一五八、三四

七、四五七、六六六、六六七、六七〇、六九〇。標號同卷者內容並不相重，如卷六六七，大字本收前小半殘卷，小字本收後大半殘卷。上述殘卷中有許多在華夏故土已經失傳的先唐和初唐遺文，珠玉重輝，令人雀躍。清代嚴可均所編的《全上古三代秦漢三國六朝文》（以下簡稱《全上古》）和清代董誥等奉敕編的《全唐文》，雖收羅已可稱宏富，謂其集先唐和唐代遺文之大成，並非過譽，然滄海遺珠，仍有闕文，《文館詞林》中有多篇文章（如《贈賻扈玄達教》、《監護杜嵩表教》等）可整篇補入《全上古》或《全唐文》。同時，有些文章就整篇而言在國內亡佚已久，僅賴《太平御覽》等類書保存了某些辭句和片斷，而今全豹得見，豈不快哉！《文館詞林》中有不少篇章與《全上古》、《全唐文》中所收者有異文出入，可據以校正《全上古》、《全唐文》中的誤、脫、衍文及人名、地名、時間之誤。❼可見《文館詞林》對於研究中國中古文獻具有重要參考價值，我們應該充分地加以利用。

影北宋本《姓解》三卷乃宋代邵思所纂。篇首有序，題「大宋景祐二年（1035）上祀圜丘後五日自序」。是書大約於元末明初之際已在國內亡佚，異域重睹，彌足珍貴。黎氏〈敘目〉曰：「原槧甚精，頗類唐石經，北宋文之極佳者。」《姓解》以偏旁分部，始人終暢，凡一百七十部，二千五百六十八氏。森立之謂其「引用各書，如《何氏姓苑》、《三輔決錄》、《山公集》、《姓書》、《陳留風俗傳》、潁川棗氏《文士傳》、《春秋公子譜》、《世

---

❼ 參見林家驪：〈《文館詞林》在日本的流傳及其所存殘卷的文獻價值〉，收於《中國典籍在日本的流傳與影響》（杭州：杭州大學出版社，1990年）。

本》、《郭泰傳別傳》、王僧孺《百家譜》、《祖氏家傳》、呂靜《韻譜》、《孝本傳》、賈執《英賢傳》，皆世久失傳，鮮並其名知之者❽，亦得賴此以存其梗概❾。」據此，我們可以見出《姓解》一書的文獻價值。

《韻鏡》是現存韻圖中之最古老者

《韻鏡》是現存韻圖中最古老的一種，其作者及著作年代尚無定說。《古逸叢書》中的覆永祿本《韻鏡》一卷，係永祿七年（1564）根據宋代張麟之在宋紹興辛巳年（1161）所刊之本的重校本。《韻鏡》一書共分四十三圖，每圖橫列唇、舌、牙、齒、喉等七音，分二十三行，包括中古的三十六字母。書內所列各字，基本代表了《廣韻》一系韻書的音韻系統。我們可以通過此書來研究和掌握《廣韻》一系韻書所代表的語音系統，並且可以加深我們對中古語音的認識和對反切學理的領會。總之，《韻鏡》至今仍是音韻學研究中不可或缺的重要典籍。

宋高似孫所撰《史略》在國內久已湮沒無聞，收入《古逸叢書》中之影宋本《史略》六卷係海內孤本，可謂碩果僅存。《史略》卷首有高似孫寶慶元年（1225）自序。本書可以視為一部獨立的歷史書籍專科目錄。卷一者錄《史記》及有關書籍；卷二著錄《漢書》至《五代史》；卷三著錄實錄、起居注、時政紀、會要、

---

❽ 疑當作「並其名鮮知之者」。

❾ 《經籍訪古志》卷五。

玉牒等；卷四著錄史典、史表、史略、史鈔、史評、史贊、史草、史例、史目、通史、通鑒等；卷五著錄霸史、雜史、《七略》、中古書、東漢以來書考、歷代史官目、劉勰論史等；卷六為古代歷史典籍，如《山海經》、《世本》、《三蒼》、《竹書》等。每書之下或僅列書名，或兼作解題，或悉鈔前人名文，或轉錄陳年舊事；比較重要的歷史書籍，還在解題之後列出該書的校本、註本和音義書的參考書目。本書材料珍貴，足資參考，可惜體例雜亂，分類無序，其使用價值因而有所減削。

宋代樂史所撰的《太平寰宇記》，《四庫提要》著錄據浙江汪氏所進鈔本為一百九十三卷，闕卷一百十三至一百十九凡七卷，江西萬氏、樂氏兩種刊本及池北書庫本缺卷四，共佚八卷。黎氏從日本秘閣借出之宋版原刻，雖亦非完璧，但幸存卷一百十三至一百十八（卷一百十四闕尾數頁），計五卷半，包括「江南西道十」一卷、「江南道十二」半卷（存前九頁）、「江南西道十三」一卷、「江南西道十四」一卷、「江南西道十五」一卷和「江南西道十六」一卷，共十三個州、四十四個縣、一個軍和一個監，內容涉及上述州縣的沿革、轄境、戶口、風俗、姓氏、人物、土產及各縣置廢、山川、古蹟、要塞等，實為唐宋史地研究的重要資料。

另收有日本漢籍一種

《古逸叢書》中還收有一種日本漢籍，即日本學者藤原佐世於寬平年間（889－897）奉敕編纂的影舊鈔卷子本《日本國見在書目》一卷。此目專記冷然院所藏唐代以前傳至日本的燼餘之書，共收唐及唐以前古籍一千五百六十八部，計一萬七十二百零九卷。此目分經部為易、書、詩、禮、樂、春秋、孝經、論語、異說、小學；史部為正史、古史、雜史、霸史、起居注、舊事、職官、儀註、刑法、雜傳、土地、譜系、簿錄；子部為儒、道、法、名、墨、縱橫、雜、農、小說、兵、天文、曆數、五行、醫方；集部為楚辭、別集、總集等四十類。此目編纂於九世紀後半期，晚於《隋書·經籍志》二百二十年，早於《舊唐書·經籍志》五十餘年、《新唐書·藝文志》一百五十年。此目對於中國古典文獻學尤其是版本目錄學的研究具有重要參考價值。此目中有多種書籍為《隋志》和兩《唐志》所未收，如史部中的《史記新論》五卷、《太史公史記問》一卷、《漢書問答》十卷、《漢書私記》七卷、《側子春秋》一卷、《陳帝紀》六卷等，均失載於上述隋、唐三志。同時，此目又可校訂《隋志》和兩《唐志》之誤。此外，當代著名古文獻學家嚴紹璗先生通過詳密考究和認真分析，認為《日本國見在書目》不但提出了中古時代版本目錄學史上的新問題，而且還提供了中國學術史上已被人失略的事實。❿可見此目的學術價值是多方面的。

此外，日本刊刻的集唐字《老子註》二卷和仿唐石經體寫本《急就篇》一卷，可從中探究中國古代書法藝術流播於日本之蹤跡。

我們還可利用宏觀與微觀相結合的方法，對《古逸叢書》中所

---

❿ 參見〈日本手抄室生寺本《本朝見在書目錄》考略〉，載《古籍整理與研究》第 1 期（上海：上海古籍出版社，1986 年）。

收各書的版本源流及有關情況作全面、深入的稽考，從而以其成果編組中日漢籍交涉史的重要篇章，這是一項有意義、有魅力的研究課題。

《續古逸叢書》與《古逸叢書三編》

正是由於《古逸叢書》具有不可磨滅的文獻價值，所以《叢書集成初編》和《百部叢書集成》均予收列。更為值得一提的是，《古逸叢書》開創了輯刻逸書的學術風氣。近現代著名出版家張元濟先生仿照《古逸叢書》體例，輯刻了《續古逸叢書》，自一九二二年至一九三八年，先後影印宋刻珍本及蒙古本、《永樂大典》本四十六種，一九五七年又續印宋本《杜工部集》一種，均由商務印書館影印出版。近年，中華書局又陸續影印出版了《古逸叢書三編》，並在全國首屆古籍整理圖書評獎中榮獲特別獎。從初編到三編，這套叢書在編選和印刷上都是逐步提高的，可謂後出轉精，青勝於藍。但願不久的將來，還能見到《古逸叢書》的四編、五編……黎、楊二氏若地下有靈，亦當含笑九泉。

當然，以今天的學術眼光來看，《古逸叢書》還存在著美中不足之處。如該叢書採用影刻法，雖係嚴格照描，但有時仍不免略有失真，不似影印可完全保留原貌，並且「往往改小原版及移動行款。」⓫同時，由於許多逸書流播已久，輾轉傳摹，出現了不少訛

⓫ 武內義雄：〈四部叢刊述〉，載江俠庵編譯：《先秦經籍考》（上海：商務印書館，1931 年）。

誤，黎、楊二氏將其刻入《古逸叢書》時，曾下過一番訂正功夫，其中雖不乏精到之見，但亦有臆改之處，使逸書在一定程度上失去原貌。此外，誠如黎庶昌在〈古逸叢書敘目〉中所云，由於種種條件的侷限，像慧琳《一切經音義》、楊上善《太素經》等重要典籍，未能收入這部叢書。同時，在實際使用中，我們還應注意到，並非所有收入這部叢書的本子都是存世的最好版本。凡此種種，我們作為後學晚輩，惋惜之情自所難免，但不應苛求前賢。黎、楊二氏在當年的條件下居然編成這樣一部大書，實屬非常難能而可貴，其功業、其精神，必將在中日文化交流史上永留芳馨，垂範後昆。

——原載《中國書目季刊》第 30 卷第 3 期（1996 年 12 月），頁 37－45。

張元濟和《四部叢刊》

張人鳳*

一、《四部叢刊》簡介

商務印書館從一九二〇年六月起出版《四部叢刊》初編的第一批書，到一九三六年底《四部叢刊》三編出齊，前後共用十七年時間。如果從著手準備時開始算起，這部大型古籍叢書的編輯、校勘和印刷、發行工作，持續了二十年以上。

《四部叢刊》是一部綜合性的古籍叢書，按照中國古籍分類方法，分為經、史、子、集四部。它有以下幾個主要特點：

1.收集了我國古籍中常用、實用的書目，即所謂「家弦戶誦之書，如布帛菽粟，四民不可一日缺者」。❶可以說《四部叢刊》是我國古籍的一部基本的叢書，也就是古典文獻工作者必讀的，或主要的參考書。

2.選用了當時能找到的最好版本。同一種書，流傳中產生不同的版本，更有殘缺、自然損壞或人為篡改。即使如明《永樂大典》

---

*張人鳳，上海楊浦區業餘大學副教授。

❶ 〈印行《四部叢刊》啟〉，《張元濟詩文》，頁260。

或清《圖書集成》這樣的巨帙，也有經剪裁而有損原著面貌的地方。因此選擇時間最早、面貌最為真實的版本，對於原著的流傳、後人的研究工作，無疑是十分重要的。各種珍本，深藏於各地藏書樓中，一般人無法一一訪求，各方學人往往由於見到的版本有限而影響他們的研究成果。《叢刊》的編校者，通過自己的辛勤勞動，採訪或向各著名藏家借到了許多罕傳之本，影印出版，大大方便了讀者。

3.首次大規模採用照相石印技術，不僅出書快，而且與原書面貌毫無損折。同時經過縮小，又在封裡注明原書尺寸，使叢書外貌既歸一律、便於庋藏，又使讀者明瞭原書的概貌。

因此，《四部叢刊》成為從內在質量到外觀裝幀俱佳的一部大型古籍叢書。出版後深受讀者歡迎。初編第一版和重版共印五千餘部，這是一個很可觀的數字。其各編的出版年份及種數分列如下：

<table>
<tr><th></th><th>經部</th><th>史部</th><th>子部</th><th>集部</th><th>小計</th><th>冊數</th><th>出版年份</th></tr>
<tr><td rowspan="2">初編❷</td><td rowspan="2">25</td><td rowspan="2">22</td><td rowspan="2">61</td><td rowspan="2">215</td><td rowspan="2">323</td><td>2100</td><td>1920.6－1923.3（初版）</td></tr>
<tr><td>2112</td><td>1926－1930（重版）</td></tr>
<tr><td>續編</td><td>17</td><td>11</td><td>18</td><td>29</td><td>75</td><td>500</td><td>1934.1－1934.12</td></tr>
<tr><td>三編</td><td>10</td><td>16</td><td>15</td><td>29</td><td>70</td><td>500</td><td>1935.10－1936.7</td></tr>
</table>

---

❷ 《四部叢刊》於 1926 年重版後，改稱《四部叢刊初編》。為簡便起見，此處及下文將 1920－1926 年的初版《四部叢刊》亦稱為「初編」。

二、《四部叢刊》的醞釀和準備

出版這樣一部叢書，決不可能是一蹴而就的。主持人張元濟和他的同事們為這部書做了長期而充分的準備，又在條件成熟後抓住有利時機，做出了出版的決定。

張元濟對於出版古籍叢書，是「久蓄此志」❸的。他加入商務印書館並主持編譯以後，先後編寫成套中小學教科書，出版西語教材、工具書，獲得了成功。同時，他在前輩學者繆荃孫等的指導下，刻意收購有價值的古籍。一開始，他的目的可能只是為了滿足編譯所工作所需，「每削稿，輒思有所檢閱，苦無書」。❹然而，清王朝的最後年月，到辛亥以後的若干年間，中國經歷了一次深刻的社會變革。不少起源於封建時代的藏書樓紛紛解體，藏書流散。這一方面固然是收購善本的大好時機，然而他意識到了在此社會變革之際，保存這些典籍有其特定的意義。使他觸動最大的一件事莫過於堪稱晚清四大藏書樓之一的歸安陸氏皕宋樓藏書全數由日本岩崎氏靜嘉堂購去一事。他聞訊陸氏藏書欲售，進京晉謁軍機大臣榮慶，請求清廷撥款收購以為京師圖書館的基礎，未獲允准；商務印書館主人夏瑞芳願出資購買，但因索價過巨而未果。這件事使他為我國千百年流傳下的古籍命運感到擔憂。他「頗擬勸商務印書館抽撥數萬金收購古書」。❺這不僅是保存古籍，更是將自己的事業昇

---

❸ 〈張元濟致繆荃孫書〉，1913 年 1 月 1 日，《張元濟書札》，頁 7。

❹ 〈涵芬樓燼餘書錄序〉，《張元濟詩文》，頁 282。

❺ 〈張元濟致繆荃孫書〉，《張元濟書札》，頁 4。

華到了搶救和保全中華民族文化的高度民族責任感。商務印書館先後收購了紹興徐氏熔經鑄史齋全部藏書，長洲蔣氏秦漢十印齋藏書，廣東豐順丁氏持靜齋和盛氏意園的部分藏書。後來陸續還購入烏程蔣氏密韻樓等家收藏，又從各地書肆、書估或友人處轉輾購入的善本書籍，為數也很可觀。這些都為後來影印《四部叢刊》所需的版本打好了基礎。

張元濟在主持編譯所期間，多方攬延人才。其中也不乏古籍方面的專門人才。孫毓修（無錫人，1871－1922，版本目錄學家繆荃孫的弟子，著有《四部叢刊書錄》、《中國雕版源流考》、《書目考》，曾受張元濟委託，主持《涵芬樓秘笈》的編印工作。）、姜殿揚、胡文楷、丁英桂，就是其中的幾位。還包括了一批技藝嫻熟的印刷、製版工人和技師。他們長期與張元濟合作共事，一絲不苟，大多是畢一生之精力，工作在古籍校勘、影印、出版的崗位上。

商務印書館是一家現代的資本主義企業，在本世紀前三十年中，業務欣欣向榮，經濟實力雄厚，一九〇五年資本已達一百萬元，一九一四年為二百萬元，一九二六年為三百萬元。❻這為古籍的影印出版，特別是大量收購名家的收藏，提供了堅實的財力保證。歷代刻印古籍，除了宮廷以外，可以說沒有一家的經濟實力可以與之相匹敵的。

「古籍散亡，印術日精，余恒思擇要影印以餉學者」。❼本世紀初，新式照相石印技術得到採用。從辛亥前後起，商務印書館陸

❻ 參見《最近三十五年中國之教育》。

❼ 〈涵芬樓燼餘書錄序〉，《張元濟詩文》，頁282。

續試印了一些古籍。一九一〇年至一九一一年，張元濟在赴歐美考察教育、出版和去北京出席中央教育會議期間，與孫毓修多次書信往返，商討「選印舊書，匯成叢刻」❽和宋本《韓昌黎集》影印中的技術問題。印刷技術在實踐中，不斷提高。

主持人經過長時間的周密計畫，為《四部叢刊》的出版，從人才、資金，到善本書籍、印刷技術諸方面，作好了充分的準備。

三、《四部叢刊》的輯印過程

一九一五年五月十九日，張元濟致函傅增湘，稱「本館擬印舊書，以應世用，擬定名《四部舉要》」。❾這是現存關於《四部叢刊》最早的文字資料。具體著手這項出版工程，也就是在一九一五年到一九一六年間開始的。張元濟與商務領導層於一九一六年九月二十五日一同商討，估計了成本，擬訂售價，決定據預約數多少確定印書數量，並定下了「先出草目，再借版本，然後再出預約」❿的工作步驟。

初編的書目先由孫毓修擬出，經張元濟改定，後又向傅增湘、劉承幹等多位藏書家徵求意見。需要作底本的善本古籍，以涵芬樓的收藏作為基礎。但畢竟善本無窮，必須四出訪借，而商借版本是一件很不容易做的事。張元濟經由他光緒壬辰科同年、長沙葉氏觀

---

❽ 原件。

❾ 《張元濟傅增湘論書尺牘》，頁 64。

❿ 《張元濟日記》，頁 130。

古堂主人葉德輝的介紹，偕同孫毓修親往常熟罟里村拜訪了鐵琴銅劍樓（晚清四大藏書樓之一）主人瞿啟甲，參觀了他的收藏，並商談《四部叢刊》出書計畫及借影善本之事。瞿亦主張「書貴流通」，欣然應邀擔任《四部叢刊》發起人，並「盡出家藏，毫無保留」。⓫次年春，商務技術工人由朱桂（少卿）帶領，自備發電機，前往常熟，日以繼夜拍攝珍本照片。他又委派孫毓修去南京江南圖書館，聯繫借照該館所藏原錢塘丁氏八千卷樓的藏書，借來上海後即由謝燕堂負責在上海工廠開夜工趕照，星期天也不休息。一九一八年張元濟赴京期間，曾致函高夢旦、孫毓修「請將《四部舉要》未有各書標出寄來，以便採購」。⓬他多次出入琉璃廠書肆，為商務購買所需書籍。由於張元濟等人的努力，使《四部叢刊》「基本上網羅了當時現存的珍本秘笈」。⓭

初編進程中有這樣幾個重要日期：一九一九年二月動手印行⓮，一九二〇年六月二十五日上海《申報》首次刊登廣告⓯，同月第一批出書。計畫每半年出一期，分六期，到一九二二年十一月（壬戌十月）出完。最後一期因製版後發現幾種書有更好版本，拆版重製，遂推遲到一九二三年三月一日出齊。⓰

一九二六年底，初編重版了一次，至一九三〇年二月重版出

⓫ 瞿鳳起：《鐵琴銅劍樓和商務印書館》。

⓬ 《張元濟日記》，頁 425。

⓭ 王紹曾：《近代出版家張元濟》，頁 63。

⓮ 《張無濟傳增湘論書尺牘》，頁 95。

⓯ 原報影印本。

⓰ 參見 1923 年 3 月 1 日《申報》廣告。

齊。這時一方面因「購者紛至」，第一版售罄，於是「擬將是書全部再版」⓱，另一方面是出於同業競爭，「後見同業有《四部備要》，不能不並行，以期招徠，而續編乃稍稍壓後。」⓲這時，張元濟正好從商務印書館監理崗位上退休，有較多的精力，集中於編校古籍。他打算除了重版初編外，還將因沒有找到理想的版本而未列入初編史部的二十四史，以及《四部叢刊》續編陸續編輯影印。初編重版，抽換了二十一種版本，主要是幾年間發現的一些年代更早、更為完整的版本。同時，有四十四種書增補了缺卷或缺頁，或將歷代名家的校記附入。這樣使初編在原來的基礎上，做到了精益求精。

早在一九二八年，張元濟就擬訂了續編的書目，請傅增湘過目，有不少書已經攝照，後因日本侵略者戰禍，輯印工作推遲到一九三三年。一九三四年一月續編首批出書，至年底出齊。印數為一千二百部。這批書的一個特點是借印常熟瞿氏鐵琴銅劍樓的版本特別多，共有四十種，占全部七十五種的百分之五十三。當時瞿書移庋滬上，商務印書館與瞿氏訂立了「租印善本書事」合同，將書借到商務工廠攝照。合同規定商務印書館應承擔的責任，「凡封面、副葉、襯紙或夾簽等均不令損壞散失，於校對完畢後繳還書主，領回收書收條。」⓳又支付書主一定數量的賃金，還規定了損壞賠償辦法。由於商務同人認真細緻的工作作風，贏得了書主的信任，使

⓱ 〈張元濟致王國維書〉，1926年9月3日，原信底稿。

⓲ 《張元濟傅增湘論書尺牘》，頁137。

⓳ 合同複印件。

他們所藏精品逐一得以印影，公之於世。第二個特點是張元濟一九二八年以中華學藝社名譽社員身份東渡日本時訪得的幾種中土失傳的本子，輯入了續編。中華學藝社是歸國留日學生組織，與日本文化界聯繫廣泛。張元濟動身之前，與日本有關公私圖書館做好聯繫，並熟讀他們的書目。到日本之後，受到日本文化界和漢學家的熱情招待，一個月時間內，飽覽靜嘉堂文庫、日本宮內省圖書寮、內閣文庫、東福寺等收藏的我國秘笈。徵得主人同意之後，以學藝社名義借照了一批書籍。其中如《群經音辨》、《飲膳正要》，都輯入續編。

一九三四年底，張元濟即著手準備三編的出版。親自擬定了書目。三編從一九三五年十月出書，到一九三六年七月出齊，印數一千部。張元濟原有繼續出版四編的打算。一九三七年二月十六日致劉承幹的信中說：「《四部叢刊》四編今歲仍當續出，惟發售預約時期，現尚未定。一俟書目編成，即當呈政。」⑳其中有幾種書已攝成底片。八月十日致丁英桂信中，還提到「所有已製傳真之書備《叢刊》四編者，現在不印。其傳真清本應如何保存，請與總管理處接洽。」㉑可是日本侵略者大舉進犯，全面抗戰爆發，商務總部內遷，《叢刊》四編就成了張元濟未竟的事業。從現有資料來看，他打算輯入四編的書目有《契丹國志》、《名臣碑傳》、《琬琰集》、《諸儒鳴道集》、《北曲聯樂府》、《玉堂類稿》、《國朝名人事略》。也可能包括《國榷》，以及他為之傾注了大量心血、

⑳ 原件。

㉑ 原件。

直至臨終前仍念念不忘的《冊府元龜》。但四編計畫的「廬山真面目」還有待進一步考證。

四、《四部叢刊》的版本價值

張元濟認為「古書非校不可讀」。㉒採用照相技術影印古籍，決不是簡單地攝影製版即可成事。因為古籍在流傳過程中，訛傳、缺損、人為篡改，以及水漬、蟲蛀等自然損耗十分多見。張元濟等人對《叢刊》中每一種書，都進行了詳細校勘。其中如《文始真經》，影印鐵琴銅劍樓藏本，張元濟同時用明萬曆刊本、道藏本等六種版本進行了校勘。在續編和三編的大多數書後，都附了詳細的校勘記，其中張元濟撰寫的就達四十二篇。校記中注明採用何種版本進行對校，詳列幾種版本的不同之處，這樣讀者讀了《四部叢刊》本就相當於同時見到了幾種不同的版本，大大地方便了研究工作。

古籍流傳中不斷遭到散失，即使名家的收藏中，殘本也不鮮見。如果僅將殘本印出，雖能使之得以流傳，但書的學術價值就大受損失。張元濟等化大力多方訪求，使一些殘缺的古籍，經過他們的辛勤勞動而重新恢復或基本恢復了原貌。例如明末彭孫貽的《茗齋集》，僅有抄本，且二百多年間幾經轉手，去向也難以查考。張元濟用了十年時間，自己訪購，又從友人徐行可、親家葛詞蔚處購、借到部分殘卷，終於使全書基本配齊，輯入《叢刊》續編出

㉒ 原件。

版，搶救了一部名家的詩文集。

一九二八年從日本訪得的古籍，有的國內已經失傳。例如《平齋文集》，鐵琴銅劍樓藏有影宋鈔本，缺去八卷。張元濟在日本東京內閣文庫發現了宋刻本，瞿氏所缺八卷儼然俱存，於是向書主借影，使全書成為完璧。又如《金華黃先生文集》，僅陸氏皕宋樓藏有元版孤本，陸書售與日本之後，國內就成為空白，這部書也得到日本靜嘉堂主人同意，「許我景印。私喜有志竟成，不啻完璧歸趙也」。㉓

這裡還應一提的是續編和三編中，有三種大部頭書，即《嘉慶重修一統志》、《罪惟錄》和《天下郡國利病書》，都是用手稿本或原抄本第一次影印出版。清代《一統志》是輿地學的重要資料，始修於康熙，續修於乾隆。嘉慶年間第三次修輯後未曾公布，清史館僅存一部寫本，五六二卷，一萬三千餘頁。如不及早印行，一旦散失就無可挽回。張元濟聞訊後，囑商務北京分館借出全書攝影。不料竣事未久，商務遭「一·二八」戰禍的劫難，正擬出版的書毀去了數十頁，竟成殘本！後經陶湘介紹，向任振采借到他收藏的藍印本，經補鈔才於一九三四年使全書得以出版。明末顧亭林的《天下郡國利病書》是一部輯錄歷代地理資料的名著，昆山縣立圖書館藏有顧氏手稿，該縣彭百川等人將此書推薦給商務，張元濟即決定影印出版並為之撰寫後跋。明末清初海寧人查繼佐的《罪惟錄》是一部傳記體的明史，記載晚明史實較其它史書詳細。查氏曾遭文字獄，這部書是後人冒著生命危險保存下來的。張宗祥整理、抄錄了

㉓ 張元濟：《金華黃先生文集·跋》。

原稿，推薦給張元濟。張又向南潯嘉業主人劉承幹借閱了他所藏的查氏手稿進行比校，又請何炳松、姜殿揚再行考證、整理，最後得以影印出版。像這樣有價值的稿本，經整理出版，一部化成了千百部，無疑使書保存和流傳的可能性頓時擴大了千倍。

張元濟以他本人的學識和組織管理能力，適時地運用了商務印書館所聚集的人才與智慧，所積累的資金和現代技術，並收集到了除聊城楊氏海源閣以外的晚清四大藏書樓的精品，將《四部叢刊》編成了一部學術價值和版本價值極高的大型古籍叢書。王紹曾先生認為：「《叢刊》是一部前所未有的集善本之大成的大叢書，如果我們把叢刊的版本按時代和版刻地區加以排比，實際上就是一部變相的中國版刻圖錄和中國雕版史。」[24]張元濟、傅增湘、姜殿揚、胡文楷等，為《叢刊》撰寫的跋文，闡述了各書的來龍去脈，版本的淵源和辨證，總結出了校勘的經驗並上升為校勘學上的理論，進而修正了前代學人的某些結論。這些跋文和校刊記成為民國以來我國古籍整理、校勘史上的一項極為重要的成果。

五、張元濟的工作精神

編印《四部叢刊》這樣一部巨帙，要付出大量艱辛的勞動，有時甚至會遇到意想不到的困難和打擊。這就需要主持者和他的同仁們具有超乎常人的毅力。

《叢刊》初編是在張元濟任商務印書館經理和監理任內完成

---

[24] 王紹曾：《近代出版家張元濟》。

的。從他現存的工作日記來看，他承擔了全館十分煩雜的行政事務，從制訂出版方針、計畫、確定選題、約稿和決定稿酬，到人事安排、財務管理、紙張供應，以及處理與外單位的法律訴訟、解決勞資糾紛，再加上大量的社會活動，他就在這樣繁忙的工作中，勻出時間和精力，來主持這部大叢書的全面工作。

更令人嘆服的是《四部叢刊》初編再版、續編和三編的出版，與另一部重要古籍《百衲本二十四史》的編校輯印，以及主持《四庫全書珍本》的出版，是在他退休之後，從六十歲到七十歲這十年中同時齊頭並進的。此時，他在古籍出版工作中的重要助手孫毓修已經去世，所以他就要承擔從選定書目、底本到校看印樣的幾乎每一項工作。家人回憶起這段時間內，他天天一早起身，先做二小時工作，用過早飯馬上再繼續。由於用目過度，多次兩眼酸痛流淚，醫生叮囑不能看書，只要稍有好轉，又立即伏案看稿。丁英桂保存了一九三二年以後張元濟給他的幾乎全部信件，僅一九三三年到一九三七年間就達五百二十五件，內容都是關於這幾部大叢書的事，包括審定書目，向各家商借版本、攝照製版的先後次序、校看毛樣、修版、撰寫跋文、校勘記和編輯凡例、書籍印刷和裝訂質量、撰寫廣告等等。其中不乏「晨起燈下」給丁英桂書寫便條；夜晚睡下去忽又想起一件急事，「即披衣而起」；為校書事「忙冗不堪言狀」等等的記錄。

也就是在這十年中，張元濟經受了事業和生活上兩次最為重大的打擊。一九三二年一月二十八日晚，日本侵略者發動「一·二八」事變，突然進攻上海閘北，次晨瘋狂轟炸商務印書館，總管理處的辦公大樓和四個印刷廠全部被毀，二月一日又縱火焚燒東方圖書館，使四十六萬冊藏書盡化劫灰。張元濟看到用三十年心血創設起來的事業毀於一旦，悲憤異常，見了校史處的同仁，幾乎抱頭痛哭。但很快，他就振作起來，擔任董事會辦理善後事宜特別委員會委員長，他說「商務印書館……未必不可恢復。平地尚可為山，況所覆者猶不止一簣。設竟從此澌滅，未免太為日本人所輕」。㉕一九三三年，商務復興取得了一定成績，他就著手《四部叢刊》續編的工作。一九三四年，許氏夫人去世，是張元濟生活上極大的不幸。他與許氏夫人結婚整四十年，情深義篤。他在痛悼夫人的《告窆文》中寫道：「此四十年中，余唯去歐美作環球之游，與夫人別者幾一年，余則因事偶出，事畢即還，嘗不過二三月。余與夫人之相處蓋可謂形影不離。嗚呼，今夫人竟忍別余而長去耶。」㉖然而，就在夫人從發病到去世的四個月內，他一面陪伴病人，一面堅持工作，為《四部叢刊》和《衲史》校定毛樣二十二種，撰寫跋文十七篇、校刊記八篇。在許氏夫人大殮的當天，他還給丁英桂去信，言「明後二日公司放假，如有校樣，多請今日盡數發下為荷」。他以自己堅強的意志，使《叢刊》和《衲史》的進程絲毫未受影響。

另一件該提一下的事是：張元濟從一九二六年退休之後，不再領取工資。十年校刊幾部大叢書，都是義務的。一九三五年六月十八日商務經理王雲五、李拔可、夏鵬聯名致函張元濟，言「近年公司印行《百衲本二十四史》、《四部叢刊》正續各編，全賴我公一

㉕ 〈張元濟致胡適書〉，1932年2月13日，《張元濟書札》，頁163。

㉖ 《張元濟詩文》，頁373。

手主持，勞苦功高，務非公司在職同人所及。而純任義務不下十年，尤為全體同人所敬佩不已。」㉗決定從該年起送酬金四千元，並附來上半年酬金二千元支票一紙。張元濟當天將支票退了回去。兩天以後商務又將支票送來，張元濟就乾脆將「原票即時塗銷退回」。㉘

六、結　語

《四部叢刊》的編輯出版，不失為我國現代古籍整理出版事業中的一項重大成果。張元濟從事這一事業，固然是因為「性之所近，頗樂為之」㉙，更重要的是他把這一事業看成像他這樣精通舊學的知識分子能為國家、民族盡責的一種途徑。他說：「吾輩生當斯世，他事無可為，惟保存吾國數千年之文明，不至因時勢而失墜。此為應盡之責。能使古書多流傳一部，即於保存上多一分效力。吾輩炳燭餘光，能有幾時，不能不努力為之也」。㉚

張元濟和他的同事們，和歷代學人（也包括刻工）一樣，為中華古籍這一民族文化瑰寶奮鬥了終身，從而給她增添了一斑光彩。值得慶幸的是，張元濟和他商務印書館同仁們事業的結晶——《四部叢刊》已得到了時間和歷史的承認，半個多世紀之後，海峽兩岸的上海書店和臺灣商務印書館分別把它重新影印出版。張元濟「為古

㉗` 原件。

㉘ 張元濟在6月20日王雲五等來信上批注，原件。

㉙ 〈張元濟致蔣維喬書〉，1926年9月3日，原件。

㉚ 《張元濟傳增湘論書尺牘》，頁145。

書續命」的願望也正在實現。

——原載《出版史料》第 28 期（1992 年 6 月），頁 19—24 轉頁 18。

王雲五與《四部叢刊》

陳惠美*

一、前　言

民初以來叢書，采摭規模最大、考證校訂最精，向推張元濟所輯之《四部叢刊》。❶張元濟，字筱齋，號菊生，浙江海鹽人。十世祖張奇齡，明萬曆間舉人，藏書甚豐，書樓曰「涉園」，蓋取陶淵明〈歸去來辭〉：「園日涉以成趣，門雖設而常關，策扶老以流

*樹人醫護管理專科學校助理教授。

❶ 張元濟於〈印行四部叢刊啟〉，嘗論此編之優長，略云：「此《四部叢刊》之刻，提挈宏綱，網羅巨帙，誠可云學海之鉅觀，書林之創舉矣。覶縷陳之，有七善焉：此之所收，皆四部之中，家絃戶誦之書，如布帛菽粟，四民不可一日缺者，其善一矣。仍存原本，其善二焉。廣事購借，類多祕帙，其善三矣。求書者，所求之本，具於一編，省事省時，其善四矣。此用石印，冊小而字大，冊小則便度藏，字大則能悅目，其善五矣。版型紙色，斠若畫一，列之清齋，實為精雅，其善六矣。此書搜羅宏富，而議價不特視今時舊籍廉至倍蓰，即較市上新版，亦減之再三，使購者舉重若輕，其善七矣。」劉兆祐先生亦列舉此編特色有五：「一、實用性高；二、保存文獻的原始面貌；三、所選用的多為善本；四、多撰『校勘記』及『札記』；五、每一書在封頁裡都說明所根據的版本和出處。」見氏著：《治學方法》（臺北：三民書局，1999 年 9 月），頁 205-207。

憩，時矯首而暇觀」意。數傳至張宗松，宗松為乾隆間著名之刻書家，「涉園」藏書以此時最為繁富。道光以後，家道中落，藏書逐漸出售。太平天國之役，「涉園」燬於兵火，藏書及版刻，孑然無存。元濟承其先祖遺緒，又感於國家之革新圖強，根本之道，在提升國民知識水準，於是傾畢生精力，專注於古籍之購求收藏與校訂彙刊。光緒二十九年（1903），元濟任商務印書館編譯所所長，主持編輯適用於中小學之新式教科書，同時亦從事古籍之整理工作。❷

《四部叢刊》，為張氏任職商務印書館時整理古籍之重要成果之一。書分三編，《初編》從民國八年（1919）開始輯印，至民國十一年（1922）全部出版，共收書三百二十三種（經部二十五種、史部二十二種、子部六十一種、集部二百十五種），所據底本，除涵芬樓珍藏外，尚有從海內著名藏書家，如烏程劉氏「嘉業堂」、常熟瞿氏「鐵琴銅劍樓」、長沙葉氏「觀古堂」、江陰繆氏「藝風堂」、無錫孫氏「小淥天」、江安傅氏「雙鑑樓」、烏程張氏「適園」、烏程蔣氏「密韻樓」、平湖葛氏「傳樸堂」、上元鄧氏「群碧樓」、南陵徐氏「積學齋」、閩縣李氏「觀槿齋」、秀水王氏「二十八宿研齋」、常熟歸氏「鐵網珊瑚人家」、日本岩崎氏「靜嘉堂」，及江南圖書館、國立北平圖書館等借印之善本。《續編》收書七十五種，民國二十三年（1934）出版。《三編》收書七十種，民國二十五年（1936）出版。據民國二十六年二月十六日元濟致劉承幹書，云：「承詢《四部叢刊四編》，今歲仍當續出，惟發售預約時期現

---

❷ 以上所述，詳參劉兆祐：《治學方法》，頁 202。

尚未定。一俟書目編成，即當呈政。」❸又八月十日致丁英桂書，云：「所有已製傳真之書備《叢刊四編》者，現在不印。其傳真清本應如何保存，請與總管理處接洽。」❹可知當時《叢刊四編》部分書版實已編就，但因對日抗戰爆發，商務印書館總部內遷，此編乃成元濟未竟之事業。

民國三十八年（1949），海峽兩岸因政治情勢而分隔，商務印書館董事長張元濟留滯大陸，而曾任總經理兼編譯所所長之王雲五輾轉由香港歸抵臺灣，並於民國五十三年（1964）接手臺灣商務印書館董事長，由是開始《四部叢刊》在臺印行之事務。以臺灣當時藏書狀況，《四部叢刊》之輯印，誠為藝林之盛事。然而審視張氏初輯與後來臺灣商務印書館印行之《叢刊》初、續、三編，除《初編》收書並無異同外，《續編》、《三編》內容皆經過大幅度之刪補汰換，儼然形同二書。而近日言古籍叢書之學者，於上海與臺灣商務印書館前後輯印之《四部叢刊》各編異同，卻未見稍置一詞。為利於讀者了解此一叢編鉅著之出版源流，並覘知兩經輯印之《叢刊》異同，爰取張、王兩氏之書，校其細目，撰為此文。

二、王雲五在臺主持重印《四部叢刊》之經過

王雲五，清光緒十四年（1888）生，小名日祥，後入塾，塾師

❸ 見張樹年、張人鳳編：《張元濟書札》（北京：商務印書館，1997 年 12 月），頁 409。

❹ 同前註，頁 117。

為取「雲五」為別名。中年以後，常以岫廬、龍倦飛為其筆名。廣東省香山縣人。年十八，就讀英人布茂林所辦上海同文館，因成績優異，特聘為同文館教生。二十歲，轉任中國新公學專任教師，胡適之、朱經農嘗受業焉。民國十年（1921），原任商務印書館編譯所所長高夢旦，默察國家文化學術發展情勢，以為編譯所長一職，須由學兼中西之人才適足任之，最初屬意胡適接替，而胡氏以所長所負多為編輯行政責任，與己個性不合，遂舉雲五以自代。雲五以是年九月十六日到職，直至民國十八年（1929）卸職離開，前後為期八年。翌年二月，原任商務印書館總經理鮑咸昌病逝，經夏小芳、高夢旦出面力勸，雲五乃回任商務印書館總經理兼編譯所所長。民國三十五年（1946），雲五出任國民政府經濟部長，再度卸下商務印書館館職。❺

民國三十八年（1949），國民政府遷移來臺，時雲五在港創設「香港書局」，以與臺灣「華國出版社兩合公司」相互配合營運。民國四十年（1951）定居臺北，以後迄未遷徙。民國四十三年（1954），任考試院副院長，兼國立政治大學政治研究所教授。民國四十七年（1958），奉調行政院副院長。民國五十二年（1963），政院改組，轉任總統府資政。翌年七月，當選臺灣商務印書館第一任董事長。❻甫上任，即「以十餘年來，臺館格於情勢，出版寥

❺ 以上有關王雲五之生平事蹟，及出入商務印書館始末，詳見徐有守：〈偶被邀請進入出版業〉，《出版家王雲五》（臺北：臺灣商務印書館，2004年7月），頁13－20；〈編譯所長八年初展長才〉，同書，頁21－28；〈小別回館任總經理〉，同書，頁29－32。

❻ 詳參徐有守：〈出版家王雲五先生重要行事年表〉，《出版家王雲五》，頁207。

寥，恍如停頓」，因而規畫主持館務之最初兩年，先就大陸歷年出版之新舊名著，擇要整理重印，兩年以後，再謀新出版計畫之逐步推行。而《四部叢刊》者，與我國固有文化關係重大，乃就民國二十五年（1936）影印出版之《四部叢刊初編》縮本，重加付印❼，於民國五十四年（1965）八月、十月、十二月，分三次出齊。

《四部叢刊初編》縮本，先期影印計四百部，半載之間即已銷售一空，而登記請求重版者不下百人。由是臺灣商務印書館決議，於稍緩再版《四部叢刊初編》縮本之餘，並將《四部叢刊續編》、《三編》原印本，擇其精要，加以選編問世。❽民國五十五年（1966），臺灣版《四部叢刊續編》影印問世。因《續編》卷帙不若《初編》浩繁，故初印時仍照原書版式，不再縮印。唯內容子目，實與元濟《續編》大相逕庭，詳見下節論述。

民國五十六年（1967），《四部叢刊初編》縮本再版四百部。此後相隔數年，至民國六十四年（1975），因《續編》與《初編》兩版皆已售罄無存，又值山陰沈仲濤氏由香港來臺，所攜家藏研易樓善本書頗多，且有出於張氏原刊《初編》、《續編》之外者。由是雲五乃就商務印書館原印之大本《續古逸叢書》、《涵芬樓祕笈》、《國立北平圖書館善本叢書》、《元明善本叢書》，並借得故宮博物院、沈氏研易樓珍藏，及張氏原印《續編》、《三編》之賸餘本，聯合選擇，得書三十四種，裝訂為精裝八十五冊，名曰

---

❼ 詳見王雲五：〈《四部叢刊初編》縮本序〉，《縮本四部叢刊初編書錄及附張》（臺北：臺灣商務印書館，1965 年），頁 1。

❽ 參見王雲五：〈輯印《四部叢刊續編》序〉，《出版月刊》第 14 期（1966 年 7 月），頁 5。

《四部叢刊三編》。❾

民國六十五年（1976），雲五以《續編》缺書日久，海內需求孔亟，於是付之重版刷印。然因當時工料倍昂，不得不仿《初編》縮印成例，改製縮印本。❿民國六十八年（1979），《初編》臺三版發行。此次重印，內容子目及版本，一仍舊貫，唯改舊二十四開為十六開擴大版，並更其名曰《四部叢刊正編》，為稍異耳。

以上為王雲五主持臺灣商務印書館館務期間，先後印行《四部叢刊》之大略。

三、王雲五輯印《四部叢刊續編》與張元濟原刊《續編》《三編》之異同

張元濟輯《四部叢刊》，經始於民國八年（1919），蕆事於民國十一年（1922）。出版以來，頗受士林推重。而《續編》之輯，踵繼《初編》之後，唯摹印纔數百冊，一二八之難遽作，商務印書館總館、印刷總廠、編譯所暨東方圖書館所藏各類珍本書刊，盡付劫灰。整理經年，漸有端緒。⓫

據王雲五於民國二十三年（1934）元月所撰之〈輯印四部叢刊

---

❾ 參見王雲五：〈景印《四部叢刊三編》序〉，《東方雜誌》第 8 卷第 10 期（1975 年 4 月），頁 15。

❿ 參見王雲五：〈《四部叢刊續編》縮本序〉，《東方雜誌》第 9 卷第 11 期（1976 年 5 月），頁 15。

⓫ 詳見徐有守：〈一二八浩劫後初度苦鬥〉，《出版家王雲五》，頁 48－49。

續編緣起〉，知《初編》一書，學者有議其挂漏者，有嫌其狹隘者。為補前憾，由是《續編》收書，增多數項原則：

一、（甲部）凡漢唐遺編，下逮宋人雜說，遇有版刻精良，異於流俗，為前所未取者，咸予登錄。乙、丙二部，例亦如之。即集部日廣日益，層出不窮，而時代精神，於焉攸寄，亦不欲懸格獨嚴，致多擯棄。

二、史部「目錄」、「金石」二類，原擬別行，今既變異前例，故仍附入。

三、卷帙繁重者，果屬佳刻，亦不別印單行。如《太平御覽》、《冊府元龜》，人間孤本，尤足增光簡冊。

四、宋元舊刻，每多殘闕，《初編》概從割愛。然必求完帙，方謀版行，人壽河清，正恐難俟。如魏了翁之《禮記要義》、錢若水等之《宋太宗實錄》，世無二本，補亡豈易，雖非全璧，咸用網羅。

五、近人著述，《初編》僅限集部，然有清學術，實有繼往開來之功。苟成書尚未刊行，或已刊行而得之維艱，有傳布之值者，旁搜博採，罔敢或遺。嘉慶續修之《一統志》，久閟深宮，吳廷華之《三禮疑義》，頻罹劫火，羅而致之，亦不敢厚古而薄今。

六、《初編》群經，取單注本，此則專取單疏。⓬

依據上述原則，《續編》收書，綜計七十五種，其中經部十七種，

⓬ 詳見王雲五：〈輯印《四部叢刊續編》緣起〉，《岫廬論學》（臺北：臺灣商務印書館，1975 年），頁 335－336。

史部十一種，子部十八種，集部二十九種。

又張輯《四部叢刊三編》，收書七十種，經部十種，史部十六種，子部十五種，集部二十九種。《續編》、《三編》，原各為五百冊。

至雲五輯印《四部叢刊續編》，以為張氏所輯千冊之中，括有鉅籍數部，如《嘉慶重修一統志》，計二百冊，即佔兩編千冊五分之一，此類專作，在專攻地誌者固視為瑰寶，一般學者未必同感興趣。於是重訂是編選書原則：

一、凡偏於一方面之鉅籍，暫予剔除，徐圖單行印售。

二、《叢刊初編》集部分量在全書中佔百分之六十七，略嫌偏重，《續編》特為調整，減為百分之三十五。

三、經史兩部，較《初編》僅佔全書百分之十四者，增至百分之四十二強。

四、子部在《初編》佔百分之十九，而在《續編》佔百分之二十三弱，比率亦有增。

五、版本特重宋元明，清代僅限於稿本及一二孤本，蓋一以善本及罕傳本為主。⓭

經雲五之抉取刪汰，並就商務印書館舊日精印之《續古逸叢書》及《北平圖書館善本叢書》擇要添補若干種，重編結果，臺灣印行之《四部叢刊續編》，總計收書一百四十八種，六百冊，其中經部佔二十七種，一百十八冊，史部佔三十二種，二百十四冊，子部三十

⓭ 詳見王雲五：〈輯印《四部叢刊續編》序〉，《出版月刊》第 14 期（1966 年 7 月），頁 5。

二種，九十一冊，集部佔五十種，一百七十七冊。茲將雲五《四部叢刊續編》原目臚列於後，並與張氏原刊《續編》、《三編》原目逐一核校，以見雲五《續編》收書之狀況。

		王輯《續編》	張輯《續編》	張輯《三編》
經部	1	周易鄭康成注一卷 〔漢〕鄭玄撰；〔宋〕王應麟輯 上海涵芬樓影印元刊本		✓
	2	周易要義十卷 〔宋〕魏了翁撰 上海涵芬樓影印宋刊本		✓
	3	漢上易傳十一卷 〔宋〕朱震撰 上海涵芬樓影印北平圖書館藏宋刊本配補汲古閣影宋鈔本		✓
	4	尚書正義二十卷 〔唐〕孔穎達等撰 上海涵芬樓影印日本覆印宋本		✓
	5	詩本義十五卷，鄭氏詩譜補亡一卷 〔宋〕歐陽修撰 上海涵芬樓影印吳縣潘氏滂喜齋藏宋刊本		✓
	6	詩集傳二十卷 〔宋〕朱熹撰 上海涵芬樓影印中華學藝社借照日本東京岩崎氏靜嘉文庫藏宋本		✓
	7	呂氏家塾讀詩記三十二卷 〔宋〕呂祖謙撰 上海涵芬樓影印常熟瞿氏鐵琴銅劍樓藏宋刊本	✓	
	8	禮記正義殘本九卷 〔唐〕孔穎達等撰 上海涵芬樓覆影日本影印古鈔本及宋刊本		✓

	9	禮記要義三十三卷 〔宋〕魏了翁撰 上海涵芬樓影印宋刊本	✓	
	10	儀禮疏五十卷 〔唐〕賈公彥等撰 上海涵芬樓影印汪閬原覆宋刊本	✓	
	11	析城鄭氏家塾重校三禮圖二十卷 〔宋〕聶崇義集注 上海涵芬樓影印蒙古刊本		✓
	12	春秋正義三十六卷 〔唐〕孔穎達等撰 上海涵芬樓影印海鹽張氏涉園藏日本覆印景鈔正宗寺本	✓	
	13	春秋傳三十卷 〔宋〕胡安國撰 上海涵芬樓影印常熟瞿氏鐵琴銅劍樓藏宋刊本	✓	
	14	東萊呂太史春秋左傳類篇六卷 〔宋〕呂祖謙撰 上海涵芬樓影印常熟瞿氏鐵琴銅劍樓藏舊寫本	✓	
	15	中庸說殘本三卷 〔宋〕張九成撰 上海涵芬樓影印宋刊本	✓	
	16	張狀元孟子傳二十九卷 〔宋〕張九成撰 上海涵芬樓影印海鹽張氏涉園照存吳縣潘氏滂喜齋藏宋刊本	✓	
	17	讀四書叢說八卷 〔元〕許謙撰 上海涵芬樓影印常熟瞿氏鐵琴銅劍樓藏元刊本	✓	
	18	公是先生七經小傳三卷 〔宋〕劉敞撰 上海涵芬樓影印天祿琳瑯舊藏宋刊本	✓	

	19	爾雅疏十卷 〔宋〕邢昺等撰 上海涵芬樓影印宋刊本	✓	
	20	急就篇一卷 〔漢〕史游撰；〔唐〕顏師古註 上海涵芬樓影印海鹽張氏涉園藏明鈔本	✓	
	21	復古編二卷 〔宋〕張有撰 上海涵芬樓影印宋精鈔本		✓
	22	汗簡七卷 〔後周〕郭忠恕撰 上海涵芬樓影印常熟瞿氏鐵琴銅劍樓藏馮己蒼手鈔本	✓	
	23	群經音辨七卷 〔宋〕賈昌朝撰 上海涵芬樓影印中華學藝社借照日本岩崎氏靜嘉文庫藏影宋鈔本	✓	
	24	切韻指掌圖一卷 〔宋〕司馬光撰 上海涵芬樓影印常熟瞿氏鐵琴銅劍樓藏影宋寫本	✓	
	25	班馬字類附補遺五卷 〔宋〕婁機撰；〔宋〕李曾伯補遺 上海涵芬樓影印汲古閣影宋寫本		✓
	26	新修龍龕手鑑四卷 〔遼〕釋行均集 上海涵芬樓影印江安傅氏雙鑑樓藏宋刊本	✓	
	27	禮部韻略附釋文互註五卷，附韻略條式一卷 〔宋〕佚名撰 上海涵芬樓影印常熟瞿氏鐵琴銅劍樓藏宋刊本	✓	
史部	1	編年通載四卷 〔宋〕章衡撰 上海涵芬樓影印宋刊本		✓

	2	新唐書糾謬二十卷 〔宋〕吳縝撰 上海涵芬樓影印江安傅氏雙鑑樓藏明刊本		✓
	3	太宗皇帝實錄二十卷 〔宋〕錢若水等撰 上海涵芬樓影印海鹽張氏涉園藏宋館閣寫本		✓
	4	貞觀政要十卷 〔唐〕吳兢撰，〔元〕戈直集論 上海涵芬樓影印明成化刊本	✓	
	5	弔伐錄二卷 〔金〕不著撰人 上海涵芬樓影印江安傅氏雙鑑樓藏錢遵王鈔本		✓
	6	元朝秘史十卷，續集二卷 〔元〕佚名撰 上海涵芬樓影印影元鈔本		✓
	7	皇明象胥錄八卷 〔明〕茅瑞徵撰 《國立北平圖書館善本叢書·第一集》影印明崇禎刻本		
	8	皇明九邊考十卷 〔明〕魏煥編集 《國立北平圖書館善本叢書·第一集》影印明嘉靖刻本		
	9	馬氏南唐書三十卷 〔宋〕馬令撰 上海涵芬樓影印明刊本	✓	
	10	南唐書十八卷，附音釋一卷 〔宋〕陸游撰；〔元〕戚光音釋 上海涵芬樓影印明錢叔寶手鈔本	✓	
	11	吳越備史四卷 〔宋〕范坰；〔宋〕林禹撰 上海涵芬樓影印吳梅庵手鈔本	✓	

	12	東山國語 〔清〕查繼佐撰 上海涵芬樓影印海寧張氏鐵如意館傳錄本		✓
	13	罪惟錄一百二卷 〔清〕查繼佐撰 上海涵芬樓影印吳興劉氏嘉業堂藏手稿本		✓
	14	孔氏祖庭廣記十二卷 〔金〕孔元措撰 上海涵芬樓影印常熟瞿氏鐵琴銅劍樓藏蒙古刊本	✓	
	15	漢丞相諸葛忠武侯傳一卷 〔宋〕張栻撰 上海涵芬樓影印吳興氏嘉業堂藏宋刊本	✓	
	16	元城先生盡言集十三卷 〔宋〕劉安世撰 上海涵芬樓影印常熟瞿氏鐵琴銅劍樓藏明隆慶覆宋刊本	✓	
	17	三輔黃圖六卷 〔漢〕佚名撰 上海涵芬樓影印元刊本		✓
	18	洛陽伽藍記五卷一卷 〔後魏〕楊衒之撰 上海涵芬樓影印明如隱堂本		✓
	19	麟臺故事殘本三卷 〔宋〕程俱撰 上海涵芬樓影印明景宋鈔本	✓	
	20	作邑自箴十卷 〔宋〕李元弼撰 上海涵芬樓影印常熟瞿氏鐵琴銅劍樓藏影鈔宋淳熙本	✓	
	21	為政忠告四卷 〔元〕張養浩撰 元刊本		✓

	22	故唐律疏議三十卷，音義一卷 〔唐〕長孫無忌等奉敕撰；音義〔宋〕孫奭等撰 上海涵芬樓影印吳縣潘氏滂喜齋藏宋刊本		✓
	23	金石錄三十卷 〔宋〕趙明誠撰 上海涵芬樓影印海鹽張氏涉園藏呂無黨手鈔本	✓	
	24	昭德先生郡齋讀書志四卷，附志一卷，後志二卷，二本四卷，考異一卷 〔宋〕晁公武撰 上海涵芬樓影印北平故宮博物院圖書館藏宋淳祐袁州刊本		✓
	25	名公書判清明集 佚名撰 《續古逸叢書》影印中華學藝社借照東京岩崎氏靜嘉堂藏本		
	26	三雲籌俎考四卷 〔明〕王士琦輯 《國立北平圖書館善本叢書・第一集》影印明萬曆刻本		
	27	行邊紀聞 〔明〕田汝成撰 《國立北平圖書館善本叢書・第一集》影印明嘉靖刻本		
	28	朝鮮史略六卷 朝鮮佚名撰 《國立北平圖書館善本叢書・第一集》影印明萬曆刻本		
	29	安南圖誌一卷 〔明〕鄧鍾撰 《國立北平圖書館善本叢書・第一集》影印錢氏述古堂鈔本		

	30	使琉球錄一卷，附夷語夷字一卷 〔明〕陳侃撰 《國立北平圖書館善本叢書・第一集》影印明嘉靖刻本		
	31	天下郡國利病書不分卷 〔清〕顧炎武撰 上海涵芬樓影印崑山圖書館藏稿本		✓
	32	淳化祕閣法帖考正十二卷 〔清〕王澍撰 上海涵芬樓影印壽縣孫氏小墨妙亭藏原刊本		✓
				明史鈔略殘七卷 〔清〕莊廷鑨撰 上海涵芬樓影印吳縣潘氏藏石門呂氏鈔本
			大清一統志五百六十卷 清仁宗敕撰 上海涵芬樓影印清史館藏進呈寫本	
				隸釋二十七卷 〔宋〕洪适撰 上海涵芬樓影印固安劉氏藏明萬曆刊本
子部	1	武經七書二十五卷 〔宋〕何去非輯 《續古逸叢書》影印中華學藝社借照東京岩崎氏靜嘉堂藏本		

	2	獨斷二卷 〔漢〕蔡邕撰 上海涵芬樓影印常熟瞿氏鐵琴銅劍樓藏明弘治癸亥（1503）刊本		✓
	3	古今註三卷 〔晉〕崔豹撰 上海涵芬樓影印宋刊本		✓
	4	文始真經三卷 〔周〕尹喜撰 上海涵芬樓影印常熟瞿氏鐵琴銅劍樓藏明刊本		✓
	5	通玄真經十二卷 〔周〕辛鈃撰；〔唐〕徐靈府注 上海涵芬樓影印常熟瞿氏鐵琴銅劍樓藏明刊本		✓
	6	新雕洞靈真經五卷 〔周〕庚桑楚撰；〔宋〕何粲注 上海涵芬樓影印常熟瞿氏鐵琴銅劍樓藏宋刊本		✓
	7	張子語錄三卷，後錄二卷 〔宋〕張載撰 上海涵芬樓影印常熟瞿氏鐵琴銅劍樓藏宋刊本	✓	
	8	龜山先生語錄四卷，後錄二卷 〔宋〕楊時撰 上海涵芬樓影印常熟瞿氏鐵琴銅劍樓藏宋刊本	✓	
	9	程氏家塾讀書分年日程三卷，綱領一卷 〔元〕程端禮編述 上海涵芬樓影印常熟瞿氏鐵琴銅劍樓藏元刊本	✓	
	10	棠陰比事二卷 〔宋〕桂萬榮撰 上海涵芬樓影印江安傅氏雙鑑樓藏景元鈔本	✓	

	11	圖畫見聞誌六卷 〔宋〕郭若虛撰 上海涵芬樓影印常熟瞿氏鐵琴銅劍樓藏宋刊配元鈔本	✓	
	12	法書考八卷 〔元〕盛熙明撰 上海涵芬樓影印鈔本	✓	
	13	圖畫考七卷 〔元〕盛熙明撰 上海涵芬樓影印常熟瞿氏鐵琴銅劍樓藏鈔本		✓
	14	嘯堂集古錄二卷 〔宋〕王俅撰 上海涵芬樓影印蕭山朱氏藏宋刊本	✓	
	15	飲膳正要三卷 〔元〕忽思慧撰 上海涵芬樓影印中華學藝社借照日本岩崎氏靜嘉堂文庫藏明刊本	✓	
	16	容齋隨筆五集 〔宋〕洪邁撰 上海涵芬樓影印北平圖書館藏宋刊本配補常熟瞿氏鐵琴銅劍樓藏明弘治活字本	✓	
	17	愧郯錄十五卷 〔宋〕岳珂撰 上海涵芬樓影印常熟瞿氏鐵琴銅劍樓藏宋本	✓	
	18	困學紀聞二十卷 〔宋〕王應麟撰 上海涵芬樓影印江安傅氏雙鑑樓藏元刊本		✓
	19	夢溪筆談二十六卷 〔宋〕沈括撰 上海涵芬樓影印明刊本	✓	
	20	墨莊漫錄十卷 〔宋〕張邦基撰 上海涵芬樓影印江安傅氏雙鑑樓藏明鈔本		✓

	21	小字錄一卷 〔宋〕陳思撰 上海涵芬樓影印常熟瞿氏鐵琴銅劍樓藏明活字本		✓
	22	雲谿友議三卷 〔唐〕范攄撰 上海涵芬樓影印常熟瞿氏鐵琴銅劍樓藏明刊本	✓	
	23	雲仙雜記十卷 〔唐〕馮贄編 上海涵芬樓影印常熟瞿氏鐵琴銅劍樓藏明刊本	✓	
	24	丞相魏公譚訓十卷 〔宋〕蘇象先撰 上海涵芬樓影印常熟瞿氏鐵琴銅劍樓藏舊鈔本		✓
	25	揮麈錄前錄四卷，後錄十一卷，三錄三卷，餘話二卷 〔宋〕王明清撰 上海涵芬樓影印汲古閣影宋鈔本	✓	
	26	清波雜志十二卷 〔宋〕周煇撰 上海涵芬樓影印常熟瞿氏鐵琴銅劍樓藏宋刊本	✓	
	27	桯史十五卷 〔宋〕岳珂撰 上海涵芬樓影印常熟瞿氏鐵琴銅劍樓藏元刊本	✓	
	28	括異志十卷 〔宋〕張師正撰 上海涵芬樓影印常熟瞿氏鐵琴銅劍樓藏景宋鈔本	✓	

	29	續幽怪錄四卷 〔唐〕李復言編 上海涵芬樓影印常熟瞿氏鐵琴銅劍樓藏南宋書棚本	✓	
	30	南村輟耕錄三十卷 〔元〕陶宗儀撰 上海涵芬樓影印吳縣潘氏滂喜齋藏元刊本		✓
	31	景德傳燈錄三十卷 〔宋〕釋道元撰 上海涵芬樓影印常熟瞿氏鐵琴銅劍樓藏宋刻本		✓
	32	野菜博錄三卷 〔明〕鮑山撰 上海涵芬樓影印北平圖書館藏明刊本		✓
				潛虛一卷 〔宋〕司馬光撰 附潛虛發微論一卷 〔宋〕張敦實撰 上海涵芬樓影印常熟瞿氏鐵琴銅劍樓藏影宋鈔本
				太平御覽一千卷；目錄十五卷 〔宋〕李昉等奉敕撰 上海涵芬樓影印中華學藝社借照日本帝室圖書寮京都東福寺東京岩崎氏靜嘉堂文庫藏宋刊本

集部	1	東皐子集三卷 〔唐〕王績撰 上海涵芬樓影印常熟瞿氏鐵琴銅劍樓藏明鈔本	✓	
	2	宋之問集二卷 〔唐〕宋之問撰 上海涵芬樓影印常熟瞿氏鐵琴銅劍樓藏明刊本	✓	
	3	唐皇甫冉詩集七卷，補遺一卷 〔唐〕皇甫冉撰 上海涵芬樓影印常熟瞿氏鐵琴銅劍樓藏明本		✓
	4	周賀詩集一卷 〔唐〕周賀撰 上海涵芬樓影印常熟瞿氏鐵琴銅劍樓藏宋刊本	✓	
	5	李丞相詩集二卷 〔南唐〕李建勳撰 上海涵芬樓影印常熟瞿氏鐵琴銅劍樓藏宋刊本	✓	
	6	朱慶餘詩集一卷 〔唐〕朱慶餘撰 上海涵芬樓影印常熟瞿氏鐵琴銅劍樓藏宋刊本	✓	
	7	新雕注胡曾詠史詩三卷 〔唐〕胡曾撰；陳蓋注 上海涵芬樓影印常熟瞿氏鐵琴銅劍樓藏宋刊本		✓
	8	鄭守愚文集三卷 〔唐〕鄭谷撰 上海涵芬樓影印蕭山朱氏藏宋刊本	✓	
	9	竇氏聯珠集一卷 〔唐〕竇常等撰；〔唐〕褚藏言編 上海涵芬樓影印吳興劉氏嘉業堂藏宋刊本		✓

	10	徐公釣磯文集十卷，補遺一卷 〔唐〕徐寅撰 上海涵芬樓影印錢遵王精鈔本		✓
	11	忠愍公詩集三卷 〔宋〕寇準撰 上海涵芬樓影印明刊本		✓
	12	雪竇四集 〔宋〕釋重顯撰 上海涵芬樓影印常熟瞿氏鐵琴銅劍樓藏宋刊本	✓	
	13	山谷琴趣外篇三卷 〔宋〕黃庭堅撰 上海涵芬樓影印海鹽張氏涉園藏宋刊本		✓
	14	山谷外集詩注十四卷 〔宋〕史容撰 上海涵芬樓影印中華學藝社借照日本帝室圖書寮藏元本	✓	
	15	參寥子詩集十二卷 〔宋〕釋道潛撰；〔宋〕釋法嗣；釋法穎編 上海涵芬樓影印宋刊本		✓
	16	北山小集四十卷 〔宋〕程俱撰 上海涵芬樓影印江安傅氏雙鑑樓藏景宋寫本	✓	
	17	沈忠敏公龜谿集十二卷 〔宋〕沈與求撰 上海涵芬樓影印海鹽張氏涉園藏明刊本	✓	
	18	華陽集四十卷 〔宋〕張綱撰 上海涵芬樓影印北平圖書館藏明刊本		✓
	19	韋齋集十二卷，附玉瀾集一卷 〔宋〕朱松撰 上海涵芬樓影印常熟瞿氏鐵琴銅劍樓藏明刊本	✓	

	20	東萊詩集二十卷 〔宋〕呂本中撰 上海涵芬樓影印中華學藝社借照日本內閣文庫藏宋刊本	✓	
	21	嵩山文集二十卷，雜文一卷 〔宋〕晁說之撰 上海涵芬樓影印舊鈔本	✓	
	22	默堂先生文集二十二卷 〔宋〕陳淵撰；沈度編 上海涵芬樓影印北平圖書館藏景宋鈔本		✓
	23	范香溪先生文集十四卷 〔宋〕史容撰 上海涵芬樓影印常熟瞿氏鐵琴銅劍樓藏明刊本	✓	
	24	頤堂先生文集二十二卷 〔宋〕王灼撰 上海涵芬樓影印江南圖書館藏宋本		✓
	25	石屏詩集十卷 〔宋〕戴復古撰 上海涵芬樓影印常熟瞿氏鐵琴銅劍樓藏明弘治刊本	✓	
	26	平齋文集三十二卷 〔宋〕洪咨夔撰 上海涵芬樓影印常熟瞿氏鐵琴銅劍樓藏景宋鈔本配補中華學藝社借照日本內閣文庫藏宋本	✓	
	27	梅亭先生四六標準四十卷 〔宋〕李劉撰 上海涵芬樓影印日本內閣文庫藏宋刊本	✓	
	28	疊山集十六卷 〔宋〕謝枋得撰 上海涵芬樓影印常熟瞿氏鐵琴銅劍樓藏明刊本	✓	

	29	蕭冰厓詩集拾遺三卷 〔宋〕蕭立等撰 上海涵芬樓影印常熟瞿氏鐵琴銅劍樓藏明刊本	✓	
	30	翠微南征錄十一卷 〔宋〕華岳撰 上海涵芬樓影印舊鈔本		✓
	31	三山鄭菊山先生清雋集一卷 〔宋〕鄭震撰 上海涵芬樓影印侯官林佶手鈔本	✓	
	32	有宋福建莆陽黃仲元四如先生文稿五卷 〔宋〕黃仲元撰 上海涵芬樓影印北平圖書館藏明嘉靖刊本		✓
	33	虛齋樂府二卷 〔宋〕趙以夫撰 上海涵芬樓影印蕘圃顧千里校影宋鈔本		✓
	34	吾汶稿十卷 〔宋〕王炎午撰 上海涵芬樓影印海鹽張氏涉園藏明鈔本		✓
	35	沈氏三先生文集六十一卷 〔宋〕佚名輯 上海涵芬樓影印浙江省立圖書館藏明覆宋本		✓
	36	先天集十卷 〔宋〕許月卿撰 上海涵芬樓影印江蘇省立國學圖書館藏明嘉靖刊本	✓	
	37	許白雲先生文集四卷 〔元〕許謙撰；〔明〕李伸編集 上海涵芬樓影印常熟瞿氏鐵琴銅劍樓藏明正統刊本	✓	
	38	存復齋文集十卷 〔元〕朱德潤撰 上海涵芬樓影印常熟瞿氏鐵琴銅劍樓藏明刊本	✓	

	39	青陽先生文集九卷 〔元〕余闕撰 上海涵芬樓影印常熟瞿氏鐵琴銅劍樓藏明刊本	✓	
	40	夷白齋稿三十五卷，外集一卷，補遺一卷 〔元〕陳基撰 上海涵芬樓影印常熟瞿氏鐵琴銅劍樓藏明鈔本		✓
	41	張光弼詩集七卷 〔元〕張昱撰 上海涵芬樓影印常熟瞿氏鐵琴銅劍樓藏明鈔本	✓	
	42	蟻術詩詞選，詩八卷，詞四卷 〔元〕邵亨貞撰；詩選〔明〕汪稷校 詩：上海涵芬樓影印明好德軒刊本；詞：上海涵芬樓影印故宮博物院圖書館藏宛委別藏本		✓
	43	梨園按試樂府新聲三卷 〔元〕佚名撰 上海涵芬樓影印常熟瞿氏鐵琴銅劍樓藏元鈔本		✓
	44	太和正音譜二卷 〔明〕寧獻王撰 《涵芬樓秘笈》影印景鈔明洪武本		
	45	蚓竅集十卷 〔明〕管時敏撰 上海涵芬樓影印北平圖書館藏明永樂刊本		✓
	46	密菴稿五卷 〔明〕謝肅撰 上海涵芬樓影印江安傅氏雙鑑樓藏明洪武刻本		✓
	47	北郭集十卷補遺一卷 〔明〕徐賁撰 上海涵芬樓影印江安傅氏雙鑑樓藏明成化本		✓

	48	白沙子八卷 〔明〕陳獻章撰 上海涵芬樓影印東莞莫氏五十萬卷樓藏明嘉靖刊本		✓
	49	雍熙樂府二十卷 〔明〕郭勛輯 上海涵芬樓影印北平圖書館藏明嘉靖刊本	✓	
	50	白雪齋選訂樂府吳騷合編二十卷 〔明〕張楚明；張旭初輯 上海涵芬樓影印固安劉氏藏明崇禎刊本	✓	
				梨嶽詩集一卷附錄一卷補遺一卷 〔唐〕李頻撰 上海涵芬樓影印明鈔本
				鐔津文集二十二卷 〔宋〕釋契嵩撰 上海涵芬樓影印常熟瞿氏鐵琴銅劍樓藏明弘治己未(1499)刊本
				眉山唐先生文集三十卷 〔宋〕唐庚撰 上海涵芬樓影印閩侯龔氏大通樓藏舊鈔本

			蛻菴詩四卷 〔元〕張翥撰 上海涵芬樓影印常熟瞿氏鐵琴銅劍樓藏明刊本	
				龜巢稿二十卷 〔元〕謝應芳撰 上海涵芬樓影印江安傅氏雙鑑樓藏鈔本
				眉菴集十二卷補遺一卷 〔明〕楊基撰 上海涵芬樓影印武進陶氏涉園藏明成化刊本
				靜居集六卷 〔明〕張羽撰 上海涵芬樓影印江安傅氏雙鑑樓藏明成化本
			茗齋集二十三卷；附明詩九卷 〔清〕彭貽孫撰 上海涵芬樓影印海鹽張氏涉園藏手稿刻本寫本	

				居易堂集二十卷；集外詩文一卷 〔清〕徐枋撰 上海涵芬樓影印固安劉氏藏原刊本
合計		141	75	70

據表，雲五《四部叢刊續編》收書計一百四十一種，其經、史、子、集各部採錄群書之來源為：

一、經部：擇取自元濟《續編》者十七種，取自元濟《三編》者十種。

二、史部：擇取自元濟《續編》者十種，取自元濟《三編》者十四種（其中查繼佐《東山國語》一種，元濟《三編》原與《罪惟錄》合刊）。另有〔明〕茅瑞徵撰《皇明象胥錄》、〔明〕魏煥編集《皇明九邊考》、〔明〕王士琦輯《三雲籌俎考》、〔明〕田汝成撰《行邊紀聞》、〔朝鮮〕佚名撰《朝鮮史略》、〔明〕鄧鍾撰《安南圖誌》、〔明〕陳侃撰《使琉球錄》（附《夷語夷字》一卷）等七種，擇取自《國立北平圖書館善本叢書》。又佚名撰《名公書判清明集》一種，擇取自《續古逸叢書》。以上八種，為元濟《續編》、《三編》所無。

三、子部：擇取自元濟《續編》者十八種，取自元濟《三編》者十三種。另有〔宋〕何去非輯《武經七書》一種，取自《續古逸叢書》，為元濟《續編》、《三編》所無。

四、集部：擇取自元濟《續編》者二十七種，取自元濟《三編》者二十二種。另有〔明〕寧獻王撰《太和正音譜》一種，據《涵芬樓秘笈》影印，為元濟《續編》、《三編》所無。

又元濟《續編》史部原有清仁宗敕撰《大清一統志》一種，集部原有〔元〕張翥撰《蛻菴詩》一種、〔清〕彭孫貽撰《茗齋集》一種。《三編》史部原有〔宋〕洪适撰《隸釋》一種、〔清〕莊廷鑨撰《明史鈔略》殘本一種，子部原有〔宋〕司馬光撰《潛虛》一種、〔宋〕李昉等奉敕撰《太平御覽》一種，集部原有〔唐〕李頻撰《梨嶽詩集》、〔宋〕釋契嵩撰《鐔津文集》、〔宋〕唐庚撰《眉山唐先生文集》、〔元〕謝應芳撰《龜巢稿》、〔明〕楊基撰《眉菴集》、〔明〕張羽撰《靜居集》、〔清〕徐枋撰《居易堂集》等七種。以上十四種，均為雲五《續編》所刪汰。迨臺灣商務印書館《四部叢刊三編》編成，方又將此十四種書當中五種，重新採入（詳見下節）。

四、王雲五輯印《四部叢刊三編》之內容

當民國五十五年（1966），臺灣商務印書館《四部叢刊續編》輯印時，已將元濟原印《續編》、《三編》合計一百四十五種古籍，收錄其中百三十一種，僅餘十四種未刊。迨民國六十四年（1975），臺灣版《四部叢刊三編》印行，勢不能以此十五種充之，必須另覓底本來源。以下先將雲五所輯《三編》原目加以臚列，並詳著各書採用底本。

		王輯《三編》	張輯《續編》	張輯《三編》
經部	1	書集傳六卷 （宋）蔡沈撰；（元）董鼎輯 山陰沈仲濤研易樓藏元至正十四年（1354）翠巖精舍刊本		
	2	論語集解十卷 （魏）何晏集解 故宮博物院藏元盱郡覆刊宋廖氏世綵堂本		
	3	孟子趙注十四卷 （漢）趙岐注 故宮博物院藏元盱郡覆刊宋廖氏世綵堂本		
	4	大學衍義四十三卷 （宋）真德秀撰 山陰沈仲濤研易樓藏明翻宋刊本		
	5	說文解字篆韻譜五卷 （宋）徐鍇撰 山陰沈仲濤研易樓藏元種善堂刊本		
	6	雪庵字要不分卷 （元）李雪庵撰 《涵芬樓秘笈》影印明鈔本		
	7	說文義證五十卷 （清）桂馥撰 山陰沈仲濤研易樓藏清嘉慶間作者手訂稿本配補清同治九年湖北崇文書局刊本		
史部	1	通鑑總類二十卷 （宋）司馬光撰；（宋）沈樞編 山陰沈仲濤研易樓藏宋嘉定元年（1208）潮陽刊本		
	2	范文正公政府奏議二卷 （宋）范仲淹撰 山陰沈仲濤研易樓藏元元統二年（1334）范氏歲寒堂刊本		

	3	西域行程記一卷 （明）陳誠；（明）李暹合撰 《國立北平圖書館善本叢書·第一集》影印明鈔本		
	4	西域番國志一卷 （明）陳誠；（明）李暹合撰 《國立北平圖書館善本叢書·第一集》影印明鈔本		
	5	華夷譯語不分卷 （明）火源潔撰 《涵芬樓秘笈》影印明經廠本		
	6	各省進呈書目不分卷 清高宗敕撰 《涵芬樓秘笈》影印本		
子部	1	儒函數類五十八卷 （明）汪宗姬撰 王雲五藏明刊本影朱墨套印本		
	2	文中子中說十卷 （隋）王通撰 《續古逸叢書》影印江安傅氏雙鑑樓藏本		
	3	程氏演繁露十卷 （宋）程大昌撰 《續古逸叢書》影印廬江劉氏遠碧樓藏宋刊本		
	4	濟生拔萃十九卷 （元）杜思敬輯 《元明善本叢書》影印元杜思敬輯刊本		
	5	孫真人備急千金要方三十卷 （唐）孫思邈撰；（宋）林億等校正 山陰沈仲濤研易樓藏元刊本		
	6	晦庵先生語錄類要十八卷 （宋）葉士龍編 山陰沈仲濤研易樓藏元大德六年（1302）武夷詹氏刊本		

	7	明譯天文書四卷 （明）海達兒等譯 《涵芬樓秘笈》影印明內府本		
	8	搜神秘覽三卷 （宋）章炳文撰 《涵芬樓秘笈》影印日本福井崇蘭館藏本		
集部	1	集千家註批點杜工部詩集二十卷 （唐）杜甫撰；（宋）劉會孟評點 山陰沈仲濤研易樓藏明刊本		
	2	孫可之文集十卷 （唐）孫樵撰 《續古逸叢書》影朱翼盦藏本		
	3	范忠宣公文集二十卷 （宋）范純仁撰 山陰沈仲濤研易樓藏元天歷元年（1328）范氏歲寒堂刊明代修補本		
	4	河南程氏外書十二卷 （宋）程頤、（宋）程顥撰；（宋）朱熹輯 山陰沈仲濤研易樓藏宋孝宗間浙江刊本		
	5	晦庵朱先生大全文集二十九卷 （宋）朱熹撰 山陰沈仲濤研易樓藏宋淳熙間福建刊本		
	6	文章正宗二十四卷 （宋）真德秀撰 山陰沈仲濤研易樓藏元刊本		
	7	龜巢稿二十卷 （元）謝應芳撰 上海涵芬樓影印江安傅氏雙鑑樓藏鈔本		✓
	8	眉山唐先生文集三十卷 （宋）唐庚撰 上海涵芬樓影印閩侯龔氏大通樓藏舊鈔本		✓
	9	眉菴集十二卷，補遺一卷 （明）楊基撰 上海涵芬樓影印武進陶氏涉園藏明成化刊本		✓

	10	茗齋集二十三卷，附明詩九卷 （清）彭孫貽撰 上海涵芬樓影印海鹽張氏涉園藏手稿刻本寫本	✓	
	11	居易堂集二十卷，集外詩文一卷 （清）徐枋撰 上海涵芬樓影印固安劉氏藏原刊本		✓
	12	牡丹亭還魂記二卷 （明）湯顯祖撰 山陰沈仲濤研易樓藏明萬曆四十五年（1617）刊本		
	13	絕妙好詞七卷 （宋）弁陽老人撰；（宋）周密輯 山陰沈仲濤研易樓藏清雍正三年（1725）項氏怡園刊本		
合計		34	1	4

據表，雲五所編之《四部叢刊三編》，計收書三十四種，其中經部七種，史部六種，子部八種，集部十三種，合四百冊。所據以影印之底本：

一、掇拾自張氏原印《續編》、《三編》，而當日為雲五輯印《續編》時所汰賸者凡五種（《續編》一種，《三編》四種）。

二、借自山陰沈仲濤研易樓藏本者，經部四種，史部二種，子部二種，集部七種。

三、借自故宮藏元覆刊宋廖氏世綵堂本者，經部二種。

四、影自《國立北平圖書館善本叢書》者，史部二種。

五、影自《續古逸叢書》者，子部二種，集部一種。

六、影自《涵芬樓祕笈》者，經部一種，史部二種，子部二種。

七、影自《元明善本叢書》者，子部一種。

八、王雲五藏明刊本一種。

五、結　語

張元濟原輯之《四部叢刊初編》、《續編》、《三編》，當時印本數量不可謂不多，然因臺灣偏處海隅，所能購得者必然有限。截至臺灣商務印書館印行之前，臺灣公家庋藏，不過中央研究院傅斯年圖書館、郭廷以圖書館、國立中央圖書館、臺灣大學圖書館、臺灣師範大學圖書館、政治大學圖書館等，略存不全者數部。逮臺灣商務印書館次第影印問世，並先後刷印數四，使珍本善本，得以廣泛流傳，功在藝林，豈可磨滅。

又政府遷臺初期，鑒於兩岸情勢緊張，對當時出版品之查檢十分嚴格。凡一書之作者身處對岸，其所著書便成禁書，即民間出版社私自翻印，亦塗乙改竄作者名氏。《四部叢刊》正續三編，除《初編》因創刊於民國八年（1919），當時雲五以未入商務印書館，不曾參與出版計畫，其餘《續編》、《三編》，則由雲五以總經理兼編譯所所長身分負其責任。後雲五定居臺北，歷任考試院、行政院副院長，至於五十三年接任臺灣商務印書館董事長，頗孚當時人望，因之輯印《四部叢刊初編》、《續編》中，凡張元濟校語、跋語，均能不增一字，不改一字，完整保留，此又雲五有功於《四部叢刊》之最大者。

然雲五之輯印《四部叢刊初編》，尚依仿張氏原編，不加改動，猶未有過。其輯印《續編》，乃雜揉張書《續編》、《三編》合為一書，致使臺灣商務印書館印行之《續編》內各書書頁，有作

「四部叢刊續編」者，亦有作「四部叢刊三編者」，徒增讀者迷惘。雲五又私自刪汰子目數種，補苴罕見古籍數種。然而讀者若持《中國叢書綜錄》所載《四部叢刊續編》、《三編》書目以檢雲五是編，則史部清仁宗敕撰之《大清一統志》以下十四種書⓮，將從何而得之？而史部〔明〕茅瑞徵《皇明象胥錄》以下十種書⓯，又何以知已采入雲五《四部叢刊續編》？此則不能為雲五諱者也。

又張氏《叢刊》各編，於所選諸書封頁，均標明所據版本和出處，甚至標著原本版刻尺寸，如宋蘇洵《嘉祐集》，注云「上海商務印書館縮印無錫孫氏小淥天藏影宋本」，又如明謝甫《密菴稿》，注云「上海涵芬樓借江安傅氏雙鑑樓藏明洪武刻本景印，原書版框高十九公分，寬十三公分」。此全書通例也。至於雲五輯印《三編》時，由於所選子目與張氏迥然有異，除少數幾部取自張氏原刊《續編》、《三編》，尚保留封頁所據版本說明外，其餘各書，讀者僅能憑藉書中所鈐藏書印，或取之以與他本一一核校，否則難以斷定其版本、出處，是又為雲五纂輯《三編》之疏漏。本文於上節已將各書版本及出處逐一考出，讀者可自行參看。

雲五自十八歲就業同文館教生起，至九十二歲高齡謝世止，七十餘年間，專職於教育界約十五年，專任政府官員約十六年，專營出版事業先後合計約四十年⓰。其苦心孤詣，孜孜不倦於增進讀者檢索資料的效率，創編中外圖書統一分類法，發明四角號碼檢字

⓮ 詳見本文第三節，雲五《續編》刪汰張氏原輯《續編》、《三編》部分。

⓯ 詳見本文第三節，雲五《續編》補苴張氏原輯《續編》、《三編》部分。

⓰ 詳參徐有守：〈失學自修成功的青少年〉，《出版家王雲五》，頁3。

法，並致力於各類叢書之編印，先後出版者，有《大學叢書》（已出版三百多種）、《影印四庫全書珍本初集》（二百三十種書，一千九百餘冊）、《叢書集成》（叢書百部，四千一百種書，四千冊）、《宛委別藏》（四十種書）、《萬有文庫二集》（七百種書，二千冊）、《國學基本叢書》（四百種書）、《中國文化史叢書》（八十種書）、《中山文庫》（八十種書）、《化學工業大全》（十五鉅冊）、《小學生文庫》（五百冊）、《幼童文庫》（二百冊），以及《現代教育名著叢書》、《師範叢書》、《比較教育叢書》、《公民教育叢書》、《新時代法學叢書》、《現代問題叢書》、《中學生自然研究叢書》、《現代文藝叢書》、《自然科學小叢書》、《工學小叢書》、《醫學小叢書》、《世界文學名著》、《景印十通》等⓱。以此觀之，張錦郎尊「雲五先生是民國以來最偉大的圖書館學家兼圖書館事業家之一」⓲，洵非過譽也。

附記：民國七十年（1981），臺灣商務印書館《四部叢刊廣編》版行。其去雲五之卒（1979），已歷二載，當非雲五主持輯印，故本文未予細論。《廣編》收書計一百七十八種（經部三十四種，史部三十七種，子部四十種，集部六十七種），持與前此出版之各編相較，《廣編》蓋囊括元濟《續編》、《三編》全部，而少《大清一統志》一種（原在元濟《續編》中）、《太平御覽》一種（原在元濟《三

⓱ 詳參徐有守：〈廢墟餘燼中開展奇花〉，《出版家王雲五》，頁57。
⓲ 見張錦郎：〈王雲五與圖書館事業〉，《圖書與圖書館》第1卷第1期（1979年9月），頁3。

編》中）；又雲五《續編》、《三編》增多之三十九種，除《儒函數類》一種外，亦皆收入《廣編》。按前人凡以「廣」字名書者，多取義於增廣、擴大。而今《四部叢刊廣編》僅合張王《續編》、《三編》所錄書為一編，而去其複重。則以「合」字名編，似較符合。

《四部備要》略論

陳進益*

前　言

中國的叢書刊刻歷史由來已久，以今日所見，最早的要算是宋代俞鼎孫的《儒學警悟》，其次則為晚出七十多年的左圭的《百川學海》。❶自此以後，刊刻叢書的數目便與日俱增。❷元、明、清

*陳進益，清雲科技大學通識教育中心副教授。

❶ 繆荃孫在《儒學警悟・序》中說道：「至取各書之全者，並序跋不遺，前人以左圭《百川學海》為叢書之祖。顧《學海》刻於咸淳癸酉，先七十餘年，已有《儒學警悟》一書，俞鼎孫、俞經編，計七集，四十卷。」（北京：中華書局，2000年2月），頁3。

❷ 清人王鳴盛在《王鳴盛讀書筆記十七種、三〈蛾術編〉卷十四〈合刻叢書〉》中說道：「其在宋，則石廬龔士萬有《五子合刻》、鄮山左圭禹錫有《百川學海》、溫陵曾慥端伯有《類說》、秀水朱勝非藏一有《紺珠集》；其在元，則天臺徐一夔大章有《藝圃搜奇》、華亭陶宗儀九成有《說郛》；其在明，則海上陸楫思豫有《古今說海》、四明余有厂有《子彙》、太末舒石泉有集賢書舍《六子合刻》、新安程榮有《漢魏三十六種叢書》、會稽商濬有《稗海》、新安吳琯有《古今逸史》、鄞縣屠隆長卿一字緯真有《漢魏叢書》、海寧胡文煥有《格致叢書》、武林鍾人傑有《唐宋叢書》、雲間陳繼儒眉公有《秘笈》六編、海虞毛鳳苞子晉有《津

三代所刻的叢書，不知凡幾。及至民國以來，叢書中最為巨著的，便是商務印書館的《四部叢刊》、《叢書集成》以及中華書局的《四部備要》了。本文所討論的對象，便是自民國九年起至民國二十年止，共編為五集，收書三百五十一種❸，一萬一千三百零五卷，分訂成二千五百冊的《四部備要》。本文論述的進路，先談編輯此書時的歷史背景及其編者略述，其次則討論本書的編輯狀況、版本大略，再次則討論本書的內容，說明其優劣得失，並比較其與略早出現且性質、數量皆相近的《四部叢刊》二者的異同。最後再做一小結，綜述本文之大要及結論。

一、《四部備要》成書的歷史背景、因素及其作者

我們知道，歷史中任何一個事件的發生，都無法自外於其所處的歷史背景而孤立存在。因此，在談論《四部備要》這部書之前，我們必須先約略了解它成書年代的歷史背景，以求對這部書有更為全面而完整的認識。

㈠《四部備要》是在「打倒孔家店、線裝書扔毛廁裏、廢

逮秘書》。」（楊家駱編，臺北：鼎文書局，1979 年 9 月），頁 1329。這只是稍舉宋、元、明刊刻的幾部叢書而已，其他如清代的有曹溶的《學海類編》、納蘭成德的《通志堂經解》、錢熙祚的《守山閣叢書》、張海鵬的《學津討原》等等，不勝枚舉。

❸ 劉尚恒：《古籍叢書概說》（上海：上海古籍出版社，1989 年 12 月）云：「收書三百三十六種。」，頁 27。其所說之收書數目有誤。

止漢字、全盤西化」的歷史背景中出現的

《四部備要》自民國九年開始印行第一集，至民國二十年為止，共出了五集。那麼民國九年到民國二十年這十來年間的中國是怎樣的一個狀況呢？錢穆先生在《國史大綱》中說道：

> 同光之際，所變在船砲器械。戊戌以後，所變在法律政治。民國以來，則又有文化革命與社會革命之呼號與活動。……文化革命之口號則有禮教吃人、非孝、打倒孔家店、線裝書扔毛廁裏、廢止漢字、全盤西化等。❹

錢先生這裏，十分簡潔扼要的便將中國近代史上三個不同階段的不同特色說明清楚。同光之際，國人要的是軍事上的自強運動；戊戌變法失敗之後，國內要求政治制度改革的呼聲便一日大過一日；以至於國民革命終於能夠成功，政治制度也終於從專制的帝制一變而為民主的機制，只是，政治制度雖然改變了，然而政治制度所依賴的文化理論、社會結構，卻沒有辦法隨之而立即改變。錢穆先生也說道：

> ……不管自身問題，強效他人之制，冒昧推行，此乃一種假革命，以與自己歷史文化生命無關，終不可久。中國辛亥革命，頗有推翻一切故常而陷於假革命之嫌。政制既已一切非我之故常，其政制背後支撐政制之理論，亦必相隨動搖，則一變而俱不能不變。故於辛亥革命之後，而繼之有文化革

❹ 錢穆：《國史大綱》（臺北：臺灣商務印書館，1988 年 12 月修訂 16 版），頁 698－699。

命、社會革命之發動，亦勢之所必趨也。❺

因此，民國初年，國家的亂象叢生，人民對於改革對象的要求，便也一路的從同光之際的船砲器械，到戊戌以後的法律政治，再到民國以後的文化社會了。然而就如同上一段錢先生所說的，文化革命的口號有「禮教吃人、非孝、打倒孔家店、線裝書扔毛廁裏、廢止漢字、全盤西化」等，光看這些口號，我們就可以知道，中華書局要在這種要求「線裝書扔毛廁裏、廢止漢字、全盤西化」的文化氣氛中，依然堅持的編出這麼一大套「線裝的、整理整個中國文化的中文書」，是需要多麼大的毅力與決心了。也因為《四部備要》這部書是在這樣一個不利於它出現的時機被出版，不得不使我們在討論它的時候，懷著一分對於歷史認知的敬意。

㈡《四部叢刊》是《四部備要》出現的外在因素

我們從上面的敘述可以知道，民國初年的文化氣氛是十分不利於古典的、中國的線裝書出現的時代。然而儘管文化的、社會的氛圍如此，《四部備要》卻不是在這種氛圍下所出現的第一部大部頭的叢書。就在《四部備要》開始輯印前，商務印書館的《四部叢刊》已在民國八年倡議編輯，而且在民國十一年出版了收書三百二十三種，八千五百四十八卷的初編了。這對於《四部備要》這部叢書的出現，是有著十分直接的催生因素的。就如同劉尚恒先生在《古籍叢書概說》中所推測的，他說：

《四部叢刊》影響之大，使他的競爭對手中華書局不甘示

❺ 同上註。

> 弱，於是自民國十三年（1924）起開始編纂《四部備要》，以期與之抗衡。❻

而李春光先生在《古籍叢書述論》中也有著同樣的看法。他說道：

> 商務印書館編輯的《四部叢刊》出版以後，在學術文化界產生了很大的影響，中華書局也不甘落後，從 1924 年開始輯印了《四部備要》，前後共分五集，共收書三百五十餘種，計一萬一千三百餘卷。❼

這兩位先生站在商業的立場上去推敲當時的兩大書局（商務印書館和中華書局）二者之間，由於商業競爭的關係，而有著某種難以言說的特殊平衡狀態。並且任誰也不願因為對方的過度成長，破壞掉它們之間既依賴又競爭的平衡關係，而導致被某一方消滅。因此，如果任何一方有著某種重大的變化或舉措時，另一方必然也會採取某種跟進的動作，以求繼續生存下去。所以，我們認為中華書局之所

❻ 同註❸，頁 26－27。

❼ 在劉尚恒先生的《古籍叢書概說》與李春光先生的《古籍叢書述論》（瀋陽：遼瀋書社，1991 年 10 月），頁 324。都說《四部備要》是在民國十三年，也就是 1924 年開始輯印的。可是劉師兆祐卻在《國文天地》第 16 期（1986 年 9 月）中的〈聚珍仿宋版四部備要〉一文說道：「《四部備要》是早年的中華書局所輯刊的。從民國九年（1920）開始輯印。」（頁 28）而據民國 25 年 7 月出版的線裝本《四部備要書目提要》（今收藏於中央研究院中國文哲所圖書館）中的〈重印聚珍仿宋版五開大本四部備要緣起〉所說：「敝局自民國九年從事《四部備要》之輯印，迄今十四年矣！」可知《四部備要》是在 1920 年開始輯印的。因此可知劉尚恒先生與李春光先生所說的 1924 年的說法是有誤的。

以在民國初年，文化氛圍十分不利於出版社出版這類古典的中國文化的線裝書時，卻做了這樣重大的投資，恐怕和它的競爭對手商務印書館在民國八年便著手編輯，且在民國十一年便完成了初編的《四部叢刊》的出現，有著極為直接的關連。❽

㈢陸費逵編《四部備要》的歷史內在因素

我們在《四部備要》每一冊的首頁裏，都會看見印有「桐鄉陸費逵總勘，杭縣高時顯、吳汝霖輯校，杭縣丁輔之監造」的字樣。由此可知，這部書是由當時擔任中華書局總經理的陸費逵主導負責的。而這位陸費逵又是何許人呢？我們據有限的資料可以知道他的簡略生平。傳記文學出版社的《民國人物小傳》有這麼一段記載：

> 陸費逵（複姓陸費，名逵）字伯鴻。浙江桐鄉人，生於清光緒十二年（1886）。幼由母教讀，十七歲入南昌熊氏英文學塾肄業。翌年（1904）赴武昌，自設學界書店，旋任漢口楚報主筆，未幾，以言論忤當道，楚報被封，並索主筆甚急，乃逃往上海，初擬赴日留學，後應昌明公司之請，任該公司上海支店經理兼編輯，越年改就文明書局編輯。1909 年進入上海商務印書館任編輯及出版部部長。民國元年（1912）與友人陳協恭、戴克敦、沈知方等創辦中華書局，任總經理職

---

❽ 當然，我們並不是認為中華書局《四部備要》的出現，完全是因為商務印書館《四部叢刊》的出現所致。我們當然無意、也無法排除中華書局在民國九年著手輯印《四部備要》可能也有其他的考量因素。只是這兩套書出現的時間是如此的相近，這兩個書局又是當時中國首屈一指的大書局，因此，我們做出這樣的推論，恐怕也可以說是極為合理的論斷了。

務。此後之數十年，該書局業務發展甚廣，分局遍於全國並及國外，出版書籍除《中華大字典》、《辭海》、《四部備要》、《古今圖書集成》等大部要籍外，另有其他新舊書籍數萬種，成為全國最大出版公司之一，如此成就，微陸費君三十載之精力專注，當不克臻此。抗戰軍興，國民政府設立國民參政會，陸費君兩度被延聘為參政員。民國三十年七月以腦溢血病逝於香港，享年五十六歲，國民政府曾予以明令褒揚，表章其一生盡瘁於文化出版事業之功績。[9]

我們從這一小段的記載，可以知道陸費逵先生基本上是一個十分有經營頭腦的編輯出版家。他的一生幾乎都在從事於出版編輯的事業，在十八、九歲的時候，就已經自己設立了一家學界書店。在二十三歲時，已經是上海商務印書館的編輯及出版部的部長，可見其在編輯出版上的頭腦。而在二十六歲時便與友人一同創立了中華書局，並在日後成為全中國最大的出版社之一。由此可見，陸費逵先生之所以會在民國初年編成《四部備要》這一大套書，和他具有出版書籍的眼光，是有著密切關係的。

他刊印這套大書的原因，除了我們上節所談到的對手書局出版《四部叢刊》的外在壓力，及其出版眼光之外，是不是有著什麼樣的歷史因素呢？我們可以從編修《四庫全書》的陸費墀這裏找到一些訊息。

陸費墀是何許人呢？據陸費逵所編的《四部備要總目提要·史

---

[9] 對於陸費逵先生生平更詳細的介紹，可參見中華書局編輯部編：《陸費伯鴻先生年譜》（臺北：臺灣中華書局，1977年6月）。

部·歷代帝王廟謚年諱譜·著者小傳》所說：

> 陸費墀，清，桐鄉人，字丹叔。乾隆進士，授編修歷充《四庫全書》館總校及副總裁等官。又偕紀文達昀等編纂《歷代職官表》，並編有《歷代帝王廟謚年諱譜》。

可知陸費墀在乾隆時期所編輯的《四庫全書》中，也有頗為重要的地位。這樣的地位和經歷，自然對於他的後代子孫有著一定的影響。而清末民初的陸費逵便是編纂《四庫全書》的重要人物之一陸費墀的五世孫。陸費逵也在民國十三年十月所寫的〈增輯四部備要緣起〉裏說道：

> 先太高祖宗伯公諱墀，通籍入詞林；《四庫全書》開局，以編修任總校官，後任副總裁，前後二十年，任職之專且久，鮮與匹焉。晚歲搆宅於嘉興府城外甪里街，顏其閣曰「枝蔭」，多藏《四庫》副本，洪楊之亂燬於火，今者甪里街鞠為茂草矣！小子不敏，未能多讀古書，然每閱《四庫總目》及吾家家乘，輒心嚮往之。❿

由此可見陸費逵他之所以從事《四部備要》的編纂工作，和他的五世祖陸費墀曾任《四庫全書》的總校官和副總裁的職務有所關係，而他們家也因此而藏有許多的四庫副本，後來卻因為太平天國之亂

---

❿ 這裏所引的〈增輯四部備要緣起〉一文，在今日所見的臺灣中華書局版《四部備要書目提要》中已被刪去，讀者若要見此篇全文，可至中研院文哲所圖書館商借民國 25 年上海中華書局出版的線裝本《四部備要書目提要》。

而盡燬於火，而家族故居也盡成陳跡。因為這樣的身世感受，使得陸費逵每每在閱讀《四庫全書總目》及家中收藏之書時，撫今追昔，不勝唏噓，而有紹述前人，心嚮往之的衝動。這不能不說是在商務印書館出版《四部叢刊》對於中華書局造成外在壓力，以及陸氏本身的出版眼光之外，《四部備要》出現的另一個歷史的內在因素。

二、《四部備要》的編輯狀況及版本大略

(一)陸費逵說編輯《四部備要》乃因「四庫著錄之書，浩如煙海；坊肆流傳之籍，棼若亂絲。承學之士，別擇維艱；善本價昂，購置匪易。」

我們要知道《四部備要》這部書的編輯因由、狀況及目的，最直接而有效的證據，便是由陸費逵在編輯這部書之後所寫的〈校印四部備要緣起〉這篇短文了。其全文如下：

> 吾國學術，統於四部，然四庫著錄之書，浩如煙海；坊肆流傳之籍，棼若亂絲。承學之士，別擇維艱；善本價昂，購置匪易。本局同人有鑑於此，爰於前年擇吾人應讀之書，求通行善本，彙而集之，顏曰《四部備要》。提綱挈領，取便研求；廉價發行，以廣傳佈。惟是普通鉛字，既欠美觀；照相影印，更難清晰。適杭州丁氏創製聚珍仿宋版，歸諸本局，方形歐體，古雅動人，以之刊行古書，當可與宋槧元刊媲美。茲將第一集至第五集分年校刊，共計二千餘冊；經、

> 史、子、集最要之書，大略備矣。張文襄嘗言：「讀書不知要領，勞而無功；知某書宜讀而不得善本，事倍功半。」今有《四部備要》，庶幾可免此大弊歟！

在這篇〈校印緣起〉中，我們可以看到陸費逵編輯《四部備要》的原因與目的。他自己所說校印《四部備要》的原因乃是因為《四庫全書》的數量太過繁多，使得讀書人在選擇其最該先讀的書的時候，不免會有「別擇維艱」的困難，而且又因為讀古書若要求精準，則非善本不足以達到這個要求。然而善本不僅不易購得，而且價格通常都十分昂貴，因此，在這種種原因之下，中華書局才會：

> 有鑑於此，爰於前年，擇吾人應讀之書，求通行善本，彙而集之，顏曰《四部備要》。⓫

(二)《四部備要》的編輯目的乃是為了「提綱挈領，取便研求，廉價發行，以廣傳佈」

陸費逵在〈校印緣起〉中說他編印這套書的目的乃在：

⓫ 這當然是《四部備要》編輯出版的原因之一。不過，我們如果真的相信《四部備要》出現的原因只是因為這樣，那麼不免就太單純了。前文我們曾經說過，歷史中任何一個事件的發生，都是無法自外於其所處的歷史背景而孤立存在。而所謂的歷史背景因素又是何其複雜。因此，我們認為除了陸費逵自己在〈校印緣起〉一文中所說的校印《四部備要》的原因之外，當然還可能有他不願說，或者不便說的其他因素存在。如我們前面所說的：《四部叢刊》出現的外在壓力與陸費逵本身內在的家族因素等等，對於《四部備要》出現的影響力，可能都要比他在〈緣起〉中明白說出的校印原因要大得多了。

提綱挈領，取便研求；廉價發行，以廣傳佈。

我們都知道，每一件事的目的與原因都是相依而生且無法獨立存在的。上文既然說到校印這部書的原因乃在「四庫著錄之書，浩如煙海；坊肆流傳之籍，棼若亂絲。承學之士，別擇維艱；善本價昂，購置匪易」，那麼為了解決這些讀書人的這些困難，於是便編印了這部「擇吾人應讀之書，……提綱挈領，取便研求」的《四部提要》。又為了要解決讀書人「善本價昂，購置匪易」的困難，於是便編出了這部「求通行善本，彙而集之，……廉價發行，以廣傳佈」的《四部備要》了。總而言之，陸費逵編這部書的目的就在「提綱挈領，取便研求」（這是為了讀者的），「廉價發行，以廣傳佈」。（這是為了書局本身的生存的。當然，這也和對手書局商務印書館出版《四部叢刊》有著商業競爭的關係了。）

㈢《四部備要》使用聚珍仿宋版，以求美觀

陸費逵在〈校印緣起〉中說道：

惟是普通鉛字，既欠美觀；照相影印，更難清晰。適杭州丁氏創製聚珍仿宋版，歸諸本局，方形歐體，古雅動人，以之刊行古書，當可與宋槧元刊媲美。

他認為普通鉛字所印刷的書是不夠美觀的，而如果以照相影印的方式來印書，就當時的技術上來說，是無法保證文字內容的清晰度，因此便採用了當時杭州丁氏創製的聚珍仿宋版來印刷這套書。一方面既是活字版的印刷，則書本的清晰度便不會有問題；而且這套活字版的字體又是精美的仿宋體，可以解決普通印刷字體不夠美觀的

缺失，如此一舉兩得的活字版，當然是他所願意採用的了。

其實，除了上述所說的原因之外，陸費逵之所以採用聚珍仿宋版來印刷這部書，還有著其內在必須的因素的。在《四部備要》出現之前，商務印書館所印行的《四部叢刊》為了保存他們所蒐集到的善本原貌，所以即使善本本身已有了些許的殘缺，他們也不願意擅加更動。因此，在商業的考量之下，中華書局此時如果仍然以強調版本的角度下去編印《四部備要》，必然是沒有市場可言的。而為了要與《四部叢刊》能夠有所競爭，因此，《四部備要》才會採用重新排版，強調校勘；而且又要求字體能「與宋槧元刊媲美」的聚珍仿宋體了。⓬我想，這才是陸費逵之所以採用聚珍仿宋版來印刷這部書的真正必要原因。

而什麼是「聚珍仿宋版」呢？劉師兆祐說：

> 所謂「聚珍」，其實就是活字。……乾隆三十八年（1773）詔修《四庫全書》時，高宗已六十三歲，深恐不及見全書完成。所以一方面指示先選擇全書中的菁華部分，編成《四庫全書薈要》，一方面也選擇全書中的善本，先行交由當時職司出版事務的「武英殿」刊印流傳。當時負責「武英殿」的是侍郎金簡。金氏以所要印的書種類繁多，雕刻費時，建議

⓬ 劉尚恒先生在《古籍叢書概說》中也說道：「中華書局沒有如商務印書館的涵芬樓所藏版本優勢，而抓住《四部叢刊》重版本而不重閱讀的弱點，在《備要》上大作文章，突出閱讀中國古代典籍的實用性。」，頁 27。這樣的說法，也是著眼在談論兩大書局在商業競爭壓力下的不得不然的作為。

> 用活字印行。清高宗同意是同意了，但是覺得「活字」的名稱不祥。大抵年歲大了，有點怕死，看到了活字，就聯想到了死字，就下令把活字版易名為聚珍版了。
>
> 《四部備要》是用鉛活字排印的，所以就襲用乾隆時代「聚珍版」的名稱。⓭

由此我們可以知道所謂的「聚珍」，說穿了就是活字版印刷的另一個名稱。而這名稱的由來，則是因為乾隆皇帝的忌諱死活這些字眼而發明來的。這種對於某些字眼的特別忌諱，在中國的習俗之中是極為常見的，所以也就沒有什麼特別的了。

而什麼是「仿宋」呢？劉師又說：

> 「仿宋」就是模仿宋本書的字體的意思。宋代刻書時，喜歡用歐陽詢、顏真卿、柳公權等人的字體。歐、顏、柳三家的字，風格雖不盡相同。但有一共同點，那就是這三家字體「字畫活脫，略顯方形」。所以後世就把略顯方形的字，稱為「仿宋字」。⓮

從這一段的敘述，我們可以清楚的知道所謂「仿宋字」，就是模仿歐、顏、柳三家字體的共同特色「字畫活脫、略顯方形」的字。因此，所謂的「聚珍仿宋版」，便是指以「模仿歐、顏、柳三家字體的共同特色，字畫活脫，略顯方形的字的活字版印刷術」。

⓭ 見劉師兆祐：〈聚珍仿宋版四部備要〉，《國文天地》第 16 期（1986 年 9 月），頁 30。

⓮ 同上註。

㈣《四部備要》的版本大略

《四部備要》原本是早年在大陸上的中華書局自民國九年以後開始輯印的一部書。據民國二十五年上海中華書局所印行的線裝本《四部備要》中〈重印聚珍倣宋版五開大本四部備要緣起〉所說：

> 敝局自民國九年從事《四部備要》之輯印，迄今十四年矣！……民十一發售第一集預約，民十三發售第二集預約，民十五發售全部預約，均滿額截止。

可知自民國九年開始，《四部備要》便已著手輯印。且分別在民國十一年、十三年及十五年，分三次分批發售。而劉師兆祐說：

> 從民國九年（1920）開始輯印。第一集於民國十一年（1922）預約，次年出版，收書四十八種，共四百零五冊。民國十三年（1924）第二集發售預約，到民國二十年（1931），先後共出版五集，全書一萬一千三百零五卷，分訂二千五百冊。⓯

劉尚恒先生則說：

> 《四部叢刊》影響之大，使它的競爭對手中華書局不甘示弱，於是自民國十三年（1924）起開始編纂《四部備要》，以期與之抗衡。到民國二十年（1931）止，共出五集，收書三百三十六種，一萬一千三百零五卷，以聚珍仿宋版鉛字排印，初為線裝本，民國二十四年（1935）重印為平裝本，次

⓯ 同註⓭。

年（1936）再縮印精裝本。[16]

他們兩位先生都說《四部備要》是在民國二十年（1931）時共出了五集，然而卻在《四部備要》開始輯印的年代上，有著不同的說法。我們由〈重印緣起〉中所說可以知道，劉師兆祐所說的自民國九年開始輯印的說法是正確的，而劉尚恒先生自民國十三年開始編纂的說法則是有誤的。

又〈改印洋裝緣起〉一文中的「附識」說：

> 本局所印《四部備要》五集出齊後，既由六開本改為五開本，嗣為藏庋便利，購置省費起見，又由五開本縮印，將線裝本改為洋裝本。

可知《四部備要》原本是六開本的，後來則又改為五開本。然後為了收藏方便，購置省費起見，又縮印為洋裝本的《四部備要》。〈改印洋裝緣起〉又說：

> 本書分三種裝訂：甲種裝布面金字，乙種裝布面印字，每冊容四、五百面至一千餘面，分訂一百冊。丙種紙面並裝，每冊容二、三百面至四、五百面，分訂二百八十冊。書脊均印明書名及冊數，於保存檢查均極便利。
>
> 為購者便利起見，分八組發售預約。並為閱讀時之便利計，普通閱讀之書，請國學耆宿邵裴子、孫智敏、朱寶瑩、鍾毓龍、王文濡、朱寶瑜、張相、金兆梓、李庸、吳汝霖、呂

---

[16] 同註[3]，頁26－27。

> 陶、丁輔之、高時顯等無論正文注釋，概加點句。如經部之《四書集注》及《十三經古注》；史部之《二十四史》、《資治通鑑》、《國語》、《國策》；子部之周秦諸子四十種以及淺近之性理書；集部之《楚辭》，詩、文、詞總集等，對於學者當大有裨益也。
>
> 全書自民國二十四年十一月起分兩年出齊，每季出書十二三冊。

由上述可知，所謂洋裝縮印本的《四部備要》共有三種版式：第一種是甲種的布面金字，第二種是乙種的布面印字，這兩種都是分訂為一百冊的；第三種是丙種的紙面並裝，分訂為二百八十冊。而洋裝本的《四部備要》是自民國二十四年十一月開始出版，預計兩年內出完。又在書本的內容方面，出版者為了讀者閱讀時的便利起見，請了國學耆宿「邵裴子、孫智敏、朱寶瑩、鍾毓龍、王文濡、朱寶瑜、張相、金兆梓、李庸、吳汝霖、呂陶、丁輔之、高時顯」等人，就正文及注釋的部分，不論是經史子集，皆加以點句。不過由今日我們所見到的本子來看，不論是民國二十五年的上海中華書局《四部備要》，還是臺灣中華書局的《四部備要》，都沒有所謂標點本《四部備要》出現。因此，我們推斷，在民國二十四年改為洋裝本的《四部備要》時，原本是有著請邵裴子、孫智敏、朱寶瑩等這些國學耆宿來做標點的計畫，不過後來可能因為時局的不穩，或者其他的因素，導致了這個計畫沒有被執行。因而現今我們所見到的《四部備要》依然是沒有標點的版本。

國民政府來臺之後，中華書局乃自民國五十四年六月開始，將其所收藏的線裝本重加校訂，以布面金字印刷精裝，分批供應，至民國五十五年底（1966）才大功告成，這便是今日我們在臺灣常見的本子。⑰而今國家圖書館善本書室仍藏有線裝版的《四部備要》，惜已不全。⑱而原本為二千五百冊的線裝本《四部備要》在臺灣的中華書局重新印刷出版的精裝本中，已成為經部一百冊，史部二百四十冊，子部八十五冊，集部一百八十五冊，另有《書目提要》一冊，共計六百一十一冊的臺灣中華書局版的《四部備要》了。在大陸時期出版的《四部備要》，其每一冊書的封面裏會印有「上海中華書局」的字樣，而臺灣版的則只印有「中華書局」。如國家圖書館善本書室所藏民國二十五年出版的線裝《經義考》，其封面裏便印著「上海中華書局據揚州馬氏刻本校刊」的字樣，而臺灣精裝版的《四部備要·經義考》的封面裏則印著「中華書局據揚州馬氏刻本校」的字樣。其分別在於有無「上海」二字，當然，冊數也有差異。線裝本的《經義考》共有二十六冊，而臺灣精裝版的《經義考》則只有八冊。除此之外，在卷數、內容上，都無絲毫差別。⑲又臺灣中華書局版的《四部備要》在《書目提要》上已縮為

---

⑰ 詳見舒生：〈簡介古籍珍本四部備要〉，《中華日報》第5版，1967年9月4日。

⑱ 就我們今日所見國家圖書館所收藏的《四部備要》線裝本《經義考》共分二十六冊，是民國二十五年上海中華書局出版的。也就是說，劉尚恒先生所說：「至民國二十年止共出五集線裝版的《四部備要》，在民國二十四年重印為平裝本，民國二十五年再縮印精裝本」的說法並不精確。至少，在民國二十五年的時候，仍有上海中華書局出版的《四部備要》線裝本。線裝本《四部備要》並非在民國二十年便已終止。

⑲ 關於《四部備要》的出版情形，亦可參考註⑩，頁1264－1265。

一冊，且在書尾的緣起部分，只留了〈校印四部備要緣起〉一文。而較之上海中華書局的《四部備要》中的四冊《書目提要》後的緣起，少了〈增輯四部備要緣起〉、〈重印聚珍倣宋版五開大本四部備要緣起〉、〈聚珍倣宋版四部備要改印洋裝緣起〉三文，及「四部備要價目表」、「聚珍倣宋版洋裝本四部備要、古今圖書集成」的兩頁廣告。廣告及「四部備要價目表」或者並不重要，刪去它們，對於原書並無大礙。但是刪去了〈增輯四部備要緣起〉、〈重印聚珍倣宋版五開大本四部備要緣起〉、〈聚珍倣宋版四部備要改印洋裝緣起〉這三篇文章，對於我們想要了解《四部備要》的歷史，則有著極大的妨礙。不知臺灣中華書局版的《四部備要》為何要刪去這幾篇重要的文章？

三、《四部備要》的內容

《四部備要》共有一萬一千三百零五卷，不可謂不多。現在我們以常見的臺灣中華書局在民國五十四年至五十五年十月底印行出版的精裝版《四部備要》六百一十一冊為底本，分經、史、子、集四個部分論述於下：

㈠卷一、經部：共有五十六種，一百冊。分別為「十三經古注」十三種、「十三經注疏」十三種、「清十三經注疏」十三種、「四書集注」四種、「小學」十種、「經義」三種

從經部所收書的分類及其內容來看，就如同陸費逵在〈校印四部備要緣起〉中所說的，這部書的確是為了「擇吾人應讀之書求通

行善本，彙而集之，……提綱挈領，取便研求」的。因此，它先列了「十三經古注」，以求保存漢至魏晉時代的古注。其次再列「十三經注疏」，則是由於古注畢竟久遠，並非人人可懂，因此又列入以唐人之說為主的「十三經注疏」，使人易於了解經義。如在「十三經古注」之中，《周易》的部分列了《周易王韓注》，分別是三國魏人的王弼和晉代的韓康伯。而又在「十三經注疏」中列了孔穎達的《周易正義》，此書基本上是藉由整理漢魏以來前人對於《周易》的注解，尤其以王弼、韓康伯之說為準來取決的唐代的一部總結性質的書。[20]之後，又在後面的「清十三經注疏」中列了清代漢《易》大師惠棟的《周易述》，以做為對於《周易》學術史的一個概略而完整的介紹。又如在《春秋》上，他先在「十三經古注」中列了晉人杜預的《春秋左氏傳杜氏集解》，選擇了漢魏疏解《左傳》最佳的作品，又接著在「十三經注疏」中列了孔穎達的《春秋左傳正義》，這是一部以杜預的注為主，再加上孔穎達的疏而成的，總結唐代以前詮解《左傳》的書。最後又在「清十三經注疏」中列了洪亮吉的《春秋左傳詁》，以做為對於《左傳》一書學術史的一個概略而完整的介紹。凡此種種，皆是《四部備要》的編者為讀者所選擇的應讀之書，而想對讀者產生「提綱挈領」之效的努力。

---

[20] 當然，《周易正義》與王弼之間的關係是否如孔穎達在《周易正義·序》中所說的：「以輔嗣為本」，大有商量的必要。可參見龔師鵬程的碩士論文《孔穎達周易正義研究》，以及拙作〈孔穎達周易正義試論〉，刊載於《健行學報》，第 19 卷第 1 期（1999 年 12 月），頁 303－314。不過這不在本文的討論主題之內，所以不再贅述。

另外，像是《四書集注》則選了元、明以來最為通行的，也是科考所用的朱子注本，相當程度的為讀者選擇了最被大家所認可的詮釋《四書》的說法。而小學部分，在文字方面的有《說文解字真本》、《說文繫傳》、《說文解字段注》及《說文通檢》，在音韻方面則有《玉篇》、《廣韻》、《集韻》，在訓詁方面則有《小爾雅義證》、《方言疏證》、《廣雅疏證》等書，在經義方面則有著清人總結整個中國經學史的兩部著名著作《經義考》、《經義述聞》。這些書籍，在在都顯示著《四部備要》的編者要將此部書編成「提綱挈領、取便研求」的套書的企圖。

㈡卷二、史部：共有七十四種，二百四十冊。分別為：「二十四史」二十四種，「編年史」四種，「古史」十二種，「別史」二種，「雜史」七種，「載記」二種，「傳記」三種，「奏議」一種，「地理」三種，「政書」四種，「史評」五種，「表譜考證」七種。

從史部收書的分類及內容來看，《四部備要》考慮了一般人的基本需求。在正史的部分，有二十四史及四部編年史，以做為我們對於歷史基本而無誤的認知之用。然而，正史雖然較近於史實，但也不免因為求實的關係而太過拘謹；或者因為作者本身的所知所見畢竟有限，而可能有所缺漏。因此《四部備要》又列了古史、別史、雜史，這些包含了野史及神話傳說（如《山海經、穆天子傳》）等非正史的書籍，以補正史之遺漏。雖說這些書籍內容有著許多荒謬虛誕之處，但也正因為這些書的作者們的寫作態度是較為自由的，所以正可以補正史因寫作態度過於拘謹而可能有所缺漏的不足。此外，又有奏議、地理、政書、傳記、載記、表譜考證等書，以補史傳之不足。最後又有史評一類，將前人對於歷史的觀點及看法保存下來，以做為我們讀史時的參考。這樣周全的編輯目的，是足以展現出《四部備要》編者們的企圖心及用心的。

㈢卷三、子部：共有七十九種，八十五冊。分別為：「周秦諸子」二十五種，「儒家」三十一種，「農家」二種，「醫家」六種，「算法術數」五種，「雜家」三種，「小說家」三種，「釋道家」三種，「諸子大意」一種

在這裏比較值得討論的是將《荀子》依其時代分入「周秦諸子」一類，而沒有將《荀子》分入「儒家類」中，而在「儒家類」中最早的著作則為漢代的《法言》等書。在這樣的分類中，顯示出了某種學術上的分判。基本上，將《荀子》放入「周秦諸子」而不放進「儒家類」中，是依照《四庫全書》的分類來做的。而《四庫全書》這樣的分類，當然便有其學術分判的意義在裏面。另外又有「釋道家」一類，雖然只有三種，但也顯示出我們無法仍然只以儒家為唯一，而故意忽視釋家在唐代以後盛行的狀況。

㈣卷四、集部：共有一百四十二種，一百八十五冊。分別為：「楚辭類」一種，「漢魏之朝別集」十三種，「唐別集」二十五種，「宋別集」二十九種，「金別集」六種，「明別集」四種，「清別集」三十一種，「總集」二十四種，「詩文評」十種

在分類上先列「楚辭」一類，且只有一種，顯然也是受到了《四庫全書》分類方式的影響。由於中國文學的兩大源頭之一的《詩經》被列入了經部，所以在文學的集部之中，便先列了另一文學源頭的《楚辭》，以顯其淵源了。這就好像是子部中《荀子》的狀況一樣，由於孔子和孟子的言論書籍都已被列入了經部的《四書》之中，先秦中另一個留有典籍的儒家代表人物荀子便顯得唯一而特殊，因此只得依其時代列入周秦諸子一類了。

此外，自漢魏以後，在各朝代皆選出了代表的著作，以便讀者可以因為看了這些書而得知各家的源流、大要，對於我們在文學史上的認知，有著較為系統性的助益。而「總集」則以《文選》李善注為首，以明文學總集之源頭。另外又有各個朝代的詩文詞曲的總集，這些書都分別摘錄了各時代、各家的要點，為我們在面對龐大的中國文學著作時，點出了一條具有系統性的道路。最後，列了「詩文評」一類，集中的讓讀者可以看到前人名家對於前輩詩文的看法、評價，以供我們閱讀前輩大家文學作品時的參考。

總的來看，《四部備要》在經、史、子、集四類之中，不論是種類或者卷數，都呈現出力求四類平衡的狀況。而且又在基礎性、全面性上，加入了系統性的要求，使這一部套書形成了一個完整而全面的系統。

四、《四部備要》與《四部叢刊》的比較

㈠李敖先生的對照表

以目前可見的資料來看，首先對這兩部書做過比較的應是李敖先生。他在民國四十一年（1952）高一的時候，利用了省立臺中圖書館中所藏的《四部備要》和《四部叢刊》做了一個書目比較的對照表。在這個對照表中，第一欄是作者與時代，第二欄是《四部備

要》的書目，第三欄則為《四部叢刊》的書目。我們仔細的比對了一下，可以得到幾個結論：

1.以李先生做這個對照表的時代來看，其所採的本子應是上海中華書局的排印本。因為臺灣中華書局的本子是從民國五十四年六月到民國五十五年十月底印刷出版的。㉑而李先生乃在民國四十一年時即完成此表，可見得他所據的是上海中華書局排印的本子。

2.據李先生在這個表中所說，他是以《四部備要》為主，《四部叢刊》為輔來做這個表。而經過我們仔細的比對之下，發現李先生所列的《四部備要》的書目與後來臺灣中華書局在民國五十四年至五十五年間在臺灣重印的本子一模一樣，總數亦同。僅有兩三種書的前後排列的次序稍有差別，或者在某書有分卷、不分卷上的差異。如子部類，《公孫龍子》與《尸子》，李先生的表作「合一冊，不分卷」，而臺灣中華書局本則《尸子》分為二卷，僅《公孫龍子》不分卷。㉒

3.李先生表中《四部叢刊》部分的書目，總數只有三百一十一種，經二十五種，史二十七種，子六十種，集一百九十九種。可是光看《四部叢刊·初編》（民國九年到民國十二年）的書目，就已經有三百二十三部之多。（經二十五種，史二十二種，子六十一種，集二百一十五種）除了經部書目相同之外，其他三部都不一樣，更別說再

㉑ 見舒生：〈簡介古籍珍本四部備要〉，《中華日報》第 5 版，1967 年 9 月 4 日。

㉒ 我們由民國二十五年上海中華書局出版的《四部備要·書目提要》來看，可以知道《尸子》及《公孫龍子》在當時的確是合一冊的，而今日臺灣中華書局出版的《四部備要》才將之分開印行。

加上續編（民國二十三年）的經十七種，史十一種，子十八種，集三十種，及三編（民國二十四到二十五年）經十種，史十六種，子十五種，集二十九種，共有四百六十九種之多。㉓由此可知，在李先生這個表中所列《四部叢刊》的部分是不完整的。

不過這個對照表中《四部備要》的部分，不論在卷數、冊數及各書的作者、年代、分合狀況上，都有極為詳細的整理，遠比中華書局所編的《四部備要書目提要》在它的目錄部分只有書名，要便於我們運用多了。

㈡《四部備要》與《四部叢刊》收書比較

1.在數量上：《四部備要》共收三百五十一種書（含一至五集），分別為：經五十六種，史七十四種，子七十九種，集一百四十二種。《四部叢刊》則共收書四百六十九種，（含初、續、三編）分別為：經五十二種，史四十九種，子九十四種，集二百七十四種。以總收書的數量來看，《四部叢刊》所收較《四部備要》多了一百多種，不過多的部分卻幾乎是集中在「集」的部分。也就是說，在經、史、子、集四部的平衡上，由於《四部叢刊》受了版本的限制，只能就其所能找到的較佳版本影印刊行，因而不免無法在收書的種類上求取平衡。而《四部備要》由於沒有這種限制，反而能比較全面而平衡的將中國傳統四部的書籍展現出來。

2.在編印目的上：《四部備要》由於其編輯的目的在於「擇吾人應讀之書……提綱挈領，取便研求」，所以收書較《四部叢刊》

㉓ 關於《四部叢刊》的問題，請參見吳栢青：《張元濟及其輯印四部叢刊之研究》（臺北：東吳大學中國文學研究所碩士論文，1999年5月）。

少，不過也比較適合於一般的讀者閱讀，對於傳統學術的推廣，是較《四部叢刊》有利的。又由於其編輯內容上是「求通行善本，彙而集之」，所以比較著重各種本子的校勘㉔，並且採用重新排版印刷的方式，以求得「取便研求」之效。而《四部叢刊》則由於商務印書館本身即有涵芬樓藏書豐富的優勢，所以特重版本的講求。而為了要讓原貌重現，因此採用了影印的方式，且沒有任何的刪改。然而版本再好的書也難免有訛誤、脫漏之處，因此張元濟先生特別在部分書的最後，做了〈校勘記〉，以訂正各書之誤。像這樣重現書本原始樣貌的影印方式，雖不利於一般讀者的閱讀，卻對於學者專家在做學術研究時，提供了莫大的助益。

3.在編輯內容上：《四部備要》較為注重學術系統的展現，以及提供讀者較為平衡的國學認知。因此在經部中，先列了「十三經古注、十三經注疏」，又列了「清十三經注疏」，使得讀者只要針對三十六部中國經典詳加比對閱讀，便可以十分清晰的理解了中國經學的詮釋系統在各個朝代之中，有著怎樣的異同，使我們能夠第一手的集中理解中國經學著作的傳承變化。這不僅對於一般人的閱讀有幫助，對於學者專家在研究經學史上，也有著極為方便的助益。而《四部叢刊》雖也列了數十部的經學著作，且版本極佳，然而卻只做到集中收入較佳的版本而已，對於經學詮釋系統的理解，並無法提供較為直接而有效的助益。在史部上，《四部備要》依然展現著一種系統性的編輯企圖。它依次列了「二十四史」、「編年

㉔ 關於《四部備要》重校勘的原因及情形，可參見劉師兆祐：〈聚珍仿宋版四部備要〉一文。

史」之後，才列「古史」、「雜史」、「別史」等等，使讀者在閱讀時有著先後真偽的認知。而《四部叢刊》則依然礙於善本收入的第一要求，而令人不禁有著散亂之感。在子部與集部的編輯內容上，也都同樣有著類似我們在經部與史部中所談的情形。這樣的差異，其實也只是因為這兩套書在編輯之初，因其所要達到的目的不同，而有其不得不的選擇罷了，並沒有所謂孰好孰差的問題，只是各取所需而已。㉕

4.在意義與價值上：這兩部書前後出現在民國八年到民國二十年之間，而這個年代也正好是要將線裝書、國學扔進廁所的時代。因此，這兩部書的出現，在保存傳統學術，提倡傳統學術上，都有著積極的意義。《四部備要》在其系統與平衡的編排要求下，在國學的推廣，展現了它的企圖。而《四部叢刊》在其版本第一的編輯要求下，在國故的保存與學術的研究上，展現了其不可磨滅的功勞。然而，在這些正面而積極的價值意義背後，如果我們仔細的思考一下，將會發現，如果從明代《永樂大典》到清人《四庫全書》的編成，將整個中國的圖書做了有效而集中的整理與介紹，（這裏我們暫不討論他們背後的政治目的）是一種學術昌盛現象的展現；那麼我們就必須面對著《四部備要》與《四部叢刊》的出現，無非是一種傳統國學由昌盛而轉向衰退的表現。因為，在收書的數量與質量上，《四部備要》與《四部叢刊》都是無法與前二者相比的。而《四部備要》之所以要為大家「提綱挈領，彙而集之」，當然也是

㉕ 關於這兩套書的比較，還可以參考劉師兆祐的著作及李春光先生《古籍叢書述論》，頁 326－353。

因為編者們體會到了國人不可能再需要讀那麼多的傳統國學書籍的趨勢了。而《四部叢刊》之所以需要保存善本的原貌，不也正意謂著因為即將失去，所以才須保護嗎？這和今日我們需要保護瀕臨絕種生物的意思，其實是沒有兩樣啊！

五、結　語

總的來說，由於《四部備要》的編成是在民國九年到民國二十年之間，而這段時間又正是五四新文化運動如火如荼展開之時，在社會上幾乎一面倒的打倒孔家店、把線裝書仍進廁所、廢止漢字、全盤西化等口號響徹雲霄之際，上海中華書局的主持者陸費逵先生仍然願意收集中國固有典籍，加以校勘排印，編成兩千五百冊、一萬一千三百零五卷的《四部備要》，實在是不容易的事。

當然，就如同我們在文章中所提到的，這套書出現的原因，除了有由於商務印書館《四部叢刊》出現的商業競爭考量之外，也有著陸氏本身的家族歷史因素在裏面。他的五世祖陸費墀曾參與編修《四庫全書》的歷史事實，或多或少也成為其著重校勘編輯這套書的內在因素。然而，凡事都是無法求全的，因此，在《四部備要》方便讀者閱讀與典籍流通而注重學術系統的全面性的介紹與重新排版印刷的要求之下，也同時使得書本的原貌無法保存下來，而在學術的要求上無法取得像《四部叢刊》那樣重要的地位了。這也是在取捨上必然出現的兩難。因此，如果我們能夠同時善用這兩套書，以《四部叢刊》之長補《四部備要》之短，一方面能系統性、全面性的了解中國傳統學術的面貌，一方面又可以因《四部叢刊》窺得書本最古的原貌，而對於學術研究有所助益。兩相參較，互補所短，那麼這兩部書的存在價值也就必然倍增了。

最後，我們也必須面對《四部備要》與《四部叢刊》出現現象背後，所呈現的傳統學術日趨衰竭的趨勢，而有著自我警惕的認識。我們必須了解某種學術之所以出現，必然是伴隨著這個國家社會的需求而來。因此，如何為傳統學術在現今社會中找到它繼續存在的積極價值與意義，恐怕才是我們今天之所以花這麼多的文字來討論這部書最為重要的原因了。

《四部備要》版本糾謬

李向群*

《四部備要》為一大叢書，收經、史、子、集四部書共三百六十五種❶，上海中華書局民國九年（1920）到二十三年（1934）排印出版。半世紀以來，它已成為人們研究文史的常用書。應當承認，它有一定的編選體例，選書基本上能夠反映我國古籍中較有代表性的部分，並注意收入清代學者研究古籍的新成果。此外，它用鉛字排印，售價低廉，也易於普及。但由於當年之中華書局❷要和商務印書館競爭，商務影印出版《四部叢刊》風行於學術界，中華便出《四部備要》與之競爭。但又不如商務能廣搜舊本，於是「求通行善本」（中華書局《校印四部備要緣起》），改用鉛排。多年來，學術界已公認《備要》校勘不精，至於《備要》所用版本是否真係「通行善本」，問世以來尚無專文評論。我以一年多時間對所用版本逐

---

*李向群，珠海出版社副編審。

❶ 中華書局《四部備要改印洋裝緣起》謂「成書 351 種」，今據該局《四部備要書日提要總目》，計 352 種。此外，段長基歷代三《表》，《備要總目》作一書，實為三書；洪亮吉《卷施閣集》、《更生齋集》，《備要總目》作一書，實為二書；王昶《國朝詞綜》、《國朝詞綜二集》，《備要總目》作一書，實為二書，故實得 356 種。

❷ 實非今之中華書局，今中華書局係繼承原先商務印書館及中華書局之古籍和古代文史部分而創立新局面。

一查對考訂，發現舛誤抵牾之處不下百數起，於是撮其大要，略事分類，寫成這篇《糾謬》，庶今後使用此書者可不受其誤。

又《四部備要》各種版本有線裝賽連紙本、線裝機制連史紙本（二種，一種印紙稍寬大）、縮印精裝本和平裝本之分，所題底本每有兩歧，今以後印改過少量內封面所題版本的機制連史紙本之稍寬大者為準。

一、所題版本實非所據版本

《四部備要》內封面所題版本並非所據以校勘之底本者約佔《備要》收書總數的百分之四十七，計一百六十餘種，大體可歸納為五類。

㈠所題版本年代較早而收入較晚年代之序跋題記，可證作僞

其例至多，列舉若干：

《陸宣公集》被題作「原刻本」。據《四庫提要》考訂，二十二卷合刻本《陸集》最早為宋刻，則《備要》之「原刻」當指宋刻本。然《備要》本《陸集》內收雍正《御題》、雍正元年年羹堯《紀》、道光中耆英《增輯》二卷、道光二十六年耆英奏折等，足證《備要》所謂「原刻本」實即道光中耆英重刻雍正年羹堯本。輯印《備要》者以此本晚近通行，得來不難，故拿來就用，又言「原刻」。

《路史》亦被題作「原刻本」。是書宋人羅泌撰，據《四庫提

要》書成於南宋乾道六年（《四庫提要》卷 50），則「原刻」當為南宋刻本。然《備要》所收之本開篇即為光緒二年趙承恩《新序》，顯然輯印《備要》者未讀序文。

《詞林韻釋》題曰「菉斐軒本」。是本清人厲鶚以為宋刻（詞學叢書）本《詞林韻釋》秦恩復跋），葉德輝以為「出於南宋」（《書林清話》卷三 1957 年版），《書目答問補正》及《中國叢書綜錄》亦作宋本。清人秦恩復輯刊《詞學叢書》收入此書，刻據菉斐軒本，認為「此書出於元明之際，謬託南宋初年刊本」（《詞學叢書》本《詞林韻釋》秦恩復跋）。《備要》本卷末有嘉慶十五年秦恩復跋，可見只是據《詞學叢書》本排印❸，並非真據元明之際的菉斐軒原刻本。

《申鑑》明黃省曾注本收入《漢魏叢書》，《備要》本即言用「《漢魏叢書》本」，貌似不偽。但《備要》本卷末卻收入清人王謨識語，可證其未用程榮《漢魏叢書》本，係用王謨《增訂漢魏叢書》本。前者明本，後者清本，不能不辨。

《集韻》，《備要》本謂據「《楝亭五種》本」。按康熙四十五年曹寅曾合刊小學著述五種，是為《楝亭五種》，確收入《集韻》。但《備要》本卷首有嘉慶十九年顧廣圻序，云《集韻》乃朱彝尊從毛扆家「得其傳鈔本，於康熙丙戌歲（四十五年）屬曹通政寅刊之。……版存江寧榷使署。百餘年來，漸已損泐，……廣圻與同志諸君經營其事，今凡重雕者少半，而還舊觀」。證《備要》實

---

❸ 吾師黃永年先生言《詞學叢書》初印本難得，《備要》本極可能是用光緒中重修秦刻本。

據嘉慶十九年顧廣圻修補曹寅《楝亭五種》本，未用《楝亭五種》原本。

《資治通鑑》胡三省注本，以清嘉年二十一年胡克家仿元刻本最為通行。《備要》所收《資治通鑑》，自言用「鄱陽胡氏仿元本」，即胡克家刊本。但《備要》本卷首為同治八年丁日昌序。嘉慶胡刻何來同治人序？足見《備要》未用胡氏原刻而用江蘇書局補刻。補刻事丁序言之頗詳：「日昌奉命撫吳，……奏設書局。❹……爰議覆鄱陽胡氏仿元本，從二百九十四卷授工，遞而上之，已就四十卷許，則聞胡氏板尚存其家，輾轉物色，購得之板至，則二百八卷已下毀，他卷差完。新舊適相銜接，新刊者八十七卷，釋文辨誤十二卷。起戊辰（同治七年）四月，迄今年二月書成。」

《日知錄集釋》及集釋之《刊誤》、《續刊誤》，《備要》謂用「原刻本」，即道光間黃汝成自刻。然《備要》本卷末卻收入番禺陳璞跋語，據之可知《備要》本未用道光原刻，是用同治八年番禺陳璞重刊本。

此外，尚有《太玄經》題「明刻本」而收入嘉慶三年五柳居主人識語，證《備要》本並未用明刻。《和靖詩集》題「吳氏校刊本」即康熙間吳調元刻本，而附入同治十二年朱孔彰識語，證《備要》本用朱氏據康熙吳本、乾隆陳本及舊鈔重校勘增補本。《司馬文正（公）集》題「陳刻本」即乾隆六年陳宏謀刻本，卻收入光緒七年趙省莽《司馬文正公集序》，證《備要》本用趙氏修補康熙儀封張氏本。《樊南文集詳注》題「原刻本」即乾隆四十五年刻本，

---

❹ 江蘇局本《明紀》應寶時跋：「丁公撫吳，奏開江蘇書局。」

而收入同治七年《詳注》撰人馮誥孫馮寶圻《李義山詩文集後跋》，可證《備要》本用馮寶圻修補原刻本。《抱朴子》題「平津館本」而收入光緒十五年嘉興陳其榮識語，證《備要》本至少是用光緒時刻本、或即用朱記榮重校刊《平津館叢書》本。《神農本草經》題「問經堂本」即嘉慶中孫馮翼輯刊之《問經堂叢書》本，而冠以光緒十七年周學海《新刻神農本草經序》，知《備要》本用周學海參據孫、顧二本之新校刻本。《茗柯文編》題「原刻本」即嘉慶十四年刊本，卻有道光四年鮑桂星序，知《備要》本實據道光中楊紹文所輯《受經堂匯稿》本。《國朝學案小識》題「原刻本」即道光二十六年撰人唐鑒四砭齋刻本，而收入光緒十年唐鑒甥黃膺重刊識語，證《備要》本實出自光緒重刊本。俱屬此類。

還有題為某本而出現時代較晚之題記者。如《竹書紀年》、《尸子》、《漢官六種》，《備要》皆自言用「平津館本」。今檢《竹書紀年》卷首洪序、目錄及每卷尾均有「光緒歲在閼逢涒灘國子監肄業生吳縣朱記榮校刊」，「閼逢涒灘」值甲申即光緒十年，則《備要》本用光緒中朱記榮翻刻《平津館叢書》本一目了然。《尸子》亦然。《漢官六種》每卷尾雖未留痕跡，但在《漢官儀》序末仍有「朱記榮校刊」云云，又是其未用《平津館叢書》本之明證。

㈡所題版本與所據本子序跋、卷數、篇目不合，可知作僞

再從古書各種本子的序跋、卷數、篇目之去取、分合、異同，揭露《備要》有若干種所題版本並非所據之本。

如《風俗通義》，自稱用「《漢魏叢書》本」，卻比《漢魏》本多出三篇序跋，其一即為道光間黃廷鑒識語。而《四部叢刊》影印鐵琴銅劍樓藏元大德本，書尾正有影印的黃廷鑒手寫識語，司見《備要》係用《叢刊》本，又恐商務主持者追究，遂改題為《漢魏叢書》本以事掩飾。

《易林》，自謂用「士禮居校宋本」，即嘉慶十三年黃丕烈刻本收入《士禮居叢書》者。黃刻名《焦氏易林》，有嘉慶十三年顧廣圻《刻易林序》、同年黃丕烈《刻陸敕先校宋本焦氏易林序》、《後序》、陸貽典跋，文內有雙行小字注文。《備要》本既無士禮居本序跋，又無小字注文，並芟削書名，如何能是依據士禮居本？此書有《四部叢刊》影印元刻殘本配影元抄本，名《焦氏易林》，以之比勘《備要》本，發現凡《叢刊》本有者，《備要》本亦有，如序目、大字注文；《叢刊》本無者，《備要》本亦無，如雙行小字注文。甚至《叢刊》本條尾多有「無注」二字，《備要》本亦照錄。足證《備要》本《易林》實從《叢刊》本出，所謂「士禮居校宋本」又是掩飾之詞。

《戰國策》，自言據「士禮居黃氏覆剡川姚氏本」，即《士禮居叢書》之仿宋刻本。此本同治八年崇文書局有翻刻。士禮居原刻卷首即嘉慶八年錢大昕序，《備要》本缺失，如《備要》本果真用黃刻原本，絕無必要抽去錢序。檢對崇文局本，果缺錢序。其實士禮居原刻當時並不難得，且已有大小兩種影印本；《備要》輯印者均未採用，而用充斥坊肆之崇文本充作原刻，其苟簡可知。

以上《備要》本與所題本子序跋、附篇等不合，經與所題原本比勘，即可知作偽。更有《備要》本與所題本子卷數未合，稍檢書目便可知其作偽。如《吳越春秋》，自言用「《古今逸史》本」，《古今逸史》係明萬曆時吳琯輯刊，所收《吳越春秋》實為六卷，而《備要》本卻為十卷，卷數未合，所謂據《古今逸史》本不足信，再審《備要》本目錄末尾有牌記：「萬曆丙戌之秋武林馮念祖重梓於臥龍山房」，《四部叢刊》初印本《吳越春秋》正據此馮刻影印。可見《備要》本實據《叢刊》影印之馮刻排印，卻改題《古今逸史》本以事掩飾。

《孫子》，自稱據「平津館本」，看似《平津館叢書》本。然《備要》本十三卷，書名《孫子》，《平津館叢書》本三卷，書名《孫子注》；《備要》收十家注，平津館本獨魏武帝一家。顯非源自《平津館叢書》本。此書十家注本實入孫星衍輯另一叢書《岱南閣叢書》內，名《孫子十家注》，才是《備要》祖本。然將岱南閣本作平津館本，其誤不自《四部備要》始，光緒初浙江書局翻刻此書收入《二十二子》時，即題「據孫氏平津館本重校刻」。以《二十二子》和《四部備要》皆誤岱南閣本作平津館本，可證《備要》本實從《二十二子》本出。

此外尚有《詞綜》，《備要》本三十八卷，但所題原刻本實三十六卷；《孔叢子》，《備要》本七卷附釋文一卷，而所題《漢魏叢書》本實二卷附《詰墨》一卷；《司馬文正公集》，《備要》本十四卷首一卷，所題陳刻本實八十卷。俱屬此類。

再看篇目不合者：《昌黎先生集》，《備要》本附入清人陳景雲撰《韓集點勘》四卷，卻自言據「東雅堂本」。東雅堂本者，明萬曆中徐時泰據南宋廖瑩中世彩堂本覆刻，所謂「東雅堂韓文」是也。明刻東雅堂《韓文》自不會有清人《韓集點勘》，故《備要》

本決非用東雅堂原槧。同治間蘇州局曾重刻東雅堂《韓文》附陳景雲《點勘》，是為《韓文》與《點勘》初次匯刻本，則附入《點勘》之《備要》本，顯係出自蘇州局重刻東雅堂本。

《鹽鐵論》，《備要》謂用「張氏考證本」，即嘉慶中張敦仁附《考證》本，後版入《紛欣閣叢書》（《書目答問補正》卷三、《增訂四庫簡明目錄標注》卷九）。然《備要》本並無張敦仁撰《考證》一卷，卻有王先謙《校勘小識》，內王氏自記「以（盧文弨）《（群書）拾補》、（張敦仁）《考證》散入正文下；……先謙復加審定，……略為補釋，……別為一卷」，即《校勘小識》，原來《四部備要》是據王先謙重校刻本。依書尾王先謙後序，其本當刻於光緒十七年。

《晏子春秋》，自稱用「平津館本」，卻收入光緒二年浙江書局刻《二十二子》總校黃以周撰之校勘記，足證《備要》未用孫刻原本，是用重校刊孫本並附以黃氏校勘記的《二十二子》本。

㈢所題版本與所據本子書名、文字、款式有出入，可證作僞

《四部備要》用鉛字重排古籍，未存底本行格藏印，但比較《備要》本與所題底本的書名、文字、款式之歧異，亦可發見《備要》所題本子實非所據之本。

《莊子》、《列子》，《備要》均題「明世德堂本」，即明嘉靖顧春世德堂刊《六子》本。光緒初《二十二子》曾翻刻其中《莊子》、《列子》、《中說》三種，但與原本實大有異同。茲將三版本之書名表列於次：

世德堂本書名	《二十二子》本 《四部備要》本 書名
南華真經	莊子
沖虛至德真經	列子

由上表，可知世德堂本原名不作《莊子》、《列子》，《二十二子》翻刻時改作《莊》、《列》，為《備要》本襲用。再以《莊子》為例，表列各本題目歧異：

	世德堂本	《二十二子》本 《四部備要》本
目錄	南華真經篇目	莊子目錄
郭象序名	南華真經序	莊子序
正文每卷首行題	南華真經卷第×	莊子卷第×

上表可證浙江書局刻《二十二子》時，不僅改世德堂本《南華真經》、《沖虛至德真經》書名，亦改題目。輯印《備要》者以為《二十二子》既題「據明世德堂本」，則《備要》本徑題「明世德堂本」不誤，初不意其自露襲用《二十二子》本之馬腳。此外，世德堂本《南華真經》「玄」字不避諱，而《備要》本《莊子》遇「玄」末筆有缺有不缺，實緣所據之《二十二子》本避康熙帝諱之故。

　　《鮑參軍集》題「宋刻本」更不可信。著錄現存舊本較富之書目如一九五九年版《北京圖書館善本書目》、傅增湘《藏園群書經眼錄》、王重民《中國善本書提要》等均未載該書宋刻本，《備要》輯印者從何得見宋本？此書汲古閣毛扆曾以一宋刻校明正德朱應登刊本，名《鮑氏集》，《藏園群書經眼錄》卷十二收入，商務輯印《四部叢刊》時據以影印，謂之「毛斧季校宋本」。《四部叢刊書錄》（1922 年涵芬樓線裝排印本）本條謂：「毛斧季據宋本手校，改塗筆畫，鉤勒款式，可作宋本觀。」今《備要》本《鮑參軍集》凡不同《叢刊》本《鮑氏集》處，俱是依毛扆眉端校語一一改過，部分文字亦照斧季筆畫改過。如毛言宋本每半頁十行行十六字、序文末尾與卷第一「即接連去」，目錄空五格、每篇題空四格等，《備要》本悉從毛斧季校宋本。或謂此屬巧合，《備要》輯印者經眼為另一宋本。則再看改塗筆畫處：《叢刊》本卷一《蕪城賦》「是以板築雉堞之殷」句，毛氏校語：「殷，宋本諱筆」，《備要》本卻作「殷」。又《叢刊》本卷三《代朗月行》篇，毛氏校語：「朗，宋本諱」，《備要》本仍作「朗」，若《備要》果用真宋本，何有不諱之理？或謂《四部備要》乃鉛字排印，諱字一律不諱。但據《備要》本《管子》等書之「玄」字缺末筆作「玄」，證《備要》確有襲底本諱字之例，則《鮑集》不當不諱。何況《叢刊》本卷六《贈故人馬子喬六首》篇，眉端毛校云「此行至夕從止，宋本缺」，這段缺文《叢刊》本凡十七行，《備要》本不缺，改排為二十行，恰合宋本一頁。《備要》果用真宋本，何來此頁？因此《四部備要》之《鮑參軍集》只能是用《四部叢刊》本，改換封面書名而已。

《老子》，自稱用「華亭張氏本」，即明萬曆中華亭張之象槧本，《二十二子》翻刻稱「華亭張氏本」，卷末有「附識」謂「以上俱遵聚珍本據《永樂大典》校改」。《備要》本雖無「附識」，然「附識」所示依聚珍本改過者，《備要》本無不改過。可見《備要》本未據明張之象原本，是用《二十二子》翻刻之本。

《廣雅疏證》，自題「家刻本」，即嘉慶初原刻。然《備要》本卻在卷首段玉裁、王念孫兩序上發生嚴重錯簡，致使兩序一以段序始而以王敘終，一以王敘始又以段序終，足證未用嘉慶原刻。但此誤又非始自《備要》本，陝西師範大學有一版本不詳之大字本，二序錯簡之狀全同《備要》，其版式、字體、書品頗似局刻。在所見據嘉慶原刻的諸翻刻本中，獨淮南局本將段、王兩序全收入，但未發生錯簡，故疑該版本未詳之大字本即所謂「江寧局本」。這樣，《備要》本極可能出自江寧局本。

《重廣補注黃帝內經素問》有明嘉靖時上海顧從德仿宋刻本，《二十二子》本和《四部叢刊》本均同出顧本。《備要》之《素問王冰注》實即《黃帝內經素問》，謂用「明顧氏影宋本」，即指顧從德仿宋刻本。今以《四部叢刊》影印本、《二十二子》本、《四部備要》本一併勘對，可表列諸本題目歧異：

	《四部叢刊》影明顧從德本	《二十二子》本 《四部備要》本
目錄	黃帝內經目錄	黃帝內經素問目錄
王冰序	重廣補注黃帝內經素問序	黃帝內經素問序
高、林序	重廣補注黃帝內經素問序	補注黃帝內經素問序
正文每卷首行題	重廣補注黃帝內經素問卷第×	補注黃帝內經卷第×

據此表則《備要》本源自《二十二子》本而非顧從德本無可置疑。至於《二十二子》本名《黃帝內經》，《備要》本作《素問王冰注》，實為《備要》輯印者掩飾真相之舉。

《宋六十名家詞》，自謂用「汲古閣本」。此本光緒十四年錢塘汪氏重付剞劂，廣州亦曾重刻，民國十年上海博古齋又行影印，則《備要》本是否真用汲古閣原刻，未可輕信。檢汲古本凡六集，其一、五、六集正文前為「宋名家詞×集總目」，其一、二、六集卷首為本集詞作者名氏，其四集又有本集諸詞篇名，二集卷首為胡震亨識語，《備要》本俱闕。而錢塘汪氏翻刻汲古本則全同《備要》，足證《備要》本實據光緒中錢塘汪氏翻刻本。

㈣題爲某本而該書實無此本，可知作僞

《人物志》，謂據「金臺本」。遍查諸目不見所謂金臺本。嘉慶中張海鵬輯刊《墨海金壺》曾收入此書，道光中錢熙祚據《墨海金壺》刊版重編增刊為《守山閣叢書》，又收入此書。「臺」「壺」形近易誤，很可能《備要》本將《墨海金壺》本誤為「金臺本」。取《備要》、《金壺》、《守山閣》三本比勘，果然《備要》本一同《金壺》本，可知確從《金壺》本出。又《備要》本《白石道人詩集歌曲》、《納蘭詞》、《靈芬館詞》等皆自言用「《愉園叢書》本」，亦是同、光間許增輯刻《榆園叢刻》本之誤。

《備要》收有《稼軒詞》十二卷、《補遺》一卷、《補遺校記》一卷，謂用「周氏校刻本」。《辛詞》有十二卷本和四卷本兩種，自宋以還不下十餘刻，無一為周氏校刻。以《備要》本收入光緒十四年半塘老人王鵬運「記」、「再記」、「書」等，應是源自光緒間王鵬運輯刻之《四印齋所刻詞》本。然又比四印齋本多出朱祖謀撰《補遺》和《補遺校記》二卷，係自民國時朱祖謀輯刻之《彊村叢書》本。均與「周氏」無涉。惟四印齋本之半塘老人「再記」有「周儀來自蜀中，攜有萬載辛啟泰編刻《稼軒全集》」云

云，周儀為況蕙風之名，輯印《備要》者誤以為姓周名儀之人，遂稱「周氏校刻」，不知實屬子虛烏有。又如清人輯《詞選》、《續詞選》，自題「錢塘徐氏校本」。錢塘徐氏即徐楙，實未刻此二書。兩書刻本凡四：嘉慶金氏本、道光張琦本、同治章氏本和湖北官書處本，並無所謂「錢塘徐氏本」。

㈤所題舊本久已毀失或極不易得，實用覆本

《備要》以《十三經古注》冠於其首。所謂《十三經古注》者，即通行《十三經注疏》之經注，其中《周易》、《尚書》、《毛詩》、《禮記》、《春秋經傳集解》等所謂《五經古注》，《備要》自言用「相臺岳氏家塾本」。❺按嘉慶時阮元曾校勘《十三經注疏》，時已未能獲觀相臺岳氏《五經》之《易》、《書》、《詩》、《禮記》原刻，而只用乾隆四十八年武英殿仿刻相臺《五經》作校勘。僅《左傳》用相臺岳氏原本。❻乾隆帝在四十八年《五經萃室記》中謂：乾隆「甲子（九年）時，薈萃宋、元、明三代舊版，藏之昭仁殿，名曰『天祿琳瑯』，其時即有岳氏所刻之《春秋》，……復得岳氏所刻《易》、《書》、《詩》、《禮記》四種而獨闕《春秋》，因思天祿琳瑯中或有其書，命細檢之，則岳氏之《春秋》故在。……茲撤出昭仁殿之《春秋》，以還岳氏之舊，仍即殿之後廡所謂慎儉德室者，分其一楹，名之曰『五經萃

---

❺ 此本過去認為南宋岳珂所刻，經張政烺先生考證，實是入元後岳氏後裔之寓宜興者重刻南宋廖瑩中本。

❻ 此就「五經」而言。若以「九經」論，尚有《孝經》、《孟子》岳刻原本被阮元用為校本。

室』，……遂命選善書者如影宋抄之例，通錄其《五經》正本」（光緒二年江南書局覆刻乾隆武英殿《仿宋相臺五經》本卷首）。至嘉慶二年昭仁殿失慎，所藏《天祿琳瑯初編》悉數燒毀（《書林清話》卷六），相臺《五經》亦未幸免。輯印《備要》者何從得見岳本《五經》原刻全帙？❼但《備要》所用也未必是乾隆四十八年仿刻之本，因武英殿《仿宋相臺五經》民國時已不易見，江浙一帶通行者多光緒初江南書局翻刻本，估計《備要》應是用江南局本。今以江南局本對勘《備要》本，惟《五經》卷首之乾隆御制《題宋版×經》及每卷末「考證」、岳氏家塾牌記等不見，蓋輯印《備要》者因用此翻本充作岳刻原本而抽去。

所謂《十三經古注》，除《五經》外尚有《周禮》、《儀禮》、《公羊》、《穀梁》、《論語》、《孝經》、《爾雅》、《孟子》凡八種，《四部備要》皆自稱據「永懷堂本」校刊。永懷堂本即明崇禎中金蟠、葛鼒合刊《十三經古注》本，其後有同治八年浙江書局用葛板修補印本。吾師黃永年先生指出民國時永懷堂早印本已不易得，浙江局修補本價廉易得，《備要》極可能用浙江書局重修補印本。

最後，如將本題列舉上述五類所題版本實非所據之本諸書，再以所題版本的時代分類，則可歸結為以下幾點，其一，題為宋、元刻或唐宋人著作之原刻者，實不過用清刻易得之本甚至民國印本。其二，題為「明刻本」或其他明人單刻、叢刻本而其中不乏善本佳

❼ 岳刻經注今存《周易》、《周禮》、《春秋經傳集解》、《論語》、《孟子》、《孝經》六種。但《五經》已無法湊齊。

刻者，實不過用在當時問世未久、得之甚易的《四部叢刊》影印本。❽此點鄭振鐸在五〇年代就已說過：「《四部備要》裡的若干照『古本』排印的書，其實只是竊之於《四部叢刊》的。」（《西諦書話》第 698 頁）實為有識之言。其三，題為明刻本或清某刻本者，實際是用光緒初浙江書局輯刻《二十二子》本。《二十二子》多取明清通行善本重刻，每多移行換步，不盡從舊式。輯印《備要》者對此不甚了了，在採用《二十二子》時無一據事實言之，卻逕據《二十二子》各書內封面之謂，逕稱其所據之底本。而且經比勘發現，在每卷首行或二行刻有「×××本」或「×××校本」、「×××原本」，乃《二十二子》本之定式。如《老子》之有「華亭張氏原本」，《列子》之有「世德堂本」，《荀子》之有「嘉善謝氏校本」等等，俱為《二十二子》增益，《備要》本悉同。浙局刻《二十二子》售價低廉，如順泰紙本一套八十三冊在民國僅售洋十三·一〇元（朱士嘉《官書局書目匯編》第 53 頁），故其收子書二十二種，《四部備要》即用之十六種。其四，題用清刻本者，亦多用晚出之翻本或民國印本。凡此種種，無非所題本子較古，所用本子較晚。

❽ 據之則有理由懷疑本文未予列舉的、《備要》其他題明某叢書刻本而書名、卷數未合者，題明某單刻本而書名未合者，及更多不言何時何地何人刻而籠統謂之「明刻本」、書名有合有不合者，均是採用了《四部叢刊》諸影印本。

二、所題版本言之未詳及選用版本明顯不善不當

言某書版本應講清其刊刻年代、姓氏及地點，是原刻要說原刻，是翻刻、影印等要說是翻刻、影印，是叢書本亦應注明。然《四部備要》往往言之不詳，很多只籠統題「明刻本」、「原刻本」，有些題作「趙刻本」、「江寧刻本」、「雍正刻本」之類，仍粗略而無一定體例。究其原因，或由於《備要》輯印者未弄清該書版本源流，至少未弄清與所據底本有關的版本源流，只好從略，更多是輯印者自知作偽，不希望被發現真相，有意含糊其辭。此外，尚有選用版本明顯不善不當者，茲一一分述。

(一)因未弄清版本源流而言之未詳

《山谷全集》，《四部備要》籠統謂之「仿宋刻本」。據卷首光緒二十六年陳三立《題辭》，知實從是年陳三立刻本出。據內收楊守敬「記」謂，「《內集》為日本古時翻雕宋本，……其《外集》、《別集》，則朝鮮活字本，……亦原於宋本也」，知陳三立本乃重刻日本翻宋本及朝鮮活字翻宋本二種。又楊「記」後有宣統二年八月傅春官識語，云楊守敬覓得《內》、《外》、《別》三集後，「陳伯言（三立）吏部見而愛之，概出重資，刻諸鄂中。當時印行無多，其後吏部僑寓白門，携板自隨，久未付印。今年春，……爰商諸伯言吏部，將此板返諸江西，……而所以提倡剞劂之業」。蓋傅氏得版後又行刷印，則《備要》本之底本屬陳三立刻版入傅氏後印本。陳刻所據底本得自日本，係直接翻雕宋槧，非惟

中國未見，日本亦屬孤本，《備要》用為底本自不誤。惜未詳此本源流，所題「仿宋刻本」其實應是宣統傅氏後印光緒陳三立重刻日本及朝鮮活字之翻宋本。

㈡因作僞而有意含糊其辭

《四部備要》慣用《四部叢刊》本而籠統題作「明刻本」以事掩飾，即屬因作偽而有意含糊其辭者，於此不復贅述。此外《備要》還有不少題為「明刻本」、「原刻本」者亦多非事實，仍係因作偽而有意含糊其辭。故再舉若干例。

《論衡》，自言據「明刻本」。按此書明刻有：嘉靖十四年蘇獻可通津草堂本，萬曆十八年張氏刻本，程榮《漢魏叢書》本，此外復有正德十六年南監修補宋元遞刊本。以《備要》本每卷首頁有「明新安程榮校」，知其即從《漢魏叢書》本出。然《備要》本果據《漢魏叢書》原本，何以含糊其辭作「明刻本」？以民國十四年上海涵芬樓影印《漢魏叢書》本比勘，《備要》本缺失宋慶曆五年楊文昌後序，蓋《備要》用民國影印《漢魏》本而不欲為人窺知真相，有意抽去，又籠統題為「明刻本」以事掩飾。

《遜志齋集》二十四卷，自言用「明刻本」，內收崇禎十六年陳子龍序、十五年倪元璐序。今據同治中刊於武林之《遜志齋全集》本盛朝彥《書方正學先生遜志齋集校勘記後》，知明刻《遜志齋集》有七種，其中六刻為二十四卷本，六刻中五刻均在萬曆或萬曆前。有可能作《備要》底本的，是六刻中惟一的崇禎刻本，也確收入陳、倪二序。但崇禎原本還有《年譜》、《拾補》和《外紀》等（盛氏《書後》、孫熹《重刻遜志齋集敘》），《備要》本俱缺。蓋

《備要》所據崇禎本非全帙，而籠統題「明刻」，實使人難以捉摸。

《震川文集》，謂用「家刻本」，然此書家刻有康熙間歸有光曾孫歸莊刻本，乾隆中歸景灝等修補印本，光緒間歸氏重刊康熙家刻本。據《備要》本卷末光緒元年歸彭福識語述歸氏三本刊刻始末云：「太僕（歸有光曾任南京太僕寺丞）《集》……乃太僕曾孫元恭先生所編輯、元孫安蜀先生所校刊也。板素藏吾家。乾隆癸卯，曾大父寄間公重為修治。咸豐庚申，毀於兵燹。曾孫彭福……詳加校正，重為刊刻。」則《備要》本從光緒家刻本出明甚。其含糊題曰「家刻本」而不言光緒，蓋以晚近，不便明言。

《宛陵集》，《備要》本謂據「翻宋本」，視所收序文，應屬翻刻明正統本之康熙中震澤徐七來刻本。《書目答問補正》著錄康熙徐刻除正文六十卷外尚有《附錄》五卷，《備要》缺失，宣統二年上海掃葉山房影印徐刻亦闕，足證《備要》只是用掃葉山房影印本，未用康熙徐刻原本。此外，《備要》本還缺影印本陸游《讀宛陵先生詩》、梅堯臣《拾遺》，則當緣兩篇俱草書，《備要》重新排印恐難免魯魚亥豕之訛，遂自行抽去。

㈢選用版本明顯不善不當

古籍一書數刻，何者為善，何者不善？輯印《備要》者似無定見，致使如《十三經古注》之《周禮》、《儀禮》、《公羊》、《穀梁》、《論語》、《孝經》、《爾雅》、《孟子》等八種，用同治八年浙江局重校修永懷堂本，實屬不善。如《孝經》，永懷堂本每卷首題「漢鄭氏注」，注文卻為唐玄宗撰。《十三經注疏》之

《孝經》即用玄宗注，永懷堂本用為經注並不為謬，然如何能題「漢鄭氏注」？此點前人早已指出，如孫治讓謂「永懷堂本單注《孝經》題鄭注，仍是玄宗注，葛氏妄題」（《增訂四庫簡明目錄標注》卷三）。《書目答問》云「《孝經》題漢鄭氏注，實是玄宗御注」（《書目答問補正》卷一）。長沙徐樹銘在浙局修補永懷堂本卷尾跋文中亦說：「《孝經》承用明皇御注而誤列鄭氏，則疏於考訂也。」輯印《備要》者或已發現此點，便改永懷堂本原書名《孝經》作《孝經唐玄宗御注》，然每卷首仍悉從永懷堂本題「漢鄭氏注」，仍不能兩相照應。此外永懷堂本《孝經》卷首有「成都府學主鄉貢傳注泰❾右撰」《孝經序》，實為玄宗御制，而《孝經注疏序》才是「成都府學主鄉貢傳注奉右撰」，《備要》本又承襲永懷堂本之謬。又如《周禮鄭注》，題曰「鄭注」，當然只能有漢鄭玄注，永懷堂本卻收入唐賈公彥作疏時所撰《周禮序》、《序周禮廢興》。《儀禮鄭注》卷首亦賈公彥撰《儀禮序》。浙局本徐樹銘跋謂永懷堂本「合刻《十三經古注》，皆從注疏所用各家注」，此即注疏之序誤入古注本的原因。其實諸經單注尚有其他善本，《備要》正不必惟永懷堂本是用。如《周禮》、《論語》、《孝經》、《孟子》等俱有相臺岳刻原本存世，《公羊》亦有宋本舊槧，《儀禮》還有明翻宋本，《穀梁》、《爾雅》和《論語》又有《古逸叢書》影宋本或影日本本。此外《周禮》還有收入《士禮居叢書》的顧廣圻重校刻嘉靖本等等，皆勝過永懷堂本。《備要》偏偏用不善之永懷堂本古注，只能認為因此本易得，且前人早已匯刊，翻印省

---

❾ 阮刻《十三經注疏》本「泰」作「奉」。

事。

《說文解字》入《四部備要》者名《說文解字真本》，謂「據大興朱氏依宋重刻本景印」。大興朱氏即朱筠，曾於乾隆三十八年刻《說文解字》，是依汲古閣影刊宋本重雕，非逕從宋本出。然通常所見汲古閣本《說文》，是經毛扆用《說文繫傳》等五次剜改後的印本，已失去宋本真面目，只能稱作「汲古閣五次剜改大字本」。據《備要》本卷十五末尾有「男扆再校」、「汲古後人毛扆謹識」等，可知朱筠本即從汲古閣五次剜改本出。此種剜改本之謬，葉德輝在《書林清話》中早有指出：「考毛氏所得小字本，四次以前微有校改，至五次則校改特多。往往取諸小徐《繫傳》，亦間用他書。……凡小徐佳處，少所採掇，而不必從者，乃多從之。」（《書林清話》卷七）葉氏並慨嘆此種舛偽之本為「學者得之，以為拱璧，豈知其繆戾多端。……今所刻……《說文解字》傳本尤多，淺學者不知，或據其本以重雕，或奉其書為秘籍」（同前）。汲古閣五次剜改本既已舛偽之甚，大興朱筠本又是葉氏非難之「淺學不知」而「據其本以重雕」之本。《四部備要》竟據此影印，實屬不智。《說文》並非無善本傳世，《備要》何以不取以影印？

《貞觀政要》，元人戈直曾注之，但改編原書，失其原貌，明成化年間有刻本。《備要》收《貞觀政要》即用戈注本，題曰「明刻本」。此書還有明洪武間刻無注本，保存了此書原貌，《備要》輯印者未用，卻用戈直注本，實為不智。

《農桑輯要》用浙江局翻刻聚珍本亦不善。據一九七九年上海圖書館影元大字本「說明」，聚珍本出自《永樂大典》。《大典》

將原書七卷合並為二卷，聚珍本又將二卷復原為七卷，編次遂有更易，位置錯亂，偽字脫文，不一而足。實際此書還有勝於聚珍本的元刊大字本和較接近元本的明人胡文煥校本之收入《格致叢書》者，《備要》皆不用，卻用不善之聚珍本，此其一誤。聚珍本翻刻甚多，可說後來通行之本皆從聚珍本出，輯印《備要》者或不以聚珍本為不善，則既用聚珍本，亦應逕據聚珍本原刻，不當用重刻聚珍本之浙江局本，此其再誤。

《述學》，據同治八年淮南書局本（自題「揚州詩局」，實即淮南書局）亦屬不善。此書有道光間汪中子汪喜孫精刊本，淮南局本即據其重刻。《備要》本應以汪氏家刊作底本，不當用淮南局之重刊汪氏本。

更有原本較善不用，而用翻刻不善之本者。如《說文繫傳》，《備要》用光緒時鐘謙鈞輯刻《小學匯函》本，而《小學匯函》本是據道光中祁寯藻本重寫後刊刻。祁本自是佳刻，原本也並不難見，《備要》何以不用，反用失去祁本原貌之《小學匯函》本？《玉篇》也是用《小學匯函》本，而《匯函》本是據康熙間張士俊《譯存堂五種》本重寫後刊刻。譯存堂本固佳，原本亦不難得，《備要》不用而用《小學匯函》本，實不足取。

《四部備要》所謂《清十三經注疏》中之惠棟《周易述》、焦循《孟子正義》均用《皇清經解》本，馬瑞辰《毛詩傳箋通釋》、胡培翬《儀禮正義》、洪亮吉《春秋左傳詁》、陳立《公羊義疏》、鐘文烝《穀梁補注》及劉寶楠《論語正義》等，均用《續皇清經解》本。其實上述皆有早於《經解》本或《續經解》本之原刻或其他本子。如《周易述》有乾隆二十五年盧氏刻本，《毛詩傳箋通釋》有道光十五年學古堂刻本，《儀禮正義》有同治中陸光祖刻本，《春秋左傳詁》有嘉慶十二年呂氏刻本，《公羊義疏》有原刻本，《穀梁補注》有光緒二年信美室刻本，《論語正義》有同治五年刻本，《孟子正義》有道光五年焦氏半九書塾刻本。其中除《春秋左傳詁》嘉慶本可能傳本較少不易見外，餘皆易見易得之本，《備要》悉不用亦太苟簡。

總之，《四部備要》在版本上的謬誤十分嚴重。半世紀以來，無人對此做過深入研究，這是很遺憾的。至於《四部備要》在中國現代出版史上的歷史地位應作何評價？它是否已最終完成其歷史使命？這些問題都值得深入探討。而目前臺灣影印《四部備要》究竟是否可取？還值得出版界和圖書館學界深思。

——原載《陝西師大學報》1987 年第 3 期（1987 年 8 月），頁 120－129。

《四部備要》版本勘對表

李向群*

《四部備要》是民國時中華書局排印出版的一大叢書，問世以來尚無人做專門研究和評述。拙撰《〈四部備要〉版本糾謬》，初次從版本學角度對其進行了較系統的研究，結果得出：在《四部備要》所收三百五十六種古籍中，版本失實者多達一百六十餘種，占百分之四十七。原文包括文字和版本對勘表兩部分。文字部分曾以原題先行發表於《陝西師大學報》一九八七年第三期。該文列舉大量材料，從五個方面揭示出《四部備要》版本的謬誤：第一，所題版本年代較早，卻收入較晚年代之序跋題記；第二，所題版本與所據本子序跋、卷數、篇目不合；第三，所題版本與所據本子書名、文字、款式有出入；第四，題為某本而該書實無此本；第五，所題舊本久已毀失或極不易得，實用覆本。該文還將《四部備要》版本謬誤按所題版本的時代分類，歸結出下列幾點：其一，題為宋、元刻或唐宋人著作之原刻者，實不過用易得之清刻本甚至民國印本；其二，題為「明刻本」或其他明人單刻、叢刻本而其中不乏善本佳刻者，實不過用在當時問世未久、得之甚易的《四部叢刊》影印本；其三，題為明刻本或清某刻本者，頗多用光緒初浙江書局輯刻

*李向群，珠海出版社副編審。

《二十二子》本；其四，題用清刻本者，亦多用晚出之翻刻本或民國印本。該本還附帶揭明了《四部備要》諸多版本所題不詳及原因。由於該文只舉列其版本謬誤之大要，而未作一一駁正，同時也為使用《四部備要》者便利計，茲將《四部備要》原題版本與筆者逐一查考之實際用本對勘表刊布如次。

另本表書名以《四部備要》機制連史紙本之稍寬大者封面為準，類目及排列順序則悉準《四部備要書目提要總目》。凡所題版本與實際版本一致者，於實際版本前加※號。

類目	書名	原題版本	實際用本	備注
經部十三經古注	周易王韓注	相臺岳氏家塾本	光緒二年江南書局覆刻武英殿《仿宋相臺五經》本	抽去殿本附《考證》
	尚書孔傳	同上	同上	同上
	毛詩鄭箋	同上	同上	同上
	周禮鄭注	永懷堂本	明永懷堂刻《十三經古注》同治八年浙江書局修補印本	改局本書名
	儀禮鄭注	同上	同上	同上
	禮記鄭注	相臺岳氏家塾本	光緒二年江南書局覆刻武英殿《仿宋相臺五經》本	抽去殿本附《考證》
	春秋左氏傳杜氏集解	同上	同上	同上
	春秋公羊傳何氏解詁	永懷堂本	明永懷堂刻《十三經古注》同治八年浙江書局修補印本	改局本書名

	春秋穀梁傳范氏集解	同上	同上	同上
	孝經唐玄宗御注	同上	同上	同上
	論語何氏等集解	同上	同上	同上
	孟子趙注	同上	同上	同上
	爾雅郭注	同上	同上	同上
十三經注疏	周易正義	阮刻本	※嘉慶二十一年阮元江西南昌刻附校勘記本	
	尚書正義	同上	同上	
	毛詩正義	同上	同上	
	周禮注疏	同上	同上	
	儀禮注疏	同上	同上	
	禮記正義	同上	同上	
	春秋左傳正義	同上	同上	
	春秋公羊傳注疏	同上	同上	
	春秋穀梁傳注疏	同上	同上	
	孝經注疏	同上	同上	
	論語注疏	同上	同上	
	孟子注疏	同上	同上	
	爾雅注疏	同上	同上	

清十三經注疏	周易述 (附江氏)周易述補 (附李氏)周易述補	學海堂經解本 同上 南菁書院續經解本	※《皇清經解》本 同上 ※《續皇清經解》本	
	尚書今古文注疏	平津館本	光緒十年吳縣朱記榮重刻《平津館叢書》本	
	毛詩傳箋通釋	南菁書院續經解本	※《續皇清經解》本	
	周禮正義	清光緒乙巳本	※光緒三十一年鉛字排印本	
	儀禮正義	南菁書院續經解本	※《續皇清經解》本	
	禮記訓纂	咸豐刻本	咸豐元年宜祿堂刻咸豐六年印本	缺原本卷尾朱念祖識語
	春秋左傳詁	南菁書院續經解本	※《續皇清經解》本	
	公羊義疏	同上	同上	
	穀梁補注	同上	同上	
	孝經鄭注疏	師伏堂自刻本	※光緒二十一年皮錫瑞師伏堂刻本	
	論語正義	南菁書院續經解本	※《續皇清經解》本	
	孟子正義	學海堂經解本	※《皇清經解》本	
	爾雅義疏	家刻足本	光緒十三年崇文書局重刻《郝氏遺書》本	
四書集	大學	吳縣吳氏仿宋本		此即嘉慶吳縣吳

注	中庸	同上		志忠刻本，《備要》實未用，用何本不詳
	論語	同上		
	孟子	同上		
小學	說文解字真本	大興朱氏依宋重刻本	※乾隆三十八年大興朱筠重刻汲古五次剜改本	
	說文繫傳	小學匯函本	※《小學匯函》本或石印《小學匯函》本	
	說文解字段注(附)六書音均表	經韻樓原刻本		未詳，或用同治蘇州保息局修補經韻樓本
	說文通檢	原刻本	光緒二年崇文書局本	
	玉篇	小學匯函本	※《小學匯函》本或石印《小學匯函》本	
	廣韻	遵義黎氏古逸叢書覆宋重修本	※《古逸叢書》覆宋刻本	
	集韻	楝亭五種本	嘉慶十九年顧廣圻修補《楝亭五種》本	
	小爾雅議證	墨莊遺書本	※《墨莊遺書》本	
	方言疏證	戴氏遺書本		未詳
	廣雅疏證	家刻本		未用此本，用何本不詳
經義	春秋繁露	抱經堂本	光緒二年浙江書局重刻《抱經堂叢書》本	

	經義考	揚州馬氏刻本	乾隆二十年揚州馬曰琯、曰璐刻乾隆四十二年後印本	
	經義述聞	自刻本	道光七年京師壽藤書屋本	
史 部 二十四史	史記	武英殿本	武英殿本 或民國五年上海涵芬樓影印武英殿本	
	漢書	同上	同上	
	後漢書	同上	同上	
	三國志	同上	同上	
	晉書	同上	同上	
	宋書	同上	同上	
	南齊書	同上	同上	
	梁書	同上	同上	
	陳書	同上	同上	
	魏書	同上	同上	
	北齊書	同上	同上	
	周書	同上	同上	
	隋書	同上	同上	
	南史	同上	同上	
	北史	同上	同上	
	舊唐書	同上	同上	
	新唐書	同上	同上	
	舊五代史	同上	同上	
	新五代史	同上	同上	
	宋史	同上	同上	
	遼史	同上	同上	

	金史	同上	同上	
	元史	同上	同上	
	明史	同上	同上	
編年	資治通鑒	鄱陽胡氏仿元本	嘉慶胡克家仿元刻同治八年江蘇書局修補本	
	通鑒目錄	江蘇書局刻本	※同治八年江蘇書局刻本	
	續資治通鑒	原刻本	嘉慶二年畢氏原刻六年馮氏補刻同治江蘇書局修補本	
	明紀	江蘇書局刻本	※同治十年江蘇書局刻本	
古史	逸周書	抱經堂本	《抱經堂叢書》本或民國十二年直隸書局石印《抱經堂叢書》本	
	國語	士禮居黃氏重雕本	同治八年崇文書局覆刻黃丕烈《士禮居叢書》本	較原刻增《國語考異》
	戰國策	士禮居黃氏覆剡川姚氏本	同上	
	山海經箋疏	郝氏遺書本	嘉慶阮元小琅嬛仙館刻本或光緒七年郝聯薇刻《郝氏遺書》本	
	竹書紀年	平津館本	光緒十年吳縣朱記榮重刻《平津館叢書》本	

	穆天子傳	同上	同上	
	家語	汲古閣本	《四部叢刊》影印明嘉靖刻本	即《孔子家語》
	晏子春秋	平津館本	光緒元年浙江書局《二十二子》本	
	越絕書	明刻本	《四部叢刊》(初印本)影印明萬曆刻本	
	吳越春秋	古今逸史本	同上	
	列女傳	汪氏振綺堂補刊本	※同治十三年振綺堂刻光緒元年修補本	即《列女傳校注》
	說苑	明刻本	《四部叢刊》影印明鈔本	
別史	東觀漢紀	掃葉山房本	※乾隆六十年常熟席氏掃葉山房刻本	
	晉略	道光刻本	光緒三年周氏重刻本	
	貞觀政要	明刻本	《四部叢刊續編》影印明成化刻本	
	摭言	學津討原本	《學津討原》本或民國十一年商務印書館影印《學津討原》本	
	宣和遺事	士禮居刻本	光緒十三年或民國四年影印《士禮居叢書》本	
	靖康傳信錄	海山仙館叢書本	※《海山仙館叢書》本	

	路史	原刻本	明萬曆喬可傳刻光緒二年綉谷趙承恩修補本	
	長春真人西游記	連筠簃本	※《連筠簃叢書》本	
	聖武記	古微堂原刻本	道光二十六年魏源第三次重訂本	
載記	華陽國志	顧校廖刻本	嘉慶廖寅刻光緒六年會稽陶濬宣修補本	
	十六國春秋	漢魏叢書本	王謨刻《增訂漢魏叢書》本或重刊《增訂漢魏叢書》本	
傳記	高士傳	同上	同上	
	國朝先正事略	原刻本	※同治八年循陔草堂刻本	
	中興將帥別傳	同上	※光緒二十三年長洲朱孔彰刻本	
奏議	陸宣公集	同上	道光二十七年耆英增輯雍正年龔堯刻本	抽去原本道光六年上諭
地理	王氏合校水經注	長沙王氏合校本	※光緒十八年思賢書局刻本	
	洛陽伽藍記	吳刻本	※道光十四年錢塘吳若准刊本	

	荊楚歲時記	漢魏叢書本	王謨刻《增訂漢魏叢書》本或重刊《增訂漢魏叢書》本	
政書	漢官六種	平津館本	光緒十年吳縣朱記榮重刻《平津館叢書》本	原本七種，《備要》抽去《漢禮器制度》
	通志略	金壇刻本	乾隆十三年金壇于敏中刻本	
	歷代職官表	武英殿本	※乾隆武英殿刻本	
	吾學錄初編	廣州刻本	道光二十九年湘西高國榮覆刻廣州本	
史評	史通通釋	浦氏重校本	乾隆浦氏原刻光緒十九年裔孫浦錫齡修補印本	
	讀通鑒論	船山遺書本	※《船山遺書》本	《船山遺書》有數刻，《備要》用何刻不詳
	宋論	同上	同上	同上
	文史通義	原刻本	光緒二十四年長沙坊刻本	
	校讎通義	同上	同上	
表譜考證	歷代史表	原刻足本	光緒十五年廣雅書局刻本	
	歷代帝王年表	文選樓本		未用《文選樓叢書》本，用何本不詳

	歷代帝王廟諡年諱譜	阮福刻本		當指《文選樓叢書》本，《備要》未用，用何本不詳
	歷代統紀表	自刻本	同治間宜黃曾守誠重刻本	
	歷代疆域表	同上	同上	
	歷代沿革表	同上	同上	
	歷代紀元編	江寧局刻本		未詳
	歷代地理志韻編今釋	同上		同上
	廿二史札記	原刻本	※嘉慶湛貽堂刻本	
子部 周秦諸子	荀子	嘉善謝氏本	光緒二年浙江書局《二十二子》重刻謝本	
	孔叢子	漢魏叢書本	《四部叢刊》影印明翻宋刻本	
	孫子	平津館本	光緒三年浙江書局《二十二子》重刻《岱南閣叢書》本	
	吳子	同上	光緒十年吳縣朱記榮重刻《平津館叢書》本	
	司馬法	同上	同上	
	管子	明吳郡趙氏本	光緒二年浙江書局《二十二子》重刻萬曆趙用賢本	
	慎子	守山閣本	※《守山閣叢書》本	

	商君書	西吳嚴氏校本	光緒二年浙江書局《二十二子》重刻嚴本	
周秦諸子	鄧析子	指海本	※《指海》本	
	韓非子	吳氏影宋乾道本	光緒元年浙江書局《二十二子》重刻吳本	
	公孫龍子	守山閣本	※《守山閣叢書》本	
	尹文子	同上	同上	
	墨子	畢氏靈岩山館校本	光緒二年浙江書局《二十二子》重刻畢本	
	鬼谷子	秦氏校本	《四部叢刊》（初印本）影印乾隆秦恩復刻本	
	尸子	平津館本	光緒十年吳縣朱記榮重刻《平津館叢書》本	
	鶡冠子	學津討原本	《學津討原》本或民國十一年商務印書館影印《學津討原》本	
	燕丹子	平津館本	光緒十一年吳縣朱記榮重刻《平津館叢書》本	
	呂氏春秋	畢氏靈岩山館校本	光緒元年浙江書局《二十二子》重刻畢本	

	老子	華亭張氏本	光緒二年浙江書局《二十二子》重刻張本	
	關尹子	金壺本	《墨海金壺》本或民國十年上海博古齋影印《墨海金壺》本	
	列子	明世德堂本	光緒二年浙江書局《二十二子》重刻明世德堂本	
	莊子	同上	同上	
	文子	守山閣本	※《守山閣叢書》本	
	文子纘義	聚珍本	光緒三年浙江書局《二十二子》重刻聚珍本	
	意林	學津討原本	《學津討原》本配《四部叢刊》本	正文用《學津》本，逸文用《叢刊》本；所用《學津討原》或即為民國十一年商務印書館影印本
儒家	法言	江都秦氏本	光緒二年浙江書局《二十二子》重刻秦本	即《楊子法言》
	新語	明刻本	《四部叢刊》影印明弘治刻本	

	新書	抱經堂本	《抱經堂叢書》本或民國十二年直隸書局石印《抱經堂叢書》本	
	鹽鐵論	張氏考證本	光緒十七年長沙王先謙刻本	
	論衡	明刻本	民國十四年商務印書館影印《漢魏叢書》本	
	潛夫論	湖海樓陳氏本	※《湖海樓叢書》本	
	新論	問經堂輯本	《龍溪精舍叢書》重刻《問經堂叢書》本	
	申鑒	漢魏叢書本	王謨刻《增訂漢魏叢書》本或重刻《增訂漢魏叢書》本	
	人物志	金臺本	《墨海金壺》本或民國十年上海博古齋影印《墨海金壺》本	
	中說	明世德堂本	民國三年上海右文社影印明世德堂本	
	明夷待訪錄	海山仙館叢書本	※《海山仙館叢書》本	
	周子通書	榕村全集本		未詳
	張子全書	高安朱氏藏書本		未詳

	二程全書	江寧刻本		未用同治十年涂氏求我齋江寧刻本，用何本不詳
	朱子大全	明胡氏刻本	《四部叢刊》影印明嘉靖刻本	《叢刊》本名《晦庵先生朱文公文集》，《備要》改
	象山全集	明李氏刻本	嘉慶二十五年李紱裔孫邦瑞刻李紱評點本	
	陽明全書	明謝氏刻本	《四部叢刊》(重印本)影印明隆慶謝氏刻本	《叢刊》本名《王文成公全書》,《備要》易名並闕文若干
	近思錄集注	通行本		未詳
	小學集注	同上		未詳
	性理精義	同上		未詳
	五種遺規	同上		未詳
	增補宋元學案	清道光道州何氏刻本	※道光二十六年道州何紹基重刻本	
	明儒學案	鄭氏補刻本	道光元年會稽莫晉重刻乾隆鄭氏補刻本	
	國朝學案小識	原刻本	光緒十年唐鑒甥黃膺重刻本	

	國朝漢學師承記 (附)國朝經師經義目錄 宋學淵源記	同上	《粵雅堂叢書》本	
	風俗通義	漢魏叢書本	《四部叢刊》影印元大德刻本	
	古今注	同上	宣統三年上海大通書局石印王謨刻《增訂漢魏叢書》本	
	翁注困學紀聞	通行本		未詳
	日知錄集釋	原刻本	同治八年番禺陳璞重刻本	
	十駕齋養新錄	潛研堂本	光緒十年長沙龍氏家塾重刻《潛研堂全書》本	
	東塾讀書記	原刻本	※光緒間廣州林記書莊刻本	缺原本卷首著者《自述》
農家	齊民要術	學津討原本	※《學津討原》本或民國十一年商務印書館影印《學津討原》本	
	農桑輯要 (附)蠶事要略	浙江局刻本	浙東重刻《聚珍版叢書》本	

醫家	素問王冰注(附)黃帝內經素問遺篇	明顧氏影宋本	光緒三年浙江書局《二十二子》重刻明顧從德影宋本	
	難經集注	守山閣本	※《守山閣叢書》本	
	神農本草經	問經堂本	光緒十七年建德周學海重刻本	
	注解傷寒論	古今醫統本	《四部叢刊》影印明嘉靖刻本	
	金匱要略	醫統本	《四部叢刊》(初印本)影印明萬曆《古今醫統正脈全書》本	《叢刊》本名《新編金匱要略方論》,《備要》改
	靈樞經	同上	光緒三年浙江書局《二十二子》重刻明顧從德覆宋刻本	
算法術數	周髀算經	學津討原本	《學津討原》本或民國十一年商務印書館影印《學津討原》本	
	長術輯要(附)古今推步諸術考	荔墻叢刻本	※《荔墻叢刻》本	
	易林	士禮居校宋本	《四部叢刊》影印元刊殘本配影元抄本	《叢刊》本名《焦氏易林》,《備要》改
	太玄經	明刻本	光緒元年崇文書局《子書百家》重刻嘉慶陶正祥本	

	皇極經世書	通行本		實為《皇極經世書緒言》，用何本未詳
雜家	淮南子	武進莊氏本	光緒二年浙江書局《二十二子》重刻莊本	
	抱朴子	平津館本	光緒十一年吳縣朱記榮重刻《平津館叢書》本	
	顏氏家訓	抱經堂本	《抱經堂叢書》本或民國十二年直隸書局石印《抱經堂叢書》本	
小說家	博物志	士禮居本	《士禮居叢書》本或光緒、民國兩影印《士禮居叢書》本	
	世說新語	明刻本	《四部叢刊》影印明嘉靖刻本	抽去《叢刊》本卷尾附《世說新語校語》及孫毓修跋
	續世說	守山閣本	※《守山閣叢書》本	
釋道家	弘明集	明刻本	《四部叢刊》影印明萬曆吳惟明刻本	《叢刊》本作「影印明萬曆汪道昆刻」，應為萬曆吳惟明本。詳陳垣《中國佛教史籍概論》

	廣弘明集	常州天寧寺本	※民國元年常州天寧寺刻本	
	參同契考異	守山閣本	※《守山閣叢書》本	
諸子大意	子略	學津討原本	《學津討原》本或民國十一年商務印書館影印《學津討原》本	
集　部 楚辭	楚辭補注	汲古閣宋刻洪本	同治十一年金陵書局重刻汲古閣本	
漢魏六朝別集	蔡中郎集	海源閣校刊本	※《海源閣叢書》本	
	曹子建集	明刻本	《四部叢刊》影印明活字本	
	嵇中散集	同上	《四部叢刊》影印明嘉靖刻本	
	陸士衡集	二十名家集本	《四部叢刊》影印明正德陸元大刻本	
	陸士龍集	同上	同上	
	靖節先生集	陶文毅集注本	※道光二十年湘潭周詒樸刻本	
	鮑參軍集	宋刻本	《四部叢刊》影印明刻毛扆校宋本	
	謝宣城集	拜經樓本	民國十一年上海博古齋影印《拜經樓叢書》本	
	昭明太子集	明刻本	《四部叢刊》影印明遼府刻本	

	江文通集	梁氏校刻本	※乾隆二十四年梁賓刻本	
	何水部集	文瀾閣本校百三名家集本		未詳
	庾子山集注	倪注原刻本	《湖北先正遺書》影印倪氏原刻本	
	徐孝穆集箋注	吳注原刻本	光緒二年廣東翰墨園重刻本	
唐別集	初唐四傑集	通行本	光緒五年淮南書局刻本	
	曲江集	祠堂本	※雍正十三年張世緯等刻本	
	李太白詩集	王注原刻本		未用原刻，用何本不詳
	杜工部詩集	玉鉤草堂本	同治十三年重刻玉鉤草堂本	
	王右丞集注	清乾隆刻本	※乾隆二年仁和趙殿成刻本	
	孟襄陽集	明刻本	《四部叢刊》影印明刻本	
	元次山集	同上	《四部叢刊》影印明正德刻本	抽去卷尾孫毓修《元集補》
	顏魯公集	三長物齋叢書本	※《三長物齋叢書》本	
	劉隨州集	席氏本	《四部叢刊》影印明正德刻本	
	韋蘇州集	項氏翻宋本	宣統三年冰雪山房石印康熙項氏刻本	

	昌黎先生集	東雅堂本	同治八年江蘇書局覆東雅堂刻附陳景雲《點勘》本	
	柳河東全集	三徑藏書本	※明末蔣之翹刻本	
	劉賓客集	結一廬朱氏刻本	※《結一廬叢書》本	
	孟東野集	明刻本	《四部叢刊》影印明弘治刻本	
	長江集	同上	《四部叢刊》影印明翻宋刻本	《叢刊》本名《唐賈浪仙長江集》,《備要》改
	李長吉歌詩	通行本	光緒四年宏達堂刻本	原本名《李長吉詩注》,《備要》改
	元氏長慶集	明刻本	《四部叢刊》影印明嘉靖刻本	
	白香山詩集	一隅草堂本	康熙四十二年汪立名一隅草堂刻後印本	
	樊川詩集注	馮氏集注本	※嘉慶六年錢塘吳錫麒序刻本	
	玉谿生詩箋注	原刻本	乾隆四十五年馮浩重訂刻本	
	樊南文集詳注	同上	原刻同治七年馮浩曾孫寶圻修補本	
	樊南文集補編	同上	※同治五年盱眙吳棠刻本	

	溫飛卿集箋注	秀野草堂本	康熙三十六年長洲顧嗣立秀野草堂刻後印本 或光緒八年錢塘汪氏重刻秀野草堂本	
	魚玄機詩	百寧一廛藏宋本	民國周叔弢影印百宋一廛舊藏宋書棚本	
	南唐二主詞	各家詞集本	※《粟香室叢書·名家詞集》本	
宋別集	騎省集	宋明州本	民國南陵徐乃昌覆宋明州刻本	
	和靖詩集	吳氏校刊本	同治十二年長洲朱孔彰重校刊本	
	蘇學士集	宋氏校刻本	《四部叢刊》影印康熙徐氏刻本	抽去《叢刊》本卷尾校語
	司馬文正集	陳刻本	康熙儀封張氏刻光緒七年趙氏修補本	
	元豐類稿	明刻本		未詳
	宛陵集	翻宋本	宣統二年上海掃葉山房影印康熙徐氏刻本	
	歐陽文忠集	祠堂本	※乾隆間歐陽修裔孫安世刻本	
	嘉祐集	明刻本		未詳
	東坡七集	匋齋校刊本	※宣統二年湹陽端方匋齋刻本	
	欒城集	明刻本	《四部叢刊》影印明蜀府活字本	

	斜川集	知不足齋叢書本	民國十年上海古書流通處影印《知不足齋叢書》本	
	臨川集	明刻本	《四部叢刊》影印明嘉靖刻本	
	山谷全集	仿宋刻本	光緒二十六年義寧陳三立重刻日本翻宋本配朝鮮活字本之宣統二年傅氏後印本	
	後山集	趙刻本	光緒十一年番禺陶福祥重刻雍正趙駿烈本	
	淮海集	王氏重刻本	道光十七年高郵王敬之刻道光二十一年修補本	
	簡齋集	江寧蔣氏本	※民國九年南京蔣國榜刻本	
	誠齋詩集	清乾隆吉安刻本	※乾隆六十年楊萬里裔孫振鱗刻本	
	陸放翁全集	汲古閣本		未詳
	水心集	通行本		未詳
	龍川文集	永康胡氏退補齋刻本	※《金華叢書》本	
	張子野詞	彊村叢書本	※《彊村叢書》本	
	片玉集	同上	同上	
	石湖詞	同上	同上	抽去彊村本卷尾附《和石湖詞》

	稼軒詞	周氏校刻本	《四印齋所刻詞》本配《彊村叢書》本《補遺》	四印齋本名《稼軒長短句》
	白石道人詩集歌曲	愉園叢書本	《榆園叢刻本》	
	夢窗詞集	彊村叢書本	※《彊村叢書》本	
	蘋洲漁笛譜	彊村叢書江氏考證本	同上	
	山中白雲	彊村叢書江氏疏證本	同上	
	花外集	四印齋本	※《四印齋所刻詞》本	增《附錄》一卷
金元別集	元遺山詩注	蔣刻原印本	※道光二年南潯蔣氏瑞松堂原刻本	
	清容居士集	宜稼堂叢書本	※《宜稼堂叢書》本	
	道園學古錄	明刻本	《四部叢刊》影印明景泰刻本	
	鐵崖古樂府注	清乾隆刻本	※乾隆三十九年樓卜瀍刻本	
	貞居詞	彊村叢書本	※《彊村叢書》本	
	蛻巖詞	清厲樊榭校本		未詳
明別集	宋文憲公全集	嚴榮校刻足本	嘉慶十五年吳縣嚴榮刻本 或道光二十二年修補嘉慶嚴榮刻本	
	青邱詩集注	清雍正刻本	民國三年上海文瑞樓影印雍正原刻本	

	遜志齋集	明刻本		未用明刻，用何本不詳
	震川文集	家刻本	光緒元年歸有光裔孫彭福重刻本	
清別集	亭林詩文集	原刻本	《文集》康熙原刻本，《餘集》光緒蒯氏重刻本，《詩集》光緒四年湘陰吳光堯本或《四部叢刊》影印上述諸本	
	南雷文定	粵雅堂本	※《粵雅堂叢書》本	抽用《四部叢刊》影印康熙本之《黎洲先生世譜》
	薑齋文集	船山遺書本	※《船山遺書》本	《船山遺書》有數刻，《備要》用本未詳
	壯悔堂集	通行本		未詳
	吳詩集覽	同上	乾隆四十年凌雲亭原刻後印本	
	曝書亭全集	原刻本	《四部叢刊》影印康熙原刻本	抽去《叢刊》本序一篇
	漁洋山人精華錄訓纂	紅豆齋原刻本	乾隆中德州盧見曾刻後印本	
	安雅堂詩集	原刻本	乾隆三十一年宋琬孫仁若重編刻本	缺乾隆本《未刻稿》卷六至卷八、《入蜀集》卷下

	飴山堂集	同上	※乾隆趙氏家刻本	
	蓮洋詩鈔	同上	乾隆三十九年大興翁方綱校刊王漁洋評點本	
	敬業堂詩集	同上	《四部叢刊》影印康熙原刻本	抽去《叢刊》本唐序
	望溪文集	戴編足本	咸豐元年桐城戴鈞衡編刻本 或《四部叢刊》影印戴刻本	
	樊榭山房全集	清光緒振綺堂重刻本	光緒十年汪氏振綺堂本 或《四部叢刊》影印振綺堂本	
	小倉山房詩文集	原刻本	同治五年刻《隨園三十種》本	
	東原集	經韻樓本	《四部叢刊》影印《經韻樓叢書》本	
	述學內外集	揚州詩局本	※同治八年淮南書局刻本	
	卷施閣集	北江遺書本	《四部叢刊》影印《北江遺書》本	
	更生齋集	同上	同上	
	儀鄭堂駢體文	原刻本	光緒二十二年善化章氏重刻本	抽去光緒本卷首序二篇
	惜抱軒全集	同上	同治五年合肥李瀚章刻《惜抱軒全集》本	抽用，並增《四部叢刊》影印嘉慶原刻本卷首姚原跋識語

	大雲山房全集	通行本	同治二年陽湖惲世臨重刻本	原刻名《大雲山房文稿》，《備要》改，並增《四部叢刊》本《補編》一卷
	茗柯文編	原刻本	《受經堂滙稿》本	
	唐確慎集	同上	光緒二十年黃膺補編刻本	
	定庵全集	通行本	《文集》同治七年錢塘吳昫刻本，《補編》光緒二十八年平湖朱之榛刻本，或《四部叢刊》影印吳、朱刻本	增《增補》、《錄敘》
	曾文正詩文集	原刻本	※《曾文正公全集》本 或《四部叢刊》影印《全集》本	
	巢經巢集	同上	《清代學術叢刊》影印《遵義鄭徵君遺著》本	增民國二十一年盧氏輯刊《逸詩》一卷
	定山堂詩餘	清光緒龔氏家刻本	※光緒九年龔鼎孳裔孫彥緒刻本	
	珂雪詞	原刻本	《吳氏石蓮庵刻山左人詞》本	
	湖海樓詞集	同上	《四部叢刊》影印康熙原刻本配光緒宜興任光奇重刻本	抽去《叢刊》本序跋五篇

	彈指詞	同上	乾隆十八年顧貞觀孫仲溫刻本	
	納蘭詞	愉園叢書本	《榆園叢刻》本	
	靈芬館詞四種	同上	同上	
總集	文選李善注	鄱陽胡氏校刻本		未詳
	六朝文絜	許刻本	光緒三年南海馮駿光翻刻本	抽去原本卷尾馮跋
	古文辭類纂	滁州李氏求要堂校本	※光緒三十二年滁州李承淵求要堂校刻本	
	駢體文鈔	康刻譚校本	※光緒間譚獻評點道光合河康紹鏞刻本	
	續古文辭類纂	原刻本	※光緒十六年金陵書局原刻本	
	經史百家雜鈔	同上	※《曾文正公全集》本	
	樂府詩集	汲古閣本	《四部叢刊》影印汲古閣刻本	抽去《叢刊》本周序
	玉臺新詠	長洲程氏刪補本	光緒五年宏達堂刻吳注程補本	原本名《玉臺新詠箋注》，《備要》改
	古詩選	原刻本	同治五年金陵書局刻本	
	古詩源	同上	光緒十七年思賢書局刻本	
	今體詩鈔	同上	同治五年金陵書局刻本	

	十八家詩鈔	同上	《曾文正公全集》本	
	花間集	臨桂王氏影宋本	※《四印齋所刻詞》本	
	草堂詩餘	因樹樓詞苑英華重刻毛氏汲古閣本	汲古閣刻《詞苑英華》乾隆十七年曲溪洪振珂印本	
	絕妙好詞箋	錢塘徐氏校本		未詳
	詞選（附）續詞選	同上	湖北官書處重刻道光張琦本	缺官書處本卷首張序
	詞綜	原刻本	嘉慶八年青浦王昶刻本	抽去原本王序
	明詞綜	同上	※同上	
	國朝詞綜	同上	※同上	
	國朝詞綜二集	同上	※同上	
	國朝詞綜續編	同上	※同治十二年宋景藩原刻本	
	宋六十名家詞	汲古閣本	光緒十四年錢塘汪氏重刻汲古閣本	
	十五家詞	文瀾文津閣本		未詳
	白香詞譜	半广叢書本	※《半广叢書》本	原本名《白香詞譜箋》，《備要》改，並抽去原本譚敘
	元曲選	明刻本	民國七年涵芬樓影印明臧懋循刻本	

詩文評	文心雕龍輯注	原刻本	道光十三年嘉慶吳蘭修校刊黃注紀評本	
	鍾嶸詩品	學津討原本	《學津討原》本或民國十一年商務印書館影印《學津討原》本	
	司空圖詩品	同上	同上	
	苕溪漁隱叢話	芸經樓仿宋本	※康熙間耘經樓仿宋刻本	
	說詩晬語	原刻本	《清詩話》本	
	古文緒論	別下齋叢書本	《別下齋叢書》本或民國十二年商務印書館影印《別下齋叢書》本	
	鳴原堂論文	曾文正全集本	※《曾文正公全集》本	
	詞律	恩杜合刻本	※光緒二年恩錫、杜文瀾合刻本	
	佩文詩韻釋要	通行本	光緒十八年任逢辛刻本	
	詞林韻釋	菉斐軒本	光緒六年邗江承啟堂修補《詞學叢書》本	

——原載《古代文獻研究集林》第1集（西安：陝西師範大學出版社，1989年5月），頁274－316。

《叢書集成初編》及其相關叢書考述

張俐雯*

一、前　言

開後世叢書體例為叢書之祖者，首推宋寧宗嘉泰元年太學生俞鼎孫、俞經之《儒學警悟》四十卷，厥後七十餘年，有宋度宗咸淳九年左圭輯《百川學海》十集。元代叢書不多，杜思敬之《濟生拔萃》，收醫書十八種，足堪稱述。明代叢書種類繁多，惟擇校不精。直至清代，學術發達，考據之學興盛，無論就抉擇或校勘方面均超越明代；近代有西方印刷術之傳入，圖書出版業之興盛，開始出現「叢書中又容納若干小叢書」的大規模叢書出現。我國今存歷代古籍約十萬種，收於六千餘部叢書中達八萬五千種，約佔八成左右，可見叢書對保存古籍有相當貢獻。

我國叢書號稱數千部，名實相符者，不過數百部。上海商務印書館於一九三五年至一九三七年，選定宋至清代最有價值的一百部

*張俐雯，朝陽科技大學通識教育中心講師。

叢書彙聚而成《叢書集成初編》，收集文獻約四千一百餘種，可說是近代最大的古籍叢書。《叢書集成初編》係將一百部叢書的內容，分類編輯，收書範圍廣泛，舉凡需常備作參考的書籍，大致已經包羅在內，且採用近代圖書分類法以利檢索，對讀者而言既實用又方便，可謂「集古今叢書之大成」。

《叢書集成初編》按統一版式排印（少數影印），原擬出版四千冊，至一九三七年，共印出三千四百六十七冊，因抗戰爆發，出書中斷，其餘五百三十三冊未出。上海古籍書店於一九六〇年修訂《目錄》並予重印。後來，臺灣藝文印書館於一九六五年代起編印《百部叢書集成》，所選一百部叢書與商務版《叢書集成初編》幾乎相同（另新增《經典集林》一部，共一百〇一部），是依據《叢書集成初編》之叢書彙聚成編，但已由排印改為影印，並分函裝訂。又，北京中華書局於一九八五年重印出版《叢書集成初編》已出部分，未出部分五百三十三冊於九〇年代補全出版，共印了四千零二冊。一九八六年，新文豐出版公司亦於商務印書館原基礎上出版《叢書集成新編》。為求說明方便，以下介紹分成兩部分，一為大陸，敘述自上海商務印書館出版《叢書集成初編》始，至上海古籍書店與北京中華書局重印紙型為一段落；二為臺灣，略述自臺灣商務印書館於一九六五年的《叢書集成簡編》始，後有《百部叢書集成》與新文豐出版公司出版《叢書集成初編》終。

二、大陸部分

㈠上海商務印書館之《叢書集成初編》

1.編印動機、成書經過與出版情形

(1)文化思潮的影響

文學潮流與社會機制的演替，本就是互為因果的，而出版界更與文學界有緊密的聯動性。二〇年代，中國思想界一致同倡新文化運動，各種新出版物紛紛應時而出，揚花吐豔，各極其致。出版業鬱鬱勃勃，出版讀物傳播新知者有之，參與文化活動者有之。值此新舊文化交湲之際，人們對圖書之需求大增，商務印書館欲融合新舊文化，以圖業務之發展，張元濟❶斷然撤換各雜誌主編、北邀胡適主持商務、接受胡適推薦替代人選王雲五及其改進編譯所建議書、調整出版方針等，無一不是為商務的轉化做準備，終於成功奠定商務穩固的基礎。

王雲五面對轉型中的商務印書館，面臨文化市場的強勢競爭，除了革新印刷技術、出版通俗讀物、翻譯西學叢書、引進現代化管理方式，還認知到伴隨新文化運動而來的現代圖書館運動，他將涵芬樓更名為東方圖書館，公開所有藏書，並出版各種叢書，以因應新式圖書館紛紛興起的需要。我們可以說，商務印書館具體而微反

---

❶ 張元濟（1867－1959），號菊生，浙江海鹽人。1902 年進入商務印書館，曾擔任編譯所所長、經理、監理、董事長，主持商務印書館數十年，從事《四庫全書》、《四部叢刊》、《續古逸叢書》的輯印工作，奠立商務印書館成為中國最大出版公司的良好基礎。

映了新舊交替時代的中國出版事業。

⑵與中華書局的競爭

中華書局創辦人陸費逵原在商務主編《教育雜誌》，民國元年脫離商務，與友人創辦中華書局，處處與商務競爭。商務出《辭源》，中華印《中華大辭典》；商務出《四部叢刊》，中華印《四部備要》；商務擬印《四庫全書珍本》，中華也宣布《古今圖書集成》之影印，進而刺激王雲五欲出版一大型叢書與之相較，故《叢書集成初編》輯印之初是一商業機密，在登報發售預約前一天下午，才在館內公布，「目的是與中華書局爭先，給中華籌備在前的《古今圖書集成》一個措手不及」。❷綜觀前後，商務、中華同業競爭，直接促進我國文化事業蓬勃發展。

⑶著眼於叢書學之學術因素

王雲五於民國十年起擔任商務印書館編譯所所長兼東方圖書館館長，掌管全國最豐富的資源，為了使國內圖書館的藏書都能對社會發揮最經濟、便利的效用，因此他亟思調整出版物的系統。後來，民國二十一年一月二十八日發生一二八滬戰，商務印書館遭日軍炮火攻擊，全館皆毀。民國二十四年王氏任總經理並兼任編審部部長，基於介紹新知與流傳古籍的重要，印行《叢書集成初編》。王氏於〈輯印叢書集成序〉述及編印動機云：

> 綜顧朱傅羅諸氏之叢書目錄，與楊李二氏之叢書舉要所著錄者，部數多者數千；誠大觀矣。然一考內容，則名實不符，

❷ 朱蔚伯：〈王雲五和商務印書館〉，《中華文史資料文庫》第 16 卷，（北京：中國文史出版社，1996 年 4 月），頁 516。

> 十居五六；刪改瑣雜，比比皆然。張香濤謂「叢書最便學者，為其一部之中可該群籍；欲多讀古書，非買叢書不可。」夫以種類若是紛繁，內容若是龐雜；苟不抉擇，多購既糜金錢，濫讀尤耗精力。❸

他批評朱傳❹五人的叢書目錄有名實不符的問題，為便利讀者檢尋資料，正確的叢書目錄十分重要。

⑷張元濟交付的任務

王雲五又提及此一叢書的直接原因乃張元濟之指示：

> 余近年先後編印《萬有文庫》初二集，於國學基本叢書之取材印刷，考慮再三，一以購讀者精力與金錢之經濟為主要條件。文庫二集計畫甫就，張菊生先生勉余以同一意旨，進而整理此無量數之叢書；並出示其未竟之功以為楷式。余受而讀之，退而思之，確認是舉為必要。半載以還，蒐求探討，

❸ 王雲五：《新目錄學的一角落》（臺北：臺灣商務印書館，1973 年 5 月），頁 88－89。

❹ 由於刊印叢書之風大盛，叢書目錄的編纂也應運而生。清嘉慶四年（1799），顧修編《彙刻書目》是第一部叢書目錄。光緒二年（1876），傅雲龍續編、胡俊章補遺成《續彙刻書目》，才按四部分類收錄叢書五百種；後又有羅振玉續編《續彙刻書目》十冊，增光、宣間叢書目三百餘種；民國三年楊守敬編、李之鼎補編《叢書舉要》共四十四冊，收書九百零一種。民國十七年沈乾一《叢書書目彙編》所收叢書數為二千二百種，八年後楊家駱編《叢書大辭典》收叢書達六千餘種，網羅民國二十五年以前之叢書。民國四十九至五十二年上海中華書局編輯出版《中國叢書綜錄》所收叢書二千七百九十七種，子目去除重複計有三萬八千八百九十一種書，後出轉精，使用極便。

朝斯夕斯，選定叢書百部，去取之際，以實用與罕見二者為標準，而以各類具備為範圍。（原文如下：In editing and publishing the first two series of the "Wan Yeou Wen Kuh," or know as the "Complete Library" during the last few years, due attention has been given to the details of printing and the selection of titles for the "Basic Library of Chinese Studies," with primary emphasis laid on economy of both money and effort required of the would-be purchasers. Soon after the plans for the Second Series of the "Wan Yeou Wen Kuh" were completed, Dr. Chang Yaun-Chi inspired me with the task of the compilation of "Tsorng Shu" which he has pursued to a certain extent but not yet accomplished. Having accepted, studied, and deliberated over the proposition, I found the necessity of the undertaking both apparent and real. During the past six months I went into an exhaustive research and finally succeeded in selecting one hundred series of the best "Tsorng Shu" the choice of which being based principally upon the conditions of rarity and practical use, with a scope representative of every branch of learning.）❺

雖然王氏的出版方針與張元濟、高夢旦❻兩位不同，較重普及國學基本知識、中西學並重、科學管理與要求投資報酬率，但是對整理古籍同具熱忱，具體之例即編印《叢書集成初編》。根據王雲五的說法，由董事長張元濟交付編輯任務，由當時任編譯所所長兼總經

---

❺ 見《叢書集成初編目錄》英文介紹（Introduction），頁3－4。

❻ 高夢旦原為商務印書館編譯所所長，民國十年為聘王雲五進入商務印書館，自願屈就編譯所出版部部長之職。

理的他選定一百部叢書執行之。❼

經查楊家駱〈整合中國學術之第一里程——叢書學〉一文，曾有相關記載：

> 民國二十一年一月，余始至商務印書館、東方圖書館任職（名義是研究部主任），不數日即遭一二八之變，商務印書館、東方圖書館俱燬於難，余所撰著各稿本及編纂計畫書置館中者數十冊，都成灰燼，本辭典獨留京得全，而其編纂計畫（即整合叢書計畫，計畫中列明應整合的叢書二百種，「叢書集成」係就叢書百種合編，然無出上述二百種以外者）及例言，則先數日因高夢旦先生索閱，遂留其處；夢旦先生又以之示張菊生先生，

❼ 大陸許多相關記載皆提及張元濟，完全未提王雲五之名，其中或有政治因素考量，觀乎張元濟晚年受中共政權倚重，王雲五因隨國民政府來臺，曾被繫以戰犯之名，在此特殊時空背景下遂隱而不彰。又有另一說法如王紹曾《近代出版家張元濟》（北京：商務印書館，1995 年 8 月，頁 66－67）將《叢書百部提要》的著作權、叢書百部擬目的工作均歸於張氏。然稽諸張樹年主編《張元濟年譜》（北京：商務印書館，1991 年 12 月）1934 年本年條：「先生多次審核編目並擔任斷句校審之復審工作」、1935 年 4 月 4 日張自言：「思每一叢書撰一提要，頗難著筆」、1935 年 4 月 16 日張自言：「我近為公司編《叢書集成》目，忙冗至不堪言」，與謝國楨〈叢書刊刻源流考〉一文（收於王秋桂、王師國良主編《中國圖書文獻學論集》，臺北：明文書局，1986 年 11 月，頁 578）提及：「先生又命審核叢書，撰集《叢書集成要略》，並屬撰《叢書考》，附於《叢書集成》之後」，綜合以上可知，張元濟實主導並參與出書之計畫、擬定書目、撰寫提要；王雲五參與選定書目、撰寫提要（由《提要》收於所著書《新目錄學的一角落》可知）並負責執行整個計畫；而《提要》之撰寫應繫於張、王、謝氏等多人之手，屬集體創作。

> 此計畫遂亦不與於秦火。❽

是故，楊家駱原計畫整理叢書，時時與高夢旦談及，高夢旦亦告以商務有意於此，故商務出版《叢書集成初編》可說與楊家駱原始構想相合：「數載夢想，成為事實，快何如哉」。❾

⑸印行《萬有文庫》的成功經驗

《叢書集成初編》的出版動機除以上所述外，我們相信王雲五推出《萬有文庫》獲致的成功也是其中一個因素。王氏曾自謂「《萬有文庫》二集計畫甫就，張菊生先生勉余以同一意旨，進而整理此無量數之叢書」，按「《萬有文庫》二集計畫」於民國十八年至二十一年之間擬定完成，這一段時間，正是王氏成功推動《萬有文庫》造成轟動，獲致商務印書館內人員的信任，並對出版大型圖書增強信心，在這樣的基礎上印行《叢書集成初編》，自然是水到渠成。民國十七年，王氏籌備《萬有文庫》第一集的編印，曾自謂：

> 我從二十歲左右便開始感到圖書館的重要。自入長商務印書館編譯所之次年，即籌議為國內小圖書館植其初基。我的具體辦法，就是從編印各種有系統的小叢書入手，……想把整個大規模的圖書館，化身為無量數的小圖書館，使散在全國各地方、各學校、各機關，而且在可能時，還散在許多家

---

❽ 楊家駱：〈整合中國學術之第一里程——叢書學〉，《圖書館學刊》第 4 期（1985 年 11 月），頁 97。

❾ 楊氏此言隱指此一出版叢書計畫源自於自己的編纂計畫書，目前尚無其它資料可供佐證，在此存而不論。引文資料同註❽。

> 庭。質言之，我的理想便是協助各地方、各學校、各機關，甚至各家庭，以極低的代價，創辦具體而微的圖書館，並使這些圖書館之分類索引及其他管理工作極度簡單化。我初時擬為該叢書定名為「千種叢書」，即併合各科叢書一千種，為一部綜合的大叢書。……最後考慮的結果，始定名為「萬有文庫」。❿

《萬有文庫》第一集有圖書二千冊，將王氏於民國十四年發明的四角號碼檢字法、十六年創製完成的中外圖書統一分類法都應用上了，作法是將兩組號碼印於書脊上，便於圖書館的分類及管理，這種方法也同樣影響施行於《叢書集成初編》。我們知道，圖書館與出版業兩者之間，有非常密切之關係，圖書館左右著出版業的盛衰，而王雲五出版書籍無不處處考慮圖書館的需要，直接促進商務印書館的業務蒸蒸日上。這一叢書銷售的成功，讓館內人員對他刮目相看，也增強他出版類似叢書的信心，因此《叢書集成初編》也能順利推動。王氏〈輯印叢書集成序〉說：「是書之出，將使嚮所不能致或不易致之古籍，盡人得而致之，……復按《萬有文庫》之式印刷，分訂袖珍本約四千冊，以便檢閱，亦猶是編《萬有文庫》之原意云爾。」⓫書成之後，可與《萬有文庫》並列，成一排列整齊之圖書，更有利於圖書館的購置上架，這反映了王氏深思熟慮擘畫長遠。不過，有別於《萬有文庫》的融會國學基本叢書與翻譯世

❿ 文見王壽南編：《王雲五先生年譜初稿》第一冊（臺北：臺灣商務印書館，1987年6月），頁145。

⓫ 同註❸，頁89。

界名著，《叢書集成初編》的內容以古籍為主。

⑹審慎的編輯作業

《叢書集成初編》由王雲五主持出版計畫，對一部大叢書來說，擔任編纂及撰寫的工作十分繁重，但是對商務印書館來說並不困難。以《萬有文庫》為例，有三百位著名的學者經常為商務印書館擔任編纂及撰寫的工作，其中亦有大名鼎鼎的胡適，商務謹慎認真的態度可見一斑。《叢書集成初編》由張元濟、王雲五負責審核編目的工作，王氏主持選書、編目、撰述、校訂的工作，由丁彀音、張越瑞襄助，圖書室翟孟舉執行選書、編目的實際工作。斷句則主要委託館外加工，館內的胡文楷、繆巨卿、徐益之等核對，張元濟再複審。⓬當時，商務對校對十分重視，校對者姓名均印在版權頁以示負責。

⑺出版情形

出版日期綿延數年對大型叢書的出版來說比比皆是。是書於一九三五年三月宣布刊行，五月開始預約發售⓭，原計畫半年出版一次，擬自一九三五年十二月三十一日起、一九三六年六月三十日、十二月三十一日、一九三七年六月三十日、十二月三十一日，分五次出版，於兩年半以內出齊。但事實上分成十期出版，出至第七期

⓬ 本處資料引自王建輝：《文化的商務——王雲五專題研究》（北京：商務印書館，2000 年 7 月），頁 124。

⓭ 《叢書集成初編目錄》英文說明「預約條件」提及出版時有分平裝本、精裝本兩種，精裝本預計布面精印一千本，預售總價一千元上海幣。引自《叢書集成初編目錄》英文部分，頁 7。精裝本從未見過，殆雖有計畫，應無印行之事。

時起因一二八戰事之影響，商務遭日軍濫炸，涵芬樓被燬，出版計畫大受打擊，所以全書未能出全，只得辦理退款。王雲五說：「是此計畫之完成，祇好期待於抗戰勝利之將來了。」⑭然世局多變，商務印書館歷經兩度隨政府遷移來臺，全書終究沒有完成。

《叢書集成初編》銷售的情形相當不錯，據張元濟稱：「今此書竟售至二千餘部。」⑮此一情形如同《萬有文庫》的出版，初時並不看好，嗣後欻忽改觀。

據王雲五於民國五十四年稱：「查臺省公私所藏叢書集成全部者，就余所知，不滿十部，目前搜購，極感困難。」⑯目前所知國內存有《叢書集成初編》全帙者僅有中央研究院傅斯年圖書館、中央研究院近史所郭廷以圖書館、成功大學圖書館古籍室；藏有部分的是中央研究院文哲所、中央研究院民族所、中央圖書館臺灣分館、東海大學圖書館、臺灣大學圖書館等。

2.《叢書集成初編》目錄與內容介紹

上海商務印書館編印之《叢書集成初編》有《叢書集成初編目錄》⑰一冊，於一九三五年出版，為鉛印平裝本。中文說明可區分為五大部分：叢書百部提要目錄、叢書百部提要、叢書集成初編目

---

⑭ 同註❸，頁2。

⑮ 見商務印書館編輯部編《張元濟傳增湘論書尺牘》（北京：商務印書館，1983年10月），頁336。

⑯ 見王雲五：〈輯印叢書集成簡編序〉，《出版月刊》第5期（1965年10月），頁4。

⑰ 目前上海商務印書館之《叢書集成初編目錄》國內並不多見，筆者係據國家圖書館所藏參考。

錄分類說明、叢書集成初集目錄與印刷樣張⑱；英文部分⑲則分為：序（Introduction）、凡例（General Features of the Collection）、預約條件（Terms of Advance Subscription）、定購單（Order Form）與樣張（Specimen Sheets）。「叢書百部提要」簡介百部叢書之內容特色，是至今最早的一部叢書總目提要。「目錄」是瞭解全書分類的津樑和檢索這些叢書子目的方便工具，特別的是，《叢書集成初編目錄》並無中文緣起與凡例，推測應為適應海外市場之所需，英文部分記載緣起與凡例。⑳現在先抄錄凡例十四則如下（譯文在前，英文原文附於後）：

1. 本書集古今叢書之大成，故定名為叢書集成。（The present collection comprises the best and most comprehensive libraries of Chinese studies, both ancient and modern. Hence the title "Tsorng Shu Jyi Cherng."）
2. 我國叢書號稱數千部，惟個人詩文集居其半，而內容割裂瑣碎，實際不合叢書體例者，又居其餘之半。其名實相符

---

⑱ 《叢書集成初編》初採預約制，故印製樣張以供參考，樣張內容有「《顏氏家訓》卷第一」、「《孔氏祖庭廣記》卷一」、「魏三體石經遺字考」、「《鏡鏡詅癡》卷之一」、「《蜀牋譜》」、「《續考古圖》卷一」、「《唐宋元明酒詞》卷之上」、「《王無功集》卷上」、「《楊忠愍公遺筆》」、「《古列女傳》卷五」、「《元氏掖庭侈政》」。

⑲ 《叢書集成初編目錄》有英文說明所見期刊及書籍均略而未提，如《中國學術名著提要·歷史卷》〈叢書集成初編目錄〉（臺北：黎明文化事業公司，1995 年 8 月），頁 747－749。

⑳ 《叢書集成初編目錄》完成時應有中文緣起（序）與凡例，後王雲五將〈輯印叢書集成序〉收入《新目錄學的一角落》一書，將凡例併於〈輯印叢書集成簡編序〉中一併發表，而上海古籍書店取之印行。

者，不過數百部。茲就此數百部中，選其最有價值者百部為初編。（While “Tsorng Shu” is said to have reached the grand total of thousands of series, the majority of them are merely complete works of individual writers, and the greater part of the rest are so mutilated and trifling in contents that they can hardly be called “Tsorng Shu.” Out of the remaining several hundred series of “Tsorng Shu” true in name and in substance, one hundred best sets have been selected to constitute the present collection.）

3. 初編叢書百部之選擇標準，以實用與罕見為主；前者為適應需要，後者為流傳孤本。（The choice is based principally upon rarity and practical use－the latter to meet the urgent need while the former to popularize the vanishing rarities.）

4. 所選叢書，至清代為止，民國新刊從闕。（In this collection are included editions published up to the end of the Ching dynasty, later editions having been excluded.）

5. 所選叢書百部，內容約六千種，二萬七千餘卷，其一書分見數叢書者，則汰其重複，實存約四千一百種，約二萬卷。（The original contents of the hundred sets thus selected amount to about 6,000 titles in over 27,000 books. By eliminating the duplicates, the present edition is reduced to some 4,100 titles in some 21,000 books.）

6. 一書分見數叢書中，詳略不一者，取最足之本；其同屬足本，無校注者，取最前出之本，有校注者取最後出之本，名同而實異者兩存之。（In case of duplicates, unabridged edition is preferable to abridged ones. For unabridged editions with annotation, the latest edition is taken; for those without annotation, the earliest edition is

given preference. Books alike in name but different in substance will be retained entirely.）

7.各書一律斷句，以便讀者。（To facilitate reading, punctuation is supplied throughout the whole collection.）

8.排印方式以經濟實用為主要條件，仿《萬有文庫》之式，以五號字為主，其有不宜排印者則改為影印。（For the sake of economy and practical use, the work will be published along the same style of the "*Wan Yeou Wen Kuh*," set up principally with types No. 5, which is equivalent in size to 11-point foreign type. Photographic reproduction will take the place of ordinary typesetting, when necessary.）

9.各書篇幅多寡懸殊，本叢書排印時，就可能範圍以一書自成一冊為原則。其篇幅過鉅者，分裝各冊從厚，以期一書所占冊數不致過多。其篇幅過小者，裝冊從薄，以期一冊所容種數不致過多。（While the quantity of reading matters of the different titles varies greatly, attempt will be made to include one title in a single volume, whenever possible. Should a title be too voluminous, it will be bound in thicker volumes, so as to lessen their number. For titles of limited length, as few titles as possible will be bound in a single volume.）

10.各書順序，按中外圖書統一分類法，可與《萬有文庫》合併陳列。（With all titles arranged according to "Wong's System for the Uniform Classification of Chinese and Foreign Books," the present collection may be incorporated into "*Wan Yeou Wen Kuh*" as a united whole.）

11.本書另編左列各種目錄，以便檢查：

⑴按中外圖書統一分類法排列者；

(2)按書名首字及以下各字順序排列者；

(3)按各書編撰者姓名各字順序排列者。

（For the sake of reference, various catalogues have been compiled according to: (a) the classifications of the titles; (b) the names of various books; and (c) the names of various authors and compilers.）

12.原刻叢書百部價值在萬金以上，且有極不易得者；今整理排印合售預約，及原價十分之一。（Collection of the original hundred sets would cost over $10,000 besides much painstaking effort. The Present work in de-luxe binding is offered at the subscription price of less than ten percent of its original cost.）

13.原刻叢書百部計八千餘冊，占地甚多，取攜檢閱，均感不便；今整理排印為精裝本，計一千冊，占地不及原刻本八分之一，且有整齊畫一之觀。（The original hundred sets consisting of over 8,000 large and clumsy volumes require considerable space for accommodation. Further, they are very inconvenient for carrying about or for reference. The present collection in 1,000 handy volumes, cloth binding, occupies only one-eighth of the original space required.）

14.全書自二十四年十二月起，每半年出版一次，於兩年半以內出齊。（Beginning with the end of 1935, the whole work will be published in five semi-annual installments.）

《叢書集成初編目錄》之英文凡例部分，與一九八三年北京中華書局修訂重編上海古籍書店之《叢書集成初編目錄》「凡例」幾乎相同㉑，而英文序的部分，則與〈輯印叢書集成序〉完全相同㉒，茲綜合「凡例」、〈輯印叢書集成序〉與《新目錄學的一角落》中的序文，歸納為以下幾個要點，並說明其編輯內容大要：

⑴命名由來

《叢書集成初編》係將一百部叢書彙聚而成一種叢書，名為初編，應有續編之意。

⑵叢書內容

原叢書百部六千種書，二萬七千餘卷，去除重複約為四千一百種，約二萬卷，分為普通叢書、專科叢書與地方叢書三類。以刻本時代分，宋刊三種、元刊一種、明刊二十五種，清刊二十一種；以性質分，普通叢書有八十部，專科叢書有十二部，地方叢書有八部。細究之，普通叢書宋代二部、明代二十一部、清代五十七部。專科叢書分經學二部、小學三部、史地二部、目錄學一部、醫學二部、藝術一部，軍學一部。地方叢書八種，其中省區四部，郡邑四部。收書種數較《四庫全書》多出百分之十八，字數約《四庫全書》的三分之一。

叢書內容包羅廣泛，涵蓋哲學、文學、歷史、地理、政治、經濟、軍事、法律、藝術、宗教、考據、語言文字、圖書目錄、數學、天文學、物理學、生物學、醫學……等各領域。

㉑ 上海商務版《叢書集成初編目錄》「凡例」第十二條：「……合售預約不及原價十分之一」，北京中華書局為：「……合售預約不及原價二十分之一」，查王雲五〈輯印叢書集成序〉：「……且得以原值二十分之一之價致之」，此條存疑。

㉒ 同註❸，頁88－89。

(3)選書標準

編者自「名實相符」之數百部叢書中選擇最有價值者，以「實用」與「罕見」為主。「實用」者，為研究國學者適用之書；「罕見」則為保留孤本，編者在每一種書之前均有版本取捨的說明，有的書還做校勘的工作。其間最早一部叢書《儒學警悟》也被收入。罕見者如元刊之《濟生拔萃》、明刊之《范氏奇書》、《今獻彙言》、《百陵學山》、《兩京遺編》、《三代遺書》、《夷門廣牘》、《紀錄彙編》、《天都閣藏書》等；清刊的《學海類編》、《學津討原》等，皆當時僅存之本。至若《武英殿聚珍版叢書》、《知不足齋叢書》、《粵雅堂叢書》、《墨海金壺》、《借月山房叢書》等，內容豐富，乃研究國學者當讀之書，頗為實用。綜觀全書，罕見者佔小部分，大部分仍屬實用性質強的著作。

(4)編輯體製

《初編目錄》中有〈叢書百部提要〉簡介所選百部叢書編者、內容和特點，每部叢書列出書名，後標該叢書所收子書種類、該叢書卷數、編定時代、編者；提要內容為簡介編者、編書經過、該叢書內容、特點、版本情況等。

叢書類次目錄是《初編目錄》最重要的地方，它著錄百部叢書約四千一百種，二萬卷左右。編者將群書分類重編，以類相從，依中外圖書統一分類法，分十大類五百四十一小類。此十大類是：總類、哲學類、宗教類、社會科學類、語文學類、自然科學類、應用科學類、藝術類、文學類、史地類，其中文學類及史地類的著述極富。同類各書，依其性質或時代能自成一組者，概按組排列；不能分組者，其排列順序或依成書先後，或依編者生卒先後，或依其人登第服官或任何事蹟先後，或附同朝代或各朝代之後。整套叢書，原擬分訂四千冊，每冊一號，分裝成袖珍本，共四千號，中輟出版後，已出書三千四百六十七冊，凡三千零八十七種。

「凡例」第六點談及「一書分見數叢書中，詳略不一者，取最足之本；其同屬足本，無校注者取最前出之本，有校注者取最後出之本。名同而實異者兩存之。」如宋趙崇絢《雞肋》一書，《百川學海》、《龍威秘書》、《墨海金壺》、《珠叢別錄》皆有此本，但《百川學海》最早，故據以排印。

3.《叢書集成初編》優缺點

(1)優點

①所收專科叢書頗便查檢

一些較冷僻學科的專著以往大多散見，查閱不便，《初編》則分類彙編，提供研究者便利，讓資料復活。例如史地類有關氏族、姓名專著收有二十五種，其中包括採自《守山閣叢書》的宋鄧名世撰《古今姓氏書辨證》。又輯刊郡邑叢書始自明天啟間樊維城彙刻《鹽邑志林》四十一種，後清道、咸、同、光大盛，《初編》亦有收錄四部郡邑叢書。又古代醫學文獻，自魏晉以來，類書性醫書已相繼問世，而叢書型醫學文獻，則首見於元代杜思敬輯的《濟生拔萃》。㉓

②所選叢書百部大多具有極高學術價值

㉓ 《濟生拔萃》是中醫叢書之首，收書十九種，下開明清醫學叢書之風，可參考張燦玾：《中醫古籍文獻學》第二章「中醫文獻的源流」第六節「宋金元醫學文獻」之記載（北京：人民衛生出版社，1998 年 4 月）。

例如覆刻宋元舊本最為精善，享譽士林者，首推黃丕烈之《士禮居叢書》，他以家藏珍本中罕見的二十二種書，延顧千里為之校讎，輯刊《士禮居叢書》行世。《士禮居叢書》中有宋刊本《鄭氏周禮》、《儀禮》等書均甚為罕見，書後並有校勘記，《叢書集成初編》收於「普通叢書」。著名的版本、校勘學家如孫星衍輯印的《岱南閣叢書》、黎庶昌輯印的《古逸叢書》，其質量俱佳，參考價值高。

③收書範圍廣泛

由於《四部叢刊》與《四部備要》所收的古籍，偏重四部之內常見的書籍，如《十三經古注》、《二十四史》等，忽略唐宋以後筆記、叢鈔、雜說等書的收錄，由於這些書流傳較少，大部分散見在歷代叢書中，《叢書集成初編》綜合《四部叢刊》的罕見版本與《四部備要》的實用特色，其收書範圍不限於正經正史，具有「罕見」與「實用」兼具的特點。

④檢索方式創新

《叢書集成初編》依王雲五著中外圖書統一分類法分類㉔，打破四部分類的舊制，此一作法係為了便利圖書館編目的需要，他將所有圖書依類排比，以子目為綱，不採四部分類。以宋俞琰撰《席上腐談》為例，就《叢書集成初編目錄》分類說明查到「總類」「考據」即列：

㉔ 民國十六年，王雲五創中外圖書統一分類法，以適用東方圖書館藏書之分類，並撰《中外圖書統一分類法》一書。

席上腐談 一名月下偶談	（宋）俞琰著	11	寶顏 龍威 學海

即此書共十一卷，《寶顏堂秘笈》、《龍威秘書》、《學海類編》均收。

⑤費用節省

據王雲五編輯出發點為「節省讀者物力」，故全書金額據後來王氏五十四年的說法是「價適十萬」㉕，其價格遠較購買舊籍為低，對小型圖書館來說，擁有一套即等於坐擁一百部叢書。

⑥攜帶方便

全書為袖珍本，較一般三十二開本還小，裝訂成冊後極薄，一冊約百頁左右，攜帶極便。

⑵缺點

①無法保留叢書原貌

全書以排印方式雖然較便利閱讀，但無法如影印般反映版刻特徵，保留叢書原貌。如明末毛晉據胡震亨《秘冊彙函》增刻為《津逮秘書》，則可自版式辨認何者為殘版，何者為增刻部分。《四庫全書總目》說：「版心書名在魚尾下，用宋本舊式者，震亨之舊；書名在魚尾上，而下刻『汲古閣』字者，為晉所增。」

②使用老式句讀法，對一般讀者來說較費力

一部約四千冊的大部叢書，以鉛字重新排版並標點斷句，訛誤可能較照相影印為多；其斷句用老式句讀法，對一般讀者來說較感吃力。例如《黃蕘圃先生年譜》卷上（頁三十）其句讀方式為：

㉕ 同註⑯。

九月既望唐陶山以南宋人鈔本太玄集注六卷太玄解四卷附太玄曆一卷十冊贈先生自為跋記

又中華書局出版之《黃丕烈年譜》㉖則為「九月既望，唐陶山以南宋人鈔本太玄集注六卷、太玄解四卷、附太玄曆一卷十冊贈，先生自為跋記。」對現今讀者來說，在閱讀上後者較便利。

③排版與影印並存，版面不一

全書採排印方式印製需時較照相影印久，楊家駱曾評：「此書排印之法，實為未當，設照相影印，縱併頁分層，亦何足病？」㉗，楊氏不知，當時張元濟也是反對的㉘，只是王雲五堅持此舉可降低售價，可符合王氏一向薄利多銷的原則。故全書開始出版後出現延期甚至難以完成的窘況。又，全書大多排印，不宜排印者影印，顯得體例不一。

④列目缺印之書，牽涉範圍極廣

《叢書集成初編》中列目未印之書，涉及九十部叢書，只有十種叢書未見缺書。這十種叢書是：《儒學警悟》、《兩京遺編》、《祕書二十一種》、《汗筠齋叢書》、《澤古堂叢刻》、《宜稼堂叢刻》、《鐵華館叢書》、《五雅全書》、《小學彙函》、《八史經籍志》等。列目闕書待印的九十種叢書，少則二種，多則數十

㉖ 〔清〕江標撰，王大隆補，馮惠民點校：《黃丕烈年譜》（北京：中華書局，1988年2月），頁26。

㉗ 同註❽，頁98。

㉘ 同註⓯。

種，《學海類編》就缺七十七種。㉙

⑤版本未臻精善

《叢書集成初編》在擇定底本之際，已經有具體成績，但是因為其所用底本，必須在所選的這百部叢書中選擇，這樣有的書在其它叢書中如有更好的版本就不能使用。除此之外，仍有若干問題，以下僅舉出二例說明。

甲、未採用古本例

朱彧《萍州可談》在《叢書集成初編》中以《守山閣叢書》為底本，未若《百部叢書集成》則以《百川學海》為最早且校勘精審，故取之並附《守山閣叢書》本與錢氏校勘記。

乙、不辨偽作例

《顧氏文房小說》的《周秦行記》乃偽書，《叢書集成初編》題為牛僧孺撰。此書應為韋瓘託名之作。

⑥檢索方式仍有瑕疵

傅增湘曾致函張元濟，提及查閱叢書集成分類法之困難㉚，如《寶顏堂秘笈》中《席上腐談》一書，未知歸於何類？如何正確判斷圖書之類別乃查詢的第一難題。故傅增湘評曰：「非驢非馬，削足適履，實不敢贊同。新學後生，流略未窺，輒思變亂古法，真足慨歎。」張元濟曾回函解釋，此一分類法係為因應圖書館編目之所

㉙ 統計資料引自洪湛侯：〈《百部叢書集成》評〉，《漢學研究》第8卷第2期（1990年12月），頁429。

㉚ 同註⑮，頁335－336。

需而不得不然。此一檢索方式係以子目為綱，可以檢索某書或某人所著書在何種叢書內，無法由目錄得知印行採何種版本（需查各書書前版本說明）、種數，如能自總目、分類、書名、作者等任一角度去檢尋，都能一索即得，豈不方便？王雲五採新式分類法的原因，係因應東方圖書館實際藏書中有中文與西文圖書，如需並列則應改良圖書分類舊制，此一發明影響極廣，實為王氏重要貢獻之一。

㈡上海古籍書店之《叢書集成初編》

上海古籍書店於一九六〇年，據商務印書館之目重印，仍以同名「商務印書館出版」刊之。惟上海古籍書店的《叢書集成初編目錄》，改動了商務印書館目錄若干部分，據〈上海古籍書店編目說明〉言[31]，例如：「未出版各書，書名後均註明『未出』字樣」、「『叢書百部提要』」除個別不妥處，略有刪改」、「另附有四角號碼索引」、「未出版書另編索引」、「將部分子目酌予刪併」等等。

㈢北京中華書局之《叢書集成初編》

自一八九七年夏瑞芳、鮑咸恩在上海創辦商務印書館，業務蒸蒸日上後，私營出版企業如雨後春筍蓬勃發展，一九一二年陸費逵創辦北京中華書局，成為中國最大的兩家私營出版公司。民國二十一年，商務遭一二八浩劫，而中華書局安然無恙，此後兩家書局互有競爭。

---

[31] 說明見《叢書集成初編目錄》（北京：中華書局，1983年8月），頁3。

一九八二年三月於北京召開之古籍整理出版規劃會議中[32]，與會者皆憂心古籍書荒的問題。因此在徵得商務印書館同意之後，中華書局決定一九八五年起先將商務印書館《叢書集成初編》已出書的部分共三四六七冊重印出版，以應急需。[33]

一九八三年，中華書局在清點印刷資料的過程中，發現六四三種尚未出版的《叢書集成初編》所收書的紙型[34]，有助於重印工作的進行。一九八三年八月，北京中華書局先重印《叢書集成初編目錄》，此一目錄並非原貌，乃據上海古籍書店的初編目錄又作若干訂正後印行。一九八五年至一九九〇年，北京中華書局補出了當年商務印書館未及出版的部分，計五三五冊，五三二號次，故全書共計四〇〇二冊，三九九九號次。

今日距《叢書集成初編》的出版已六十五年，已出書三千四百六十七冊；被完整保存下來已經不多，在實際使用上反不如北京中華書局的重印補印本方便。

茲將北京中華書局重印之《叢書集成初編》略述於下：

1.《叢書集成初編目錄》編輯詳盡，目錄前有「重印說明」，目錄則有「凡例」、「上海古籍書店編目說明」、「叢書百部提要

---

[32] 查 1982 年 3 月 24 日北京召開農業古籍整理出版規劃座談會，未知是否即此一會議。會議大要見《古籍整理出版情況簡報》第 90 期（1982 年 6 月），頁 12－14。

[33] 文見鄧經元：〈《叢書集成》將由中華書局重印出版〉，《古籍整理出版情況簡報》第 95 期（1982 年 9 月），頁 3。

[34] 文見陳抗：〈《叢書集成》未出版部分中六百餘種書已有紙型〉，《古籍整理出版情況簡報》第 108 期（1983 年 7 月），頁 22－23。

目錄」、「叢書百部提要」、「叢書集成初編類次」、「叢書集成初編目錄」、「書名索引與未出書名索引」。其中，經上海古籍書店與中華書局整理之初編目錄、書名與未出書名索引頗便查檢。

2.根據中華版《叢書集成初編目錄》標明「未出」書目，共計一〇一種，此數與已出書數目相加，合計四一〇二種。[35]為醒目故列明如下：

【商務】　原訂出版 4100 種（4000 冊）、4000 號

【商務】　實際出書 3087 種（3467 冊）、3467 號

查【中華目錄】　未出書有 1015 種（加已出書有 4102 種）

【中華】補印【商務】未出書　補印 535 冊、532 號[36]

【中華】　全套共 4002 冊、3999 號

故全書包括原出書與補出兩部分，共計四〇〇二冊，三九九九號，與原擬之四千冊，四千號略有差異。經馮春生考訂：「『未出』書目無書之三十七種中，異名書業已收錄者有二種，子叢書業已收錄者有三種，他種書業已合錄者有三種，他種書業已附錄者有六種，原叢書本無收錄者有二種，補出書尚未收錄者有二十一種。新增四種，其中三種為先秦諸子，一種為宋人著述不同兩家之輯本或注本，《叢書目錄》誤為相同，合于一目，補出時一分為二，分別印

---

[35] 此一部分的統計資料引自馮春生：〈《叢書集成初編目錄》之未出書與補出書較比考錄〉，《北京圖書館館刊》，1997 年第 2 期（1997 年 6 月），頁 67－71。

[36] 其中 170 號收書兩種，分成上中下三冊，故多二冊。2704 號分上下兩冊，故多一冊。又因《叢書集成初編目錄》少排 558 號，故多出一號，所以總共多二冊。

之。」[37]

3.上海商務《叢書集成初編目錄》已列明書籍的所屬叢書，故未出書部分中華書局只有照本宣科補印，所以必需承擔原商務選擇叢書之誤。如魯迅《唐宋傳奇集》序例言：

> 顧復緣賈人貿利，撮拾彫鐫，如《說海》，如《古今逸史》，如《五朝小說》，如《龍威秘書》，如《唐人說薈》，如《藝苑捃華》，為欲總目爛然，見者眩惑，往往妄製篇目，改題撰人，晉唐稗傳，黥劓幾盡。[38]

可知《古今說海》、《古今逸史》、《龍威秘書》中的唐人小說有許多錯誤，《叢書集成初編目錄》既已列目，中華書局仍沿其舊。

4.在書籍版面上，中華書局重印補印本大小為三十二開本，較商務版大一些。歷時半世紀，《叢書集成初編》終得窺見全貌，特別的是由五十年前的競爭者中華書局代為出版全璧，真可算是中國圖書出版史的一段佳話了。

三、臺灣部分

中華民國政府遷臺前，欲在臺灣尋求古籍是一件困難的事，因情勢的不同，就地在臺灣出版、重印中國典籍乃成必要。因此，叢

---

[37] 同註[34]。

[38] 〈唐宋傳奇集序例〉一文收於《魯迅小說史論文集》（臺北：里仁書局，1992年9月），頁449。

書的輯刊或重印，乃蔚成風氣。以《叢書集成初編》之系統言，民國五十四年，臺灣商務印書館印行八百六十冊《叢書集成簡編》；五十四年藝文印書館編印《百部叢書集成》，裝訂七千九百五十冊；新文豐出版公司於民國七十五年出版一百二十冊《叢書集成新編》。

擴而言之，政府遷臺之初，經濟蕭條，學術文化尚待起步，民間出版社缺乏充裕財力與市場誘因，無力投入叢書編刊之工作，故初期由民營但具官方色彩如商務印書館扮演重要角色乃勢所必然。自民國五十年起，大型叢書編刊風氣初興，有世界書局《中國學術名著》、學生書局《中國史學叢書》、藝文印書館《百部叢書集成》陸續出版，並由博學鴻儒如楊家駱、嚴一萍主持編務，其自行開發新的出版計畫，逐步擺脫大陸色彩值得肯定。五十五年起，推行中華文化復興運動，著重保存先民文化遺產，叢書出版亦隨著教育普及成績斐然。[39]

(一)臺灣商務印書館之《叢書集成簡編》

民國五十二年王雲五卸下行政院副院長之職，五十三年任中山學術文化基金會董事長，致力振興文化，提倡學術傳承與發揚。民國五十三年，王雲五重掌臺灣商務印書館，挾其大陸之基礎，整理該館歷年出版精華，基於「查臺省公私所藏叢書集成全部者，就余所知，不滿十部，目前搜購，極感困難，不僅價逾十萬而已。因

---

[39] 關於民國三十八年至民國六十二年底臺灣地區所編印之叢書，參閱莊芳榮撰：《叢書總目續編》（臺北：德浩書局，1974年6月）。

思，為應急需，允宜簡化」，故取原叢書百部，刪除商務印書館輯印之國學基本叢書重出部分一百五十種，共四百冊；又針對現代讀者之需，復加考慮，取精去蕪，實收書一千零三十一種，共四千四百四十卷，約當全書四分之一，訂為八百六十冊，版式仍照原輯印本。《簡編》自五十四年九月一日開始發售，五十五年六月十五日出版完成。

按「叢書集成簡編凡例」第十二條為：

> 十二、簡編係就原輯刪陳與本館先後輯印之國學基本叢書重複者外，特就原收各書內容對現代讀者之需要緩急，重予考慮刪汰，並以取精去蕪為主旨。[40]

《簡編》的出版明顯為因應「現代讀者」（民國五十四年左右）的閱讀需求，為著臺灣市場無限的商機，而重新將上海商務版《叢書集成初編》輯印出版，並且基於「與本館先後輯印之國學基本叢書重複者」的理由作第一階段的刪除。我們相信，臺灣商務取得的《叢書集成初編》原已有一千零一十五種未出書，在實際出書三千零八十七種書中，刪除四百種，已餘二千六百八十七冊；後又「取精去蕪」實留書一千零三十一種。換言之第二階段又刪除一千六百五十六種，共八百六十冊，只餘原《叢書集成初編》的四分之一。

我國叢書編纂的優良傳統為重印時不斷作版本更新的動作，以確保叢書的品質，《四部叢刊初編》即一例也。《簡編》的「子集合」出版模式無疑使《叢書集成初編》全帙出版的計畫日蹙。惟自

---

[40] 同註[16]，頁4。

王氏觀之，將大規模的書籍統一版式成套出版，（如《簡編》與《萬有文庫薈要》）將有利於各圖書館的收藏，尤其可便利以低價創辦具體而微圖書館計畫的施行。今日觀之，《簡編》的價值雖難與北京中華書局重印補印版相匹，但對當時來說仍具有相當程度的影響。

㈡藝文印書館之《百部叢書集成》

藝文印書館於民國四十一年成立，至今已逾四十八載，其創辦宗旨為流傳古籍，綿延文化，故創辦人嚴一萍於一九六五年開始著手編印《百部叢書集成》，所選一百部叢書與商務版《叢書集成初編》完全相同，惟另增《經典集林》一部，共一百〇一部，是藝文印書館向嚴靈峰等借到百部底本影印而成，影印的工作歷時七年，共收著作四千八百七十四種，由排印改為毛邊紙影印，三十二開本。中式線裝七千九百五十冊，分裝八百三十函夾，另目錄索引六冊一函夾，古色古香，令人發思古幽情。

《百部叢書集成》立意補一百部叢書之不足，故內容有更新處，如：有輯補前人之遺佚；有補齊前人所未備；有增加宋元人之善本；有刪除叢書之重複；有訂正提要之錯誤；有辨明撰人之偽謬，並編分類目錄和書名、作者索引。另在每部叢書之前，編有總目，總目中每種書的下面，列「說明」一項，敘述所採版本及整理情況，頗便查考。洪湛侯嘗謂「與《叢書集成初編》相較，青出於藍而勝於藍，謂之踵事增華，後來居上，殆非溢美」㊶，評價頗高。

㊶　同註㉙，頁423。

後來，藝文印書館繼續出版「續編」、「三編」，以清人編纂者為主，民國次之，要皆罕見難求者。「續編」收叢書三十部，七百八十五種、三千一百三十四卷、共一千五百五十五冊；「三編」收叢書三十部、九百八十種、三千兩百五十四卷，共一千七百二十九冊。

茲就《百部叢書集成》的體製與內容概述如下：

1.《百部叢書集成》採線裝裝幀形式

線裝的方法是前後各加一張護葉，用線連同正文訂在一起。《百部叢書集成》的線裝方式是添副葉、書面採毛邊紙精印成三十二開本。《百部叢書集成》的分類目錄和書名、作者索引共六冊合為一函外，因各部叢書子目多寡不一，少則兩部叢書合為一函，如《三代遺書》與《兩京遺編》合為一函；多者如《粵雅堂叢書》有八十四函。

2.以叢書原典影印方式，以顯示叢書原貌

前人整理編刊古籍，常以翻刻、抄錄或排印的方式為之，然不免增減或訛誤。由於時代演進，以原典影印方式不少，幾可避免字句訛誤的情形。今《百部叢書集成》選擇佳本，按原來刻本之樣式影印而成，保持叢書版刻特徵的完整性，對於學者來說，雖非原書第一手資料，然取用皆便；對一般讀者而言，則可藉此略窺古籍的版式、字體等特徵，作為初步瞭解古籍之始。

3.《百部叢書集成》內容大要

《百部叢書集成》的內容包括綜合性叢書八十部、專科性叢書十三部、地方叢書八部。綜合性叢書與《叢書集成初編》相同，有我國最早的叢書《儒學警悟》、雕版最早的叢書《百川學海》、稀

有之本如《武經七書》、收罕見之本著稱者如《古今說海》、至於《士禮居叢書》、《古逸叢書》與《鐵華館叢書》等俱為刻本之精善者。專科叢書方面，新增《經典集林》一部，計有經學、小學、史地、目錄學、醫學、藝術、軍學等七類。地方叢書八部與《叢書集成初編》相同。

4.《百部叢書集成》的價值

《百部叢書集成》奠基於《叢書集成初編》既有的基礎上，精益求精，其最大的貢獻分述如下：[42]

(1)輯補前人之遺佚

《叢書集成初編》於《靈鶼閣叢書》中收有《士禮居藏書題跋記續》二卷，遺漏頗多。《百部叢書集成》蒐集各家輯本共十三卷取代之，並於《士禮居藏書題跋記》的「說明」項言：「《士禮居藏書題跋記》僅有繆荃孫之《續編》，其正編為《滂喜齋》潘祖蔭所輯刊，未收入《滂喜齋叢書》中。金陵書局復將繆氏續輯之《再續記》並正、續三刻彙編為《蕘圃藏書題識》十卷、《蕘圃刻書題識》一卷，是為最足之本，今即以此本替入，並補《士禮居藏書題跋補錄》一卷，丁初我輯《黃蕘圃題跋續記》一卷，總題《士禮居藏書題跋記》。」

(2)補齊前人所未備

《叢書集成初編》中《孫子》出於《平津館叢書》，有魏武注本；《百部叢書集成》又另收宋《武經七書》本，讓古本與注本兩存。

---

[42] 以下舉例係取自洪湛侯〈《百部叢書集成》評〉一文，同註[29]。

⑶增加宋元之善本

書籍在長時間的流傳過程中，往往因各種原因產生不同版本，而版本間從文字到編次常常存著很大的差別，這種差別每每影響學者取得知識得正確與否，故讀書應擇善本。張之洞《輶軒語・語學篇》云：「善本之義有三：一、足本（無闕卷，未刪削）；二、精本（精校、精注）；三、舊本（舊刻、舊鈔）。」將善本分為足本、精本與舊本三類。《百部叢書集成》在整理時也注意到善本的重要性，例如《黃帝內經太素》一書，《叢書集成初編》使用的是袁昶《漸西村舍叢刊》的隋楊上善注本，《百部叢書集成》則以袁昶校訂未精，改用民國黃陂蕭延平校本。

⑷刪除叢書之重複

《叢書集成初編》有重複出現的本子，如果一為完整本，一為摘鈔本，《百部叢書集成》會刪除摘鈔本。如宋釋文瑩《玉壺詩話》一卷本乃自《知不足齋叢書》中《玉壺清話》摘出，故刪之。

⑸辨明撰人之僞謬

如將《顧氏文房小說》中《周秦行記》撰者部分從《叢書集成初編》的牛僧孺還原給韋瓘。

⑹增附近人之考證

如《神仙傳》前附嚴一萍序考證《神仙傳》源流，並謂：「自信此輯雖不能盡還葛洪舊文，或為最接近葛氏原書之輯本也。」此一考察文字實有助於讀者之瞭解。

5.《百部叢書集成》檢索方法

欲檢索《百部叢書集成》可自兩方面著手：一是每部叢書之前有總目，二為全書的《百部叢書集成分類目錄》。總目包括書名、卷數、著作者、分類總目（分「類」、「目」）與說明。說明項闡述版本淵源、整理經過等等，有極高的參考價值。《分類目錄》採用四部分類，將全部子目繫於各類，並注明作者和所採的叢書。若一書見於多種叢書，其採用之本用較大字體標出，未採用者用小字標明。舉例如下：

詩式五卷一冊　　（唐）釋皎然撰　　十萬　唐宋　學海

《百部叢書集成》的出版對學術研究助益頗豐，是無庸置疑的。然而我們知道，影印本能保留書的原貌、出版較快、成本較低、價格較便宜的優點，但是如果所選底本並非善本，在使用上影印本也會出現問題。楊家駱曾針對《叢書集成初編》不克完成稱應「照相影印」、「其有二本者應擇善而從，別附校勘記」、「商務及藝文皆不能從，蓋力所不能為也」[43]，盱衡事實，藝文印書館其實已經體現了這個理念，只是仍大醇小疵[44]，只有期待重印時能加以改善。

㈢新文豐出版公司之《叢書集成新編》

臺北新文豐出版公司於民國七十五年出版《叢書集成新編》，乃採《叢書集成初編》擬目印行，且補原未出齊者，分為普通、專科、地方三類叢書，重新予以改版。以四合一版為主，有目無書則取原刻九合一版，印成大十六開本，分訂精裝一百二十冊。七十八

---

[43] 同註[8]。

[44] 可參考洪湛侯文，同註[29]，頁 432。

年又出《續編》，收清以後叢書四十八種，精裝二百八十冊。八十五年出版《三編》，收普通、輿地、輯佚、氏族等百餘種，精裝一百冊，其《續編》、《三編》之印行，有助讀者對清以後叢書之瞭解。

《叢書集成新編》為新文豐出版公司編輯部編輯，為便讀者查檢，有總目、書名、作者索引共一冊，區分為六部分：編例、新編百部叢書提要目錄、新編百部叢書提要、總目（附總目簡說）、作者索引、書名索引。以下擇要說明：

1.編例

《叢書集成新編》收錄自先秦至清季著作四千一百餘種，印行一百二十鉅冊。依總目編法，以《神仙傳》為例說明之：

＊神仙傳十卷附提要、辨證　晉　葛洪著　夷門　100－279

即查總目之「史地類」「傳記之部」道家總傳，採用《夷門廣牘》版本，見於第 100 冊 279 頁。

2.新編百部叢書提要

新文豐有《新編百部叢書提要》，提要之前另附〈新編百部叢書提要〉一文，稱：「用特參考商務原刊叢書百部提要，缺漏者增補之，訛誤者釐正之」，故增補若干內容。

3.總目

總目前有「總目簡說」第四點談及「民國新刊者於續編中陸續刊出」、第七點：「排印方式以經濟實用之四合一版為主，有不宜排印者則改以九合一版」、第八點為「本目中，凡商務在民國二十四年所刊叢書集成初編有目而實未出版者，均標以『＊』號為誌。」故排版方式顯與《叢書集成初編》不同。

4.**作者索引、書名索引**

上海商務《叢書集成初編目錄》之凡例十一說有製作書名、作者索引，然並沒有完成，新文豐於此處補足。

四、結　論

中國古籍，浩如淵海，故張之洞《書目答問》卷首云：「讀書不知要領，勞而無功；知某書宜讀而不得精校精注本，事倍功半。」叢書可輯佚叢殘，並按學術之分類與源流，提供學者之需要。張之洞《書目答問》卷五有云：「叢書最便學者，為其一部之中，可該群籍；蒐殘存佚，為功尤鉅。」古典的價值雖亙古長存，傳播的方式卻需與時俱新，所以叢書固然重要，也需有便利的叢書目錄與彙集的叢書集成以進一步發揮叢書的優點。《叢書集成初編》立於前，採排印方式以便閱讀，以新式圖書分類法更新四部分類，冊薄短小易於攜帶。《百部叢書集成》繼於後，影印古籍存其貌，選用善本便利學者，擷長去短，踵事增華。餘如中華書局重印補印，使成完璧。新文豐《續編》收清以後叢書，便利讀者對現代叢書之運用。而究竟該如何充分利用先民智慧，避免叢書於華廈中任由蠹蝕霉壞，是值得我們深思的課題。

——原載《東吳中文研究集刊》第 8 期（2001 年 6 月），頁 21－48。

《百部叢書集成》評

洪湛侯*

商務印書館編輯的《叢書集成初編》從一九三五年開始分冊出版，迄今已半個多世紀。在這漫長的歲月裏，這部大型叢書已經起了並且繼續在起著霑溉學林，便利讀者的作用。可惜當時沒有出齊，甚至闕印多少亦缺乏準確的統計數字，一些辭書，多含糊其詞，說它「約出十分之九」❶，這與實際相差很大。臺灣藝文印書館從七十年代著手編印《百部叢書集成》，所選一百部叢書與商務版《叢書集成初編》完全相同（只另增《經典集林》一部，共一百零一部）全書四千餘子目，現在已經全部出齊，由排印改為影印；各部叢書，採用線裝，分函裝訂。編者吸收了當代文獻研究成果，重視版本更新，抽調和增補了一些古本、足本、校本和精刻本，訂譌正誤，刪重補缺，做了大量的整理工作，並編有分類目錄和書名、作者索引。另外，在每部叢書之前，編有總目，總目中每種書的下面，列「說明」一項，敘述所採版本以及整理情況，頗便查考。與《叢書集成初編》相較，青出於藍而勝於藍，謂之踵事增華，後來

*洪湛侯，浙江大學中國語言文學系教授。

❶ 見《辭海》，上海辭書出版社 1979 年版。

居上，殆非溢美，「睹喬木而思故家，考文獻而愛舊邦」❷，這部大型叢書的影印發行，為古籍整理工作，創造和積累了很好的經驗，對於宏揚祖國傳統文化，促進兩岸文化交流，也是富有積極意義的。

一、各部叢書，影印存真

《百部叢書集成》在編印形式上作了很大的更改，把《叢書集成初編》的以子目為綱，改為以叢書為綱，改排印為影印，改平裝為線裝，改十進分類為四部分類。前兩項影響尤大，遂使其書頓然改觀，面貌一新。

㈠以叢書爲綱，能保持每部叢書的特點和完整

《百部叢書集成》所選，包括綜合性叢書八十部、專科性叢書十三部（新增《經典集林》已計入），地方叢書八部。

南宋俞鼎孫、俞經同編的《儒學警悟》，輯成於宋嘉泰元年（1201），在武進陶氏刊刻之前，一向只有鈔本流傳，從輯成年代看，應為我國最早的叢書。左圭的《百川學海》刻於宋咸淳九年（1273），晚於《儒學警悟》七十二年，是我國雕版最早的叢書。南宋刊印的《武經七書》、元代刊印的《濟生拔萃》，都是稀見之本，宋槧元刊，彌足珍視。其他明清叢書，亦各有特點：有以校勘精審著稱者：如乾隆時盧文弨的《抱經堂叢書》、畢沅的《經訓堂

❷ 張元濟：〈刊行四部叢刊啟〉。

叢書》、盧見曾的《雅雨堂叢書》、嘉慶時吳騫的《拜經樓叢書》、孫星衍的《岱南閣叢書》、《平津館叢書》以及阮元的《文選樓叢書》，頗能反映乾嘉學術研究的成就，有以收集罕見之本著稱者：明代叢書如《古今說海》、《范氏二十一種奇書》，《今獻彙言》、《稗海》、《寶顏堂秘笈》、《漢魏叢書》等，保存了許多罕見之書，可惜有些並非全帙。清代前期以收罕見書見稱者，首推鮑廷博《知不足齋叢書》。其〈凡例〉云：「是編諸書有向來藏弆家僅有傳抄而無刻本者；有時賢先輩撰著脫稿而未流傳行世者；有刻本行世久遠舊版散亡者；有諸家叢書編刻而譌誤脫略未經勘正者，始為擇取校正入集。」傳世較多的書，一概不收。嘉慶中，顧修刻《讀畫齋叢書》，所刊皆知不足齋所未收者；道光中，蔣光煦刻《別下齋叢書》、《涉聞梓舊》；潘仕成刻《海山仙館叢書》、伍崇曜刻《粵雅堂叢書》皆倣鮑氏之例，以刊刻罕見本為主。高承勳的《續知不足齋叢書》、鮑廷爵之《後知不足齋叢書》，雖刻意倣效，然流傳不廣。有以廣羅舊籍著稱者：明代叢書中，《顧氏文房小說》多以宋本翻雕，清人黃丕烈得其中《開元天寶遺事》一書，已視為「罕秘」之本。吳琯校刊的《古今逸史》在明初諸叢書中亦稱善本。明末毛晉刊《津逮秘書》，清初曹溶刊《學海類編》，雖抉擇未精，然於舊籍古本，收羅頗廣。清乾隆中所輯的《武英殿聚珍版叢書》，大部份是從《永樂大典》中輯出來的宋元著作。嘉慶中張海鵬據《津逮秘書》增為《學津討原》，所收皆本原書，無一刪節。其後張氏又廣搜舊籍，編刊《墨海金壺》，據其〈凡例〉，自稱悉本四庫所錄，宋刻舊鈔本占十之二三。道光間郁松年《宜稼堂叢書》，所刻皆元明舊本中之尤善者，咸豐間胡珽

《琳琅秘室叢書》亦多舊本。光緒間陸心源《十萬卷樓叢書》所據多宋槧元刊。至于覆刻宋元舊本最為精善者，首推黃丕烈之《士禮居叢書》，黃氏以家藏珍本，延顧千里為之校讎，影刻之精美，幾可亂真。黎庶昌之《古逸叢書》，由楊守敬主持校刻，東京初印之美濃紙本，幾與宋槧元刊等視。蔣鳳藻校刊之《鐵華館叢書》，除影宋本外，皆康熙精刻，雖為覆版，不下真跡，都是清刻本中之精品。

專科叢書方面，收有經學、小學、史地、目錄學、醫學、藝術、軍學等七類，亦富實用價值。清代學者每喜將自己的著作，刊入叢書，這類自刊之本，尤為精審可靠。上述這些叢書的特點，早為學術界人士所熟知。今按原書影印，保持了每部叢書的特點和完整性，對於行家查閱，只會增加方便。有些人即使不太熟悉這些叢書，要用時，根據各部叢書的總目和全書所附的分類目錄及書名，作者索引，按圖索驥，仍舊可以很快找到。

所收百部叢書，亦有極少數未必盡善盡美者，如陳璜的《澤古齋重抄》，係據張海鵬《借月山房彙鈔》殘帙，釐訂增補而成，與《借月》實為一書。其他專科叢書之遴選未當者，亦頗有之，此固《叢書集成初編》選目時考慮未周，與《百部叢書集成》無涉。至於少數幾部叢書使用率很低，大醇小疵，則亦無傷於大體，存而不論可也。

㈡影印最能反映版刻特徵

影印反映原書面貌，遠非排印所能比擬。排印把文字刊印清楚，只不過是刊印古籍的最低要求。研究古籍版本，重視刻本的行款、字體、刀法，還講究區分黑口、白口、魚尾、邊欄的形式和特徵以及字體的避諱和缺筆等等，宋版版心往往記有刻工姓名，宋槧元刊，多記行格字數，有的還刻有牌記。若將文字重行排版，這些版刻特徵，都將喪失殆盡。只有採用影印，能夠保持古書的風貌。

茲將民國武進陶氏據宋咸淳本影刊宋代左圭輯《百川學海》序（寫刻）的書影一頁，附印於下：

自宋俞鼎孫儒學警悟一書出意園遺笈江陰
繆藝風詮爲叢書之祖鄭重付湘既校刊行世
并平心論之俞氏雖綜輯諸書究係專收時代
近接學派相同之作且另編目錄蜿排卷次茲
非名還各書迺宋儒鳴道集合編濂溪涑水橫
渠諸書之比此書有傳本詳藝風堂文續集與後來叢書不分派
別不限年代者猶有不同宋志列於類書類最得其實若求其
蒐采淵宏體例完備於學術得融貫之益於原

《古逸叢書》中的《影宋紹熙本穀梁傳》在何休序文之後刻有金澤文庫印，頁末又有日本東京　木邨嘉平刻長形印記，若改用排印，這些特徵將無法反映出來。再如明末毛晉據胡震亨《秘冊彙函》增刻為《津逮秘書》，若須從《津逮秘書》中鑒別孰為《秘冊》殘版，孰為毛晉增刻，可以根據版式辨認。《四庫全書總目》說：「版心書名在魚尾下，用宋本舊式者，震亨之舊；書名在魚尾上，而下刻『汲古閣』字者，為晉所增。」若改用排印，便無法辨認原版和新增之書。因此，對於重印古籍來說，自以影印為最佳選擇。北宋版本，傳世無多，其失傳之書，賴有元明人翻刻，轉有出南宋本之上者。元明乃至清代一些影宋、翻宋的著名叢書之所以可貴，正在於它保存了宋版古書的原貌。從這一點看，影印的《百部叢書集成》的版本價值則又不是排印的《叢書集成初編》可以同日而語的了。

影印還有一個很大的優點，就是能夠避免重新雕版的差錯。書經重刻，郭公夏五之訛，在所難免。古本、原刻本、名家校刻本之所以可貴，就是因為少有誤字。從事古籍校勘的人，最重底本。即以《四部叢刊》、《四部備要》而言，論者或有軒輊，若用作校勘底本，則無不取《叢刊》而捨《備要》，影印本為古籍校勘工作者所重視，不辨自明。

影印本在古籍鑑定方面，也還有它的局限，就是它對於古籍的紙質、墨色以及雕刻的筆鋒神韻，都很難表現出來，只能取其版式字體形似而已。但是影印本比原本易得，能為那些沒有條件接觸善本古籍的人，提供一些版本資料和學習鑑別的機會，如果能夠時常閱讀，注意版式、字體的特點，以後如能看到原書，再進而研究紙質、墨色以及影印難以表達的其他特徵，對鑑定古籍版本，必將大有裨助。

㈢分函裝訂，洋洋大觀

《百部叢書集成》採用線裝形式，保持古書的風貌，並採用天藍色的布料紙版，製成「函套」，書型大小一致，十分整齊，古雅精緻。千百函書，一函函陳列在書架上，真是巍巍書城，洋洋大觀。

由於各部叢書的子目多少不同，卷帙亦有差別，少的一部叢書自為一函。更少的兩部叢書合為一函，如《三代遺書》和《兩京遺編》兩書合為一函；卷帙多的叢書，一種叢書可有數十函，如《粵雅堂叢書》竟有八十四函之多。《百部叢書集成》的四部分類目錄和書名、作者索引，亦合為一函，附全書以行，頗便查檢。

以前，商務印書館影印流傳的《四部叢刊》及其《續編》《三編》，走出張元濟就涵芬樓和其他藏書家的藏書中，選擇宋元舊刻、明清精刻、鈔本、校本和手稿本，輯集而成的，故以版本價值見稱於世。而與《四部叢刊三編》差不多同時編成的《叢書集成初編》，同出於商務，所選叢書百部，淘汰重複子目達至三分之一，多取較好的底本排版，而始終未能以版刻精善見重。究其原因，殆為未曾影印之故。今《百部叢書集成》選擇最佳底本，影刊行世，與原來的排印本比較，相去奚止倍蓰。張元濟曾稱讚《四部叢刊》有七善：所收皆四部中家絃戶誦之書，一善也；仍存原本，未加剪裁，二善也；所刊類多秘笈，三善也；所求之本，具於一編，省事省時，四善也；冊小字大，冊小則便庋藏，字大則能悅目，五善也；版型紙色，斠若畫一，列之清齋，實為精雅，六善也；議價不特視今時舊籍廉至倍蓰，即較市上新版，亦減之再三，復行預約之法，分期交付，使購者舉重若輕，七善也。❸《百部叢書集成》是否實行預約付款，不得而知，其較購買今時舊籍或市上新版，價格為低，殆無疑義。故以上所舉七善，《百部叢書集成》咸能具備，且收書範圍不限于正經正史，遠較《四部叢刊》範圍廣泛而又切於實用，而且規模龐大，其中保存稀見之本亦當較《四部叢刊》為多，是猶有八善九善焉矣。現代能將這自宋至清的百部叢書四千餘子目完整地影印下來、留傳下去，則是一件具有深遠意義的事。數百年而後，這批影印善本，安得不價值連城也哉！

二、增收千種，使成完璧

《叢書集成初編》約收書六千種，二萬七千餘卷，汰其重複，應在四千零六十三種，總約二萬卷。當年未印之書，今據闕目核算，共計九百五十一種，約占全書四分之一弱，實印三千一百十二種，占四分之三強。（據臺灣新文豐出版公司《叢書集成新編》統計。）今《百部叢書集成》的編印，已將九百五十一種闕書全部補齊，連同這次新增的《經典集林》，共計收書四千零九十三種，二萬卷有餘。

所增補的近千種闕書中，頗有一些傳本較少而富有參考價值的專著。諸如南宋陳仁玉的《菌譜》，敘述浙江臺州一帶十一種菌的生長時期、形狀和色味等，是我國研究食用植物的早期著作；明代葉子奇的《草木子》，內容涉及面較廣，其中保存了一些有關元末

❸ 同註❷。

義軍的資料。如對徐州韓山童、蘄州徐真一、陝西金花娘子、江西歐道人、山東田豐等，均有記載。明代朱明鎬《史糾》，論諸史「書法」及事實的牴牾，上起《三國志》，下迄《元史》，每史各為一編（惟缺《晉書》和《五代史》）。清初蔣平階撰《東林始末》、吳偉業撰《復社紀事》，雖對當時封建王朝的腐朽統治，揭露不夠，但未嘗不可作為晚明歷史的參考史料。谷應泰《明史紀事本末》東林部份幾與蔣平階《東林始末》有關章節雷同，疑或取材於此。明代稗史姚福的《青溪暇筆》，記宮廷之事甚詳，去年筆者考證《永樂大典》嘉隆副本曾用作參證❹，當時找不到刻本還是用了《景印元明善本叢書十種・今獻彙言》中的本子。所補闕書之中，地理方面也頗多稀本，孫星衍所輯《括地志》八卷，最稱佼佼。《括地志》是唐代的地理著作，原書五百五十卷，又序例五卷，題魏王李泰撰，實出于蕭德言等人之手。序略述歷代沿革和唐初都督府區劃，以後依唐時制度，分敘各州及山川古跡等，多根據史傳，並援引六朝輿地書籍以為佐證，唐宋著作對此書內容多有稱引，其後散佚失傳。孫星衍從《初學記》等唐代類書中輯出這幾卷，始可略窺梗概。南朝梁代宗懍的《荊楚歲時記》專記荊楚歲時節令風物故事，自元旦至除夕。今存一卷，凡二十餘條，保存了當地一些古代的神話和傳說，也可看作地方風俗專著。宋代范成大的《桂海虞衡志》是研究宋代廣南地區（今廣西一帶）風土、物產、民族狀況的重要著作，內容真實，文字清新，歷來推為名著。周密的《癸辛雜識》、《武林舊事》、《志雅堂雜鈔》都是記載都會的人物、瑣

---

❹ 〈永樂大典嘉隆副本考略〉，載《杭州大學學報》1989年第3期。

事、見聞、雜言等著作。其中《武林舊事》對南宋都城臨安的民間說唱藝人和樂工的姓名以及手工業、物產情況等記載頗詳。再如元代周達觀的《真臘風土記》，是研究元朝同真臘交通關係的重要史料。作者在元貞元年（1295）隨元使赴真臘訪問，至大德元年（1297）返國，因記親身見聞，以成此書。真臘即今之柬埔寨。《元史·外國列傳》無真臘條，可補史書之缺。明代費信的《星槎勝覽》，原是作者跟隨鄭和通使西洋，前後四次，遍歷諸國，以所聞見，撰為此書，據其序文所言，成書當在明正統元年（1436），為研究當時亞非地理和中西交通關係的重要參考資料。上述諸書，其中有幾種當代先後有人整理校註，但在數十年前，往往還是稀見之本。

所補闕書之中，屬於詩話、詩文評的，如宋葉夢得《石林詩話》、吳可《藏海詩話》、黃徹《䂬溪詩話》、朱弁《風月堂詩話》、明代都穆《南濠詩話》、徐禎卿《談藝錄》、游潛《夢蕉詩話》、清代趙執信《談龍錄》等；屬於醫學方面的：如晉代王叔和《脈經》、皇甫謐《鍼灸甲乙經》，宋代王袞《博濟方》、金代李杲《此事難知》和《潔古老人珍珠囊》、劉守真《黃帝素問宣明論方》、元代王好古《湯液本草》等等，不乏可傳之作。在半世紀以前，一般人尚不易得見。醫學方面的幾種，至今還是中醫院校講授中醫方劑學和中國醫學史的重要參考書。

《叢書集成初編》列目缺印之書，牽涉範圍很廣。筆者曾作過統計，百部叢書之中，列目缺印之本，竟涉及九十部叢書，祇有

《儒學警悟》等十種叢書完好無缺。❺列有闕書待印的九十部叢書中，最少的只缺一種兩種，多的甚至缺數十種。如《龍威秘書》缺三十種，《粵雅堂叢書》缺三十一種，《知不足齋叢書》缺三十六種，《函海》亦缺三十六種，《學津討原》缺三十七種，《借月山房彙鈔》缺四十四種，《寶顏堂秘笈》缺四十九種，《說海》缺五十一種，《藝海珠塵》缺五十八種，而《學海類編》甚至缺七十七種之多，缺書率最高。把涉及九十種叢書中的九百多種缺書增補無遺，而且都選擇了最佳版本，其繁重程度，自不亞於新編一部大型叢書。

三、更換底本，力求精善

《四部叢刊初編》民國八年（1919）初次影印凡三百五十種，後來重印曾更換二十一種同書的更好版本，可見其原本亦未必咸能盡善盡美。重印時更換較好的底本，這樣做只能使原書精益求精，也正是我國叢書編纂的優良傳統。《百部叢書集成》也曾根據《叢書集成初編》的原本，作了比較全面的覆核，增補和更換。有關這些調整的情況都在每部叢書總目的「說明」項下作了詳細的記載。只是這些記載，是包括整部叢書四千餘種子目撰述的，只有把全部記載內容與《叢書集成初編》逐項比核，才能分辨出哪些工作是

---

❺ 《儒學警悟》《兩京遺編》《秘書二十一種》《汗筠齋叢書》《澤古堂叢刻》《宜稼堂叢書》《鐵華館叢書》《五雅全書》《小學彙函》《八史經籍志》等未見缺書。

《叢書集成初編》當初已做的，哪些工作是《百部叢書集成》編者此次改作的。筆者不憚其煩，窮數月之力，逐項核對，頗有所獲，因此撰寫本文，闡幽發微，以彰其功。

《百部叢書集成》關於更換底本方面所做的工作，有下列數項：

㈠採用古本

自發明雕版印刷以來，傳世的刻本書籍，五代的刻本已如星鳳，現在通常以宋本為最早且最珍貴，其次是元本，然亦不可多見。清人嚴可均說：「書貴宋元本者，非但古色古香，閱之爽心豁目也；即使爛壞不全，魯魚彌望，亦仍有絕佳處，略讀始能知之❻」。宋元刻本雖有誤字，仍然可貴，因為它保持了原貌，其錯誤尚可按迹尋找。正如顧廣圻所說：「宋槧之誤，由乎未嘗校改，故誤之迹往往可尋也❼」。顧氏以校讎名家，所言正是他的經驗總結。近人陳乃乾說：「嘗謂古書多一次翻刻，必多一誤。出於無心者，『魯』變為『魚』，『亥』變為『豕』，其誤尚可尋繹。若出於通人臆改，則原本盡失。宋、元、明初諸刻，不能無誤字。然藏書家爭購之，非愛古董也，以其誤字皆出於無心，或可尋繹而辨之，且為後世所刻之祖本也……古人真本，我不得而見之矣；而求其近乎真者，則舊刻尚矣❽」。他們共同的認識是：宋元刻本、舊

---

❻ 嚴可均《鐵橋漫稿》卷八〈書宋本後周書後〉。

❼ 顧廣圻《思適齋集》卷九〈韓非子識誤序〉。

❽ 陳乃乾〈與胡樸安書〉載《國學彙編》第一集。

刻本，未經翻刻，又未遭通人臆改，因而能保持原貌，錯誤較少，是以可貴。歷來講究版本的人，大都重視古本、舊本，原因就在這裏。《叢書集成初編》在選擇底本方面，已經很有成績，凡一書有多種版本都選擇最早最佳的本子，但有些地方，仍然還有考慮未密之處，《百部叢書集成》為此做了不少補苴更易的工作。茲舉數例於下：

楊伯嵒《九經補韻》二卷，在百部叢書中有六部叢書收有此書。《百川學海》、《古今逸史》、《學津討原》為楊氏原著；《汗筠齋叢書》、《粵雅堂叢書》、《後知不足齋叢書》為錢侗考證本。《叢書集成初編》以《汗筠齋叢書》本為底本，《百部叢書集成》認為各本以《百川》為最先，故據以影印入《百川學海》之中，並附《後知不足齋》鮑氏校正、錢侗考證本於後。

張寧所採的《方洲雜言》是文學瑣談方面的書，所選百部叢書中，《百陵學山》等叢書中均有此書。《叢書集成初編》以《學海類編》為底本，《百部叢書集成》認為《寶顏》本在前，改用此本影印入《寶顏堂秘笈》之中。

朱彧所撰的《萍洲可談》，所選百部叢書中《百川》《寶顏》所收皆一卷，《墨海》《守山》所收皆三卷。《叢書集成初編》用《守山閣叢書》本為底本，《百部叢書集成》認為《百川》最早而且校勘精審，遂據以影印於《百川學海》之中並附《守山》本三卷及錢氏校勘記於後，保存了兩種本子的原貌，既存古本，亦同足本。

㈡重視足本

明以前叢書時代雖早，但多不足之本。崇禎間毛晉刊《津逮秘書》，所收全帙為多。此後學者刻書漸重足本。《叢書集成初編》收清刻叢書七十多部，雖間有翻刻前代叢書刪節摘鈔之本，然畢竟足本為多，保證了這部大型叢書的質量，然亦有當時未及覺察而誤採節本者，今《百部叢書集成》編者凡有發現，皆更換為足本。最突出的是《金志》和《遼志》，《叢書集成初編》收入《汗筠齋叢書》皆為一卷本，《金志》僅錄初興本末及雜錄制度等十六篇為一卷，《遼志》僅錄本末制度及諸雜記三十六條為一卷。是皆出自《逸史》節本。《百部叢書集成》分別改用原書《大金國志》全帙四十卷、《契丹國志》全帙二十七卷替入，遂皆為足本。

又如《一切經音義》，《叢書集成初編》收入《海山仙館叢書》、用的是玄應二十五卷本，《百部叢書集成》改用慧琳百卷本。玄應《音義》，慧琳收採甚備，故即以慧琳《音義》並連同希麟《續音義》十卷代入，並附陳作霖《一切經音義通檢》於後，堪稱足本。

《叢書集成初編》在《靈鶼閣叢書》中收有《士禮居藏書題跋記續》二卷，闕漏特甚。《百部叢書集成》收集各家輯本凡十三卷替入，並在《靈鶼閣叢書·士禮居藏書題跋記》下加「說明」稱：「……《靈鶼閣叢書》所收《士禮居藏書題跋記》僅有繆荃孫之《續編》，其正編為滂喜齋潘祖蔭所輯刊，未收入《滂喜齋叢書》中。金陵書局復將繆氏續輯之《再續記》並正、續三刻彙編為《蕘圃藏書題識》十卷、《蕘圃刻書題識》一卷，是為最足之本，今即以此本替入，並補李文琦輯《士禮居藏書題跋補錄》一卷，丁初我輯《黃蕘圃題跋續記》一卷，總題《士禮居藏書題跋記》。」所選百部叢書僅有此本，彌足珍視。

薛應旂《方山紀述》一書，所選百部叢書中，《百陵學山》、《寶顏堂秘笈》及《學海類編》均有此書。《叢書集成初編》用《寶顏》一卷本。《百部叢書集成》編者考證：《百陵》為節本，《寶顏》作上下卷，惟《學海》本四卷，為薛氏最後定本，亦為最足之本，故據此本影印入《學海類編》之中。

皇甫枚《三水小牘》在百部叢書中，《古今說海》、《十萬卷樓叢書》所收皆一卷本，《叢書集成初編》用《抱經堂叢書》所刊的二卷本，而《百部叢書集成》發現《雲自在龕叢書》校勘最善，雖亦二卷，然尚附有逸文一卷、附錄一卷，蓋為繆荃孫校補之本，故用以替入影印。

《百部叢書集成》採錄各書，凡兩本內容全同，而一本有補遺、考釋、逸文之類的附錄，則必採用增有附錄之本。雖為微末之差，對於讀者卻有裨於實用。

在選用足本方面，《百部叢書集成》亦難免偶有失察之處。例如《文館詞林》殘本，《古逸叢書》收錄十四卷，《佚存叢書》收錄四卷，《粵雅堂叢書》複刻《佚存》，無所增益。《叢書集成初編》據《古逸》本影印，並以《佚存》之四卷附入，合共十八卷。而張鈞衡《適園叢書》收有《文館詞林》殘本二十三卷（1914 年刻）其殘存卷數除覆蓋上述十八卷以外，尚多五卷。《叢書集成初編》較《適園》晚出，竟忽略未增；而《百部叢書集成》據他本增補之例甚多，獨於《適園》本《文館詞林》殘帙，竟亦失之眉睫。

又如《疇人傳》四十六卷、續六卷、三編七卷。《叢書集成初編》據《文選樓叢書》刊正續兩編並增補諸可寶《三編》列目，未曾刻印；《百部叢書集成》據此補刻，仍收入《文選樓叢書》，這本來也無可訾議，惟其自稱「今特增補諸氏《三編》，庶成完璧」❾，言外之意已成足本，殊不知《三編》之外，倘有黃鍾駿所輯之《疇人傳四編》並附華世芳《近代疇人著述記》。「完璧」云云，似亦未當。然此小疵，終無損於全局。

㈢選用校本

研究古籍版本的人最重善本，而善本最初的涵義，多指讎校精善的本子。宋人葉夢得說：「唐以前，凡書籍皆寫本，未有模印之法，人以藏書為貴，書不多有，而藏者精於讎對，故往往皆有善本。」❿朱弁說：「宋次道（敏求）家藏書，皆校讎三五遍，世之藏書，以次道家為善本。」⓫著名藏書家、目錄學家陳振孫還特別強調採用各本參照，求其精審，他說：「《元和姓纂》絕無善本。頃在莆田，以數本參校，僅得七八，後又得蜀本校之，互有得失，然粗完整矣」。⓬可見古人所謂善本，初時指的都是精校本。清末張之洞概括說：「善本非紙白版新之謂。謂其為前輩通人用古刻數本，精校細勘付刊，不譌不闕之本也」。⓭同時他還把善本概括為

---

❾ 《百部叢書集成，文選樓叢書》總目《疇人傳三編》「說明」。

❿ 葉夢得《石林燕語》卷八。

⓫ 朱弁《曲洧舊聞》卷四。

⓬ 陳振孫《直齋書錄解題》卷八。

⓭ 張之洞《輶軒語語學篇》「讀書宜求善本」條。

足本、精本、舊本三類，其中精本就包括精校本、精注本。錢塘丁氏《善本書室藏書志》編輯條例提出善本的四個標準，就是舊刻、精本、舊鈔、舊校四類，與張之洞的主張，可以互相補充發明，而且他們同樣都重視名家校本。

從學術研究說，學者通人的精校本，有時還勝過宋槧元刊。因此名家校本應為善本中最受重視的一種。《百部叢書集成》的編者，在整理重印時，也特別注意選用較好的校本，以代替原書中的一般本子。

桓寬《鹽鐵論》曾見於多種叢書。《叢書集成初編》擬用《岱南閣叢書》的帳敦仁校刻本並附張敦仁考證，列目未刻。張敦仁刻《鹽鐵論》是清代著名校刻本之一，選此無可厚非。但《百部叢書集成》的編者並不以此為滿足，改以王先謙校本代入，仍舊影印於《岱南閣叢書》中。王氏校刻本不僅與張敦仁同樣用明涂楨翻宋嘉泰本為底本校刻，並取張敦仁考證及盧文弨《群書拾補》所校並盧所未及者，一一散入正文之下，是較張刻為尤善矣。⓮

《黃帝內經太素》一書，《叢書集成初編》用袁昶《漸西村舍叢刊》中的楊上善注本。《百部叢書集成》編者認為袁氏雖據舊鈔傳刻，而校訂未密，遂改用民國黃陂蕭延平校本替入影印，是為此書最好的校注本。

再如同一版刻系統的叢書，或以原版為優，或以翻刻重校本為

⓮ 《百部叢書集成》所收《岱南閣叢書》較《中國叢書綜錄》所收清乾嘉間蘭陵孫氏刊本和清嘉慶蘭陵孫氏沇州刊本多李鼎祚《周易集解》、桓寬《鹽鐵論》、張敦仁《輯古算經細草》《求一算術》四種，殆為另一足本。

善，必須按照刻本，比勘論定。例如《秘冊彙函》為明代胡震亨所刻，後未刊竟遽毀於火，毛晉得《秘冊》殘版，結合舊藏，增刻為《津逮秘書》，清人張海鵬根據《津逮》，加以增刪，重新編訂為《學津討原》。《津逮》收書終於元代，《學津》迄明為止。《秘冊》收書二十四種，《津逮》收書一百四十一種，《學津》收書一百七十三種。三書的承繼淵源大致如此，這三部書之間，特別是在《津逮》與《學津》二者之間，相同的書較多。同是著名叢書，取捨從違，用此棄彼，是必須經過互核比校才能確定的。一般說來，《學津》後出，校刻多較前書清晰精審，故所取較多。例如《搜神記》、《搜神後記》、《大唐創業起居注》皆有《秘冊》、《津逮》、《學津》以及其他多種版本。《叢書集成初編》對於《搜神記》、《搜神後記》均用《秘冊》本，《大唐創業起居注》用《津逮》本。《百部叢書集成》經過比較，將上述三書都改用《學津討原》本。然亦有棄《學津》而取《津逮》之例。如《洛陽伽藍記》，《叢書集成初編》原來擬用《學津》本，列目未刻，《百部叢書集成》經過比勘，認為《津逮》「校刻精審」，遂改用此本影印於《津逮秘書》之中。上述諸例，可見《百部叢書集成》採用之本，都經過審慎挑選，非苟然草率從事者也。兩本互核，查對有無差異，這並不是一件輕而易舉的事，而從事古籍整理，就必須具有這樣的基本功。

㈣兩本並存

凡兩書名同實異，或卷帙、內容尚有差別，或底本來源有殊，或編者、輯者、注者不同，《百部叢書集成》都採取並存的方式處理。述例於下：《荀子》二十卷，所選百部叢書中，《古逸叢書》、《抱經堂叢書》、《畿輔叢書》均有此書，《百部叢書集成》編者考證說：「《畿輔》覆刻《抱經》本，《古逸》則影刻南宋臺州本，雖《抱經》據北宋呂夏卿本又經盧文弨校勘，然校以《古逸》本，仍多遺漏，故分別影印於《古逸叢書》及《抱經堂叢書》中。⓯這是因為底本來源不同，內容有別，因而兩本並存，而《叢書集成初編》只列《抱經》一本。

程大昌《演繁露》，所選百部叢書中，《儒學警悟》、《學津討原》、《唐宋叢書》均有此書。《學津》十六卷為足本，故據以影印，《儒學》本雖祇六卷，然係叢書之祖，故併存於《儒學警悟》中。這是古本與足本並存。《叢書集成初編》列目未刻，目只列《學津》一本。

《六韜》（一名《太公兵法》）六卷附逸文。所選百部叢書中《武經七書》、《三代遺書》、《平津館叢書》及《漸西村舍叢刊》均有此書。《武經》宋本最先，故《百部叢書集成》據以影印，並附《平津》本逸文於後；《漸西》係汪宗沂輯本，別名《太公兵法》，仍入《漸西村舍叢刊》中。這是因為輯者和書名不同因而兩書並存。《叢書集成初編》列目未刻，目祇列《武經》一本。

《孫子》三卷，所選百部叢書中，《武經七書》宋本，無注；《平津館叢書》係魏武注本。故《百部叢書集成》兩存之。這是古本與注本兩存。《叢書集成初編》僅收《平津》一本。

⓯ 《百部叢書集成·抱經堂叢書》總目《荀子》條「說明」。

四、訂譌正誤，刪重補闕

藝文印書館重編《百部叢書集成》，做了大量的細緻的整理工作，初步歸納，至少包括以下十個方面：一曰改影印，二曰補缺書，三曰換底本，四曰述原委，五曰訂書名，六曰考作者，七曰核卷次，八曰辨偽作，九曰刪複出，十曰存剩本。影印、補缺、更換底本三者已詳上文，茲不複述。自第四事（述原委）以下七項，統屬「訂譌正誤，刪重補闕」的範圍，現在即以此題，分項舉例於下：

㈠述原委

主要敘述有關書籍的版本來源。卷帙、內容的異同差別以及取捨緣由等亦附及之。例如《揮麈錄》一書，有二卷和二十卷本兩種，或題楊萬里撰，或題王明清撰。所選百部叢書中有六部叢書收有此書。《百部叢書集成》在《學津討原》叢書《揮麈錄》目錄中除了確指此二十卷本為王明清撰以外，還在目錄的「說明」中扼要敘述了此書版本的原委：「所選百部叢書中，《百川學海》《歷代小史》《津逮秘書》《唐宋叢書》《學海類編》均有此書，《唐宋》係摘鈔本，《百川》本二卷作楊萬里編，《歷代》《學海》翻刻《百川》；《津逮》《學津》皆二十卷。案楊氏與王明清為同時人，楊氏所編《揮麈錄》為最早之書，故與二十卷本兩存之，二卷本《百川》最早，故據以影印入《百川學海》中。二十卷本《學津》校刻清晰，故據以影印。」這類卷帙多寡不同，作者題名互異，收錄的叢書又涉及多種的複雜情況，編者僅僅用了百餘字就把這兩種版本系統的原委，敘述清楚。《叢書集成初編》所收二十卷本用的是《津逮》本，今《百部叢書集成》影印時，改用《學津討原》本。二卷本，《百川》最早，一仍其舊。

㈡訂書名

《知不足齋叢書》中郭畀的《郭天錫日記》，《叢書集成初編》原題為《客杭日記》。今《百部叢書集成》的編者考證出《客杭日記》是《雲山日記》的摘鈔本，遂以橫山草堂刻《雲山日記》全帙本代入影印，並改題為《郭天錫日記》。

《知不足齋叢書》有《清虛雜著》三卷，其子目是《甲申雜錄》《聞見近錄》《隨手雜錄》，並有《補闕》一卷。據《百部叢書集成》編者考證說：「《學海類編》並有此書三卷，名《王氏三錄》，其中《聞見近錄》後並附《續聞見近錄》一卷，此即《知不足》本之《補闕》，凡二十六條，二十五條補《聞見近錄》，一條補《甲申雜記》，《知不足》本源出宋本，序跋完整，校刻精審，故據以影印」⓰並在目錄書名項下標明「《清虛雜著》一名《王氏三錄》」。它考證出《學海類編》中《王氏三錄》所附《續聞見近錄》「即《知不足》本之《補闕》」，考證出《王氏三錄》就是《清虛雜著》的別名，二者原為一書，這對讀者是很有幫助的。

㈢考作者

古書作者之名，歧誤較多，很有考證的必要。實際上這也涉及

⓰ 《百部叢書集成·知不足齋叢書》總目《清虛雜著》條「說明」。

到辨偽的範圍，這裏不過僅就考辨作者一項述之，其涉及內容者，別詳下文。《學海類編》收有藝術類賞鑒之作《清閟錄》三卷。《叢書集成初編》原題作「《筠軒清閟錄》董其昌撰」，《百部叢書集成》經過考證，認為題「董其昌撰」實誤，改題為張應文撰。

又如《寶顏堂秘笈》、《學海類編》均收有《文湖州竹派》一卷，是藝術類畫傳方面的書。《寶顏》本誤作釋蓮儒撰，《叢書集成初編》用《學海》本，作吳鎮纂。《百部叢書集成》亦用《學海》本，並考證出題釋蓮儒、吳鎮纂均誤，改題「佚名」，以符其實。避免以譌傳譌，貽誤後來。《海山仙館叢書》中的《調爕類編》四卷，《叢書集成初編》題趙希鵠撰。《百部叢書集成》「據同文先生考證」，改題「撰人不詳」。多聞闕疑，是比較客觀、比較審慎的態度。

㈣核卷次

所選百部叢書中，《唐宋叢書》、《龍威秘書》、《藝海珠塵》均有馮贄《雲仙雜記》十卷。《百部叢書集成》考證說：「《唐宋》本最早，所據祖本原缺第六卷，即以第十卷移補。《龍威》《藝海》次序相同，蓋同出一源。今據《唐宋》本影印，並依明隆慶葉氏菉竹堂刻十卷本改正第六卷為第十卷，補菉竹堂本之序目及第六卷，以成全璧。」⓱

《東坡志林》在所選百部叢書中，《百川學海》、《稗海》、《龍威秘書》及《學津討原》中均有此書而卷次參差。《叢成集成

⓱ 《百部叢書集成·唐宋叢書》總目《雲仙雜記》條「說明」。

初編》、《稗海》、《學津》兩存。《百部叢書集成》編者考證出《百川》一卷與《學津》第五卷同，《稗海》十二卷與《學津》前四卷有無互見。認為《百川》最先，故據以影印入《百川學海》中，並補《學津》前四卷及《稗海》多出各條於後。

(五)辨僞作

作者隱匿本名而託名前人的作品，稱為偽書或偽作。考訂偽書的作者或著作時代稱為辨偽。這一工作對辨明古代學術著作的真實面貌有很大幫助。考辨偽書，是從事文獻學研究和古籍整理的一項重要基礎工作。《百部叢書集成》收書（子目）四千餘種，若須先對所有疑偽之本，全部進行考辨，然後著錄，勢所難能，但它畢竟還是做了不少辨偽工作而且是卓有成績的。例如考證出《學海類編》中項元汴《蕉窗九錄》全襲屠隆的《考槃餘事》，並託名項元汴撰者。《考槃餘事》已影印入《龍威秘書》中，故不再重印。而《叢書集成初編》收錄此書，仍著錄為項元汴著。

再如《顧氏文房小說》的《周秦行紀》本是人所熟知的偽書，《叢書集成初編》仍著錄為牛僧孺撰。《百部叢書集成》在目錄上作了更改——在「著作者」牛僧孺的後面加「韋瓘託名」四字，並在「說明」中註稱：「案此書撰人係韋瓘託名，見本書翁同文跋」。並將翁同文考辨《周秦行紀》的一篇跋文，附入本書，這對讀者瞭解作偽原因和編者改題「韋瓘託名」的依據，亦有裨助。

(六)刪複出

《叢書集成初編》在所收百部叢書原有六千種子目中刪汰重複

者二千種，而且通過比勘，保留下最好的本子，不能不令人驚歎其工作之細緻、工程之艱巨。然而正如「校書如掃落葉」，刪複亦復如之。而且在原來質量較好的基礎上重新發現問題，就更顯得並非易事。然而《百部叢書集成》在這方面仍然取得很好的成績。

《百部叢書集成》刪去的複本，大致有這樣幾種情況：一種是已有全帙，故刪去摘鈔本，一是已有全帙，故刪去析出本；再一類已有注本，刪去白文無注本；或同書異名的已有精本，則刪去其他一般版本。今統以「刪複出」為題，歸納敘述。

李之儀《姑溪題跋》二卷，是一部屬於碑帖考識方面的書，所選百部叢書中，《津逮秘書》《畿輔叢書》併有此書，《畿輔》覆刻《津逮》，《叢書集成初編》即用《津逮》本。《百部叢書集成》考證出此書自《姑溪居士文集》摘抄而成，《文集》已影印入《粵雅堂叢書》中，故此書不再重印。

《學海類編》中宋人吳曾的《辨誤錄》三卷，據《百部叢書集成》考證實即《能改齋漫錄》之《辨誤》一目，《能改齋漫錄》已影印入《守山閣叢書》中，故此本即不再重印；宋釋文瑩的《玉壺詩話》一卷，經考證係從《玉壺清話》摘出，《玉壺清話》十卷已刊入《知不足齋叢書》，此書亦不再重印。屠隆的《文具雅編》，經考證係從《考槃遺事》中析出，《考槃遺事》已影印入《龍威秘書》中，故此本亦不再重印。——上述《百部叢書集成》刪去《學海類編》原載的這三部摘鈔本、析出本，都是《叢書集成初編》所未曾發現的。

又《學海類編》有沈德符的《敝帚軒餘談》（一名《敝帚軒剩語》）《顧曲雜言》《秦璽始末》《飛鳧語略》等單刻本，《百部叢書集成》考證此數種皆從沈德符《野獲編》摘出，因將《野獲編》全帙三十四卷代入，上述數種不再單印。至於刪去白文無注本和同書異名的劣本，此較顯而易見，就不一一舉例了。

㈦存剩本

《學海類編》中項元汴《蕉窗九錄》，既係全襲屠隆之《考槃餘事》，《百部叢書集成》已辨其偽，刪去不錄。同時又指出「此書《畫錄》後附《畫訣》，係孔衍栻之《石村畫訣》；及《琴錄》後所附冷謙《琴聲十六法》為百部他書所無」，故據以影印入《學海類編》之中。⓲

《百陵學山》中原有陸深《儼山纂錄》（一名《儼山外纂》）一書，其中除《中和堂隨筆》外，所引之《傳疑錄》《續停驂錄》《燕間錄》《蜀都雜鈔》等書，都已分列影印於《寶顏堂秘笈》《紀錄彙編》等叢書中，因此，《百部叢書集成》即以《中和堂隨筆》代入於《百陵學山》之中，而不再印《儼山纂錄》全本。

最後簡要談一談本書的檢索方法。上文已提到過，每部叢書之前有總目，全書有分類目錄，書名、作者索引，檢索手段已臻齊備。其中最具特色的兩項是幫助讀者：區分各書的類目和選擇最佳版本。區分各書類目以及瞭解該書整理情況，可查各部叢書前面的總目和它的「說明」；選擇版本可利用本書所附的分類目錄。

茲將孫星衍校刊《岱南閣叢書》卷首目次的書影附印於下：

⓲ 《百部叢書集成·學海類編》總目《蕉窗九錄》條「說明」。

百部叢書集成之四十一	岱南閣叢書				清嘉慶孫星衍校刊 民國五十六年藝文印書館影印
書名	卷數	著作者	分類總目		說明
			類	目	
✢周易集解	17	李鼎祚輯	哲學類	易類哲學	所選百部叢書中秘冊彙函雅雨堂藏書學津討原古經解彙函津逮秘書均有此書學津本校勘精審故據以影印入學津討原中
周易口訣義	6	史徵	哲學類	易類哲學	所選百部叢書中聚珍版叢書及古經解彙函均有此書聚珍錄自永樂大典孫星衍復加詳校刊入岱南閣叢書故據以影印
古文尚書附逸文篇目表	13	馬融鄭玄注 王應麟集 孫星衍補集	史地類	歷史之部先秦史尚書	所選百部叢書中函海並有此書岱南本經孫星衍補集故據以影印
✢春秋釋例	15	杜預	史地類	歷史之部先秦史春秋	所選百部叢書中聚珍版叢書及古經解彙函均有此書聚珍版校勘精審故據以影印入聚珍版叢書中
夏小正傳	2	孫星衍校	自然科學類	時令	所選百部叢書僅有此本
蒼頡篇	3	孫星衍輯	語文學類	文字	所選百部叢書僅有此本
急就章考異	1	孫星衍校	語文學類	文字	所選百部叢書僅有此本
✢燕丹子	3	孫星衍輯	文學類	俠義小說	所選百部叢書中問經堂叢書及平津館叢書均有此書平津本較精故據以影印入平津館叢書中

每部叢書的總目，包括書名、卷數、著作者、分類總目（包括「類」和「目」）、說明五項。「類」與「目」扼要告訴讀者該書的類別、性質，說明一項內容更為豐富，舉凡版本淵源、卷次參差、整理經過以及涉及他書的情況，異同優劣的比較，都有扼要的闡述，詳而不繁，簡而有要，對讀者瞭解該書最有幫助。

本書《分類目錄》每書之下，都注明作者和所採的叢書。一書為數種叢書所收，祇採用其善本、足本時，用較大的字體標明；其未採用的叢書，用較小的字體分別之。如：

洛陽名園記　逸史　寶顏、津逮、顧氏、學津、海山

西京雜記　　抱經　歷代、逸史、漢魏、龍威、稗海、津逮、學津

上述這種涉及多種叢書的書，如果靠自己去比較和選擇版本，不知將費多少時間和精力。現在《百部叢書集成》把鑒別的結論，用大小字體標明，使讀者一望而知，真是指導讀者選擇版本的捷徑。

如果根據這裏提供的線索，進一步查閱有關叢書總目的「說明」，將會獲得更多的版本資料。酈道元《水經注·河水二》說：「河北有層山……懸巖之中多石室焉，室中若有積卷矣，而世士罕有津達（逮）者。」今《百部叢書集成》卷帙浩繁，蘊積至富，又給提供了這樣優良便捷的檢索手段，其津逮讀者之功，應該給予充分的評價。

——錄自《中國文獻學新探》（臺北：臺灣學生書局，1992年9月），頁209－238。

《百部叢書集成》簡論

鄭誼慧*

前　言

結束殖民統治後，由於相關的設備和技術傳入，臺灣的印刷出版業有了較為穩定的基礎。政府遷臺後，臺灣的圖書出版業在經濟與政治的安定下有了明顯的進展，教科書及翻印古籍成為此一時期出版的最大特色。一九五六年翻印古籍的數量高達兩千七百餘種，是之前與之後的兩倍。❶根據莊芳榮《叢書總目續編》中的統計，自一九四九年到一九七三年，共出版新編刊的叢書二百四十六種，重印叢書四百二十三種，約佔《叢書總目類編》中的七分之一，可見得古籍出版在當時所佔的比例之重。❷而此一時期出版古籍的書店有世界書局、藝文印書館、商務印書館、文海出版社以及廣文書局等。其中藝文印書館自一九五二年成立以來，就一直以古籍出版

---

*鄭誼慧，東吳大學中國文學系碩士。

❶ 辛廣偉：《臺灣出版史》（石家莊：河北教育出版社，2000 年 12 月），頁 30。1952 年只有 420 種，1959 年有 1470 種。

❷ 莊芳榮：《叢書總目續編》（臺北：德浩書局，1974 年 6 月），頁 5－6。《叢書總目類編》中彙編類及雜編類叢書共 2797 種。

為主要的出版項目，在五、六十年代出版了種類與數量都相當豐富的古籍。其中以《二十五史》與世界書局《四部刊要》最為重要，成為此一時期出版古籍中最具代表性的兩家書店。

由於照相製版印刷技術的進步，節省不少時間與金錢；又能避免重新排印出版的錯誤，因此此一時期的叢書出版除了少數是排印本之外，絕大多數是影印原本，成為這個時期古籍叢書出版的特徵之一。在此一時期藝文印書館以影印方式出版古籍叢書還有《四庫善本叢書》初編、續編及《清末名家自著叢書》等，都在古籍整理及文獻保存上有很大的助益。而《百部叢書集成》由於校勘精審，蒐羅宏富，在學術利用上也有很大的幫助，遂成為其中的代表。

《百部叢書集成》，一名《叢書集成正編》。❸由當時主持藝文印書館的嚴一萍先生從一九六五年至一九七〇年間陸續影印出版，共收有叢書一百零一部，書籍種類有四千零九十三種，總冊數則有七千九百五十六冊❹，可說是部份量極大的一套叢書。該書採用原刻影印的方式，保留古書原本的款式；並附有《總目》一卷及書名、人名索引一卷，便於使用者使用。

在裝幀上，採用傳統線裝的裝幀方式，分函裝訂，有別於當時的平裝、精裝等洋裝書籍。而以重新影印的方式重新出版，完整保留古籍原貌，對於傳統的版本研究及承續上也有很大的助益。因此出版之後，頗受到當時的注意，在學術上的利用及影響也與日漸

---

❸ 同上註，頁 74。

❹ 林春輝編：《資訊式全國圖書分類目錄》（臺北：光復書局，1985 年），頁 52。

增，在民國以後的古籍叢書中，佔有相當重要的地位。

一、體例內容

《百部叢書集成》中所選的叢書種類與商務印書館的《叢書集成初編》完全相同，只多了一部《經典集林》。《經典集林》是清嘉慶洪頤煊所輯的叢書，屬於輯佚性質的叢書。從選擇書目的態度上來看，《百部叢書集成》是承續了《叢書集成初編》的標準。由於當時張元濟當初在編《叢書集成初編》時，選擇的標準是「以實用與罕見為主，前者為適應需要，後者為流傳後世」❺故《百部叢書集成》同樣也具有此一標準。共包含了彙編類叢書七十一部、輯佚類叢書三部、方域類叢書八部、科別類叢書（即經、史、子、集）十九部，共一百零一部叢書。❻在紙張的選擇上，也特別與現今使用完全不同。並採線裝方式裝幀，以藍布函套包裝，每一函中則收書若干冊。在版式上也採用原刻影印的方式，完整呈現了古書原貌。其內容編排，也與《叢書集成初編》不同，做了不少改變。

(一)以叢書爲綱

莊芳榮的《叢書總目續編》談到此一時期（1949－1973）叢書出

---

❺ 張榮華：《張元濟評傳》（南昌：百花洲文藝出版社，1997 年 3 月），頁 171。

❻ 依莊芳榮：《叢書總目續編》中的分法。洪湛侯則分為綜合性叢書 80 部，專科性叢書 13 部，地方叢書 8 部。參見氏著《中國文獻學新探》（臺北：臺灣學生書局，1992 年 9 月），頁 209－238。

版的特點中提到：

> 叢書之中又容納若干單元式之小叢書，如《百部叢書集成》包含了一百部的叢書。❼

商務印書館的《叢書集成初編》是將一百部叢書中所包含的全部子目書打散之後，再重新以十進分類法將子目書重新分類，是以子目書為主的編排方式。而《百部叢書集成》則改為以叢書為綱，即是以叢書為主，將每部小叢書獨立分出，使之首尾完整，成為各自起結的獨立個體。這是《百部叢書集成》最具特色的地方，也是《百部叢書集成》與《叢書集成初編》不同之處。

㈡標註說明

在每一個小叢書的第一冊前面都附有一份總目，著錄這個小叢書的版本，以及子目書的書名、卷數、作者及分類編目、說明五項，表示子目書的版本選錄情形。而在版本的選擇上，則完全依據張元濟編《叢書集成初編》時所定的方法：

> 一書分見數叢書中，詳略不一者，取最足之本；其同屬足本，無校注者，取最前出之本，有校注者取最後之本。名同而實易者，兩存之。❽

在《百部叢書集成》的總目凡例便有：

---

❼ 莊芳榮：《叢書總目續編》，頁7。
❽ 張榮華：《張元濟評傳》，頁172。

一書而為數種叢書所收，祇採用善本、足本時，於所用叢書名之下，並列未採用叢書之名。

凡同一書為兩種叢書所收，因版本互有長處，而並予採用時，即分列為兩條，以符實際。❾

除了在選書上與張氏相同，在編輯嚴謹態度上也完全遵循。

如《子夏易傳》有十一卷及一卷兩種版本，分別收錄在《學津討原》與《問經堂叢書》中，《百部叢書集成》便同時收錄。又如《史學叢書》與《指海》同樣收錄了《漢書西域傳補注》一書，但由於《指海》本最先，故《百部叢書集成》選擇了《指海》本影印，其他的小叢書便不再收錄。在《史學叢書》總目中《漢書西域傳補注》下：「所選百部叢書中，指海及式訓堂叢書、畿輔叢書均有此本。指海最先，故據以影印入指海中」又《函海》及《岱南閣叢書》同樣收錄了馬融、鄭玄注的《古文尚書》，但是《岱南閣叢書》所收的《古文尚書》是經過孫星衍所補集。故收入《岱南閣叢書》本而捨棄《函海》本，並在《岱南閣叢書》總目下的《古文尚書》說明項中注明：「所選百部叢書中，函海並有此書。岱南本經孫星衍補集，故據以影印」。

《史學叢書》與《八史經籍志》同樣收錄了錢大昕的《元史藝文志》一書，但由於《史學叢書》本的版本較好，故選《史學叢書》本而捨《八史經籍志》本。並在《八史經籍志》的《元史藝文志》下：「所選百部叢書中，史學叢書及抱經堂叢書均有此書。史

---

❾ 《百部叢書集成總目·凡例》（臺北：藝文印書館，1974年），頁2。

學本校勘精審，故據以影印入史學叢書中」也因此《八史經籍志》便少了《元史藝文志》一書。這樣子的選擇方式固然可以使使用者都能夠閱讀到善本，以便於達到研究的目的。但也同時遺棄了另外的版本，使得書目的收錄並不完整，兩相權衡下必有其得失。小叢書中所收錄的版本較差，其子目的書多被其他小叢書所取代。那麼此一部小叢書或許就只剩下一至二種子目書，故雖有叢書之名，則並無叢書之實，如下所述的《秘書二十一種》。

書　名	《百部叢書集成》選用本	書　名	《百部叢書集成》選用本
1.汲冢周書	抱經堂叢書本	12.楚史檮杌	古今逸史本
2.吳越春秋	古今逸史本	13.晉史乘	稗乘本
3.拾遺記	漢魏叢書本	14.竹書紀年	平津館叢書本
4.白虎通德論	抱經堂叢書本	15.中華古今注	畿輔叢書本
5.山海經	經訓堂叢書本	16.古今注	畿輔叢書本
6.博物志	指海本	17.三墳	范氏二十一種奇書本
7.桂海虞衡志	古今逸史本	18.風俗通義	兩京遺編本
8.續博物志	古今逸史本	19.列仙傳	琳琅秘室叢書本
9.博異記	顧氏文房本	20.集異記	顧氏文房本
10.高士傳	古今逸史本	21.續齊諧記	古今逸史本
11.劍俠傳	古今逸史本		

《秘書二十一種》是清康熙時汪士漢所輯的彙編類叢書，收錄先秦兩漢時期相關的史地、文學等古籍共二十一種。在《百部叢書集成》中由於各種不同的原因，這部叢書中的子目書完全被其他叢

書所取代，其中《汲冢周書》、《白虎通德論》、《山海經》、《竹書紀年》、《古今注》、《列仙傳》因校勘的原因被其他叢書本取代；《吳越春秋》、《桂海虞衡志》、《續博物志》、《高士傳》、《劍俠傳》、《楚史檮杌》、《風俗通義》等被時間較早的因素被取代；《晉史乘》一書則因《稗乘》所收的版本有王衡的跋文，因而被取代；其他子目書則還有因版本選擇、善本等的原因被其他叢書版本所代替。

雖然考量了版本的因素而選擇了最佳最善的版本重印，但也因此《秘書二十一種》中，一本子目書也沒有留下，無法得知《秘書二十一種》的原貌，殊為可惜。《秘書二十一種》中，另外收有一本《道德經述義附經問》，並在說明一欄下註有：「秘書二十一種，係翻刻古今逸史二十種，三代遺書一種而成，故無一可取。今以明刊本道德經述義補入，聊備叢書之一，所選百部叢書僅有此本。」

《道德經述義附經問》是清陽子的著作，雖然在《百部叢書集成》中只有此本，但畢竟不是《秘書二十一種》的原書。雖然在《百部叢書集成》的目錄中仍有《秘書二十一種》這部叢書，但已非原本的《秘書二十一種》。故在《百部叢書集成》中，《秘書二十一種》這部叢書名存實亡。

由於小叢書內子目卷數多寡不同，函數亦有所差別。最多可以多達數十函，如伍崇曜的《粵雅堂叢書》便多達八十四函。有的則是一函之中包括兩部叢書，如《三代遺書》及《兩京遺編》便合為一函。此外，每一函中所包含的每一冊，其頁數都差不多相同。但一本書的卷數多寡不一，卷數多則會另外分成幾冊，有的時候一本書會分成好幾冊，如《子夏易傳》十一卷的便分為五冊。而篇幅較少，不到一冊時，便在內容的前後處添加空白頁。所以就算是短短的一篇唐人傳奇，也會在前後處添加空白頁，硬是湊成一本書的頁數，常在翻檢時常會造成困擾。

這樣子的編輯方法造成了使用者在使用這套《百部叢書集成》時，必須整套購買；否則便會面臨到無書可用的窘境。而《百部叢書集成》特地選擇原刻影印的方式出版，其主要的目的在於保存版本。但各種叢書所收的書籍眾多，一書常常被許多不同的叢書同時所收。選擇善本、精校本，自有助於學術研究。但過度遷就版本，使得完整獨立的小叢書因而拆離析分；不但無法一窺該部叢書的原本面貌及特色，也使得單本書籍只存留一種版本，無法比較各版本之間的差異，亦甚為可惜。

㈢內容

《百部叢書集成》是一部叢書大成。所選的叢書上自宋代，下至清末，都是有代表性的叢書，具有很高的價值。依時代先後，則包括了宋代三種，元代一種，明代二十五種，清代七十二種。同時也反映出叢書發展的特色。

從叢書的性質而分，則彙編類的叢書共有七十一種，宋代俞鼎孫的《儒學警悟》與左圭的《百川學海》是中國歷史上最早出現的叢書及最早刻印雕版的叢書，而明代出現的《漢魏叢書》則是中國第一部名實相符的叢書。另外以罕見版本為主的則有明代的范欽《范氏二十一種奇書》、高鳴鳳的《今獻彙言》、陳繼儒的《寶顏堂秘笈》，清代的《聚珍版叢書》、鮑廷博的《知不足齋叢書》、顧修的《讀畫齋叢書》、潘仕成的《海山仙館叢書》、伍崇曜的《粵雅堂叢書》等。以校勘精審見長的有清代的盧見曾的《雅雨堂叢書》、盧文弨的《抱經堂叢書》、孫星衍的《岱南閣叢書》、阮元的《文選樓叢書》。以廣羅舊籍著稱的則有明代吳琯的《古今逸史》、毛晉的《津逮秘書》、清代的曹溶的《學海類編》、張海鵬的《學津討原》、郁松年的《宜稼堂叢書》。仿宋元舊刻的則有陸心源的《十萬卷樓叢書》、黃丕烈的《士禮居叢書》、李錫齡的《惜陰軒叢書》、胡珽的《琳琅秘室叢書》，而以《士禮居叢書》為清刻的代表。另有可以反映西學的江標《靈鶼閣叢書》。

輯佚類的叢書則有《經典集林》、《二酉堂叢書》及《十種古逸書》三種。《二酉堂叢書》輯古地理書最多，對於西北地理的研究極有貢獻。《十種古逸書》所輯的書皆是漢唐人著述而久逸不存的，可補史書文獻的不足。

方域類的叢書有八部，收有中國最早的一部郡邑叢書明代樊維城的《鹽邑志林》，另有規模達到一千三百五十卷的清代王灝的《畿輔叢書》。另還有傅春官的《金陵叢刻》、胡鳳丹的《金華叢書》、陶福履的《豫章叢書》、趙尚輔的《湖北叢書》、趙紹祖、趙繩祖的《涇川叢書》等，其中《嶺南遺書》題為清伍元薇、伍崇曜輯。但伍氏原名為伍元薇，後改名崇曜，二人實為一人。[10]

科別類叢書共十九部，其中經部五種，史部三種，子部十種，集部一種。經部五種是補《通志堂經解》的錢儀吉的《經苑》與鍾

---

[10] 劉尚恒：《古籍叢書概說》（上海：上海古籍出版社，1989 年 12 月），頁 127。

謙鈞的《古經解彙函》，小學類鍾謙鈞的《小學彙函》及清代張炳翔的《許學叢書》，以及明代郎奎金的《五雅全書》。史部則為廣雅書局輯的《史學叢書》、胡思敬的《問影樓輿地叢書》及日人所輯的《八史經籍志》。

子部則有中國第一部醫學專門性叢書元代胡思敬的《濟生拔萃方》，及之後明代王肯堂的《古今醫統正脈叢書》。中國最早的小說類叢書明代陸楫的《古今說海》、被後世小說研究者所注重的顧元慶《顧氏文房小說》及商浚的《稗海》、黃昌齡的《稗乘》。軍事理論叢書宋代何去非的《武經七書》。以及專收子書的明代周子義的《子彙》，記錄士人文化生活的沈津《欣賞編》、程胤兆的《天都閣叢書》。集部則是明代毛晉的《詩詞雜俎》，則多收罕見之書。

在《百部叢書集成》之後，嚴一萍另外又編了《叢書集成續編》（又名四部分類叢書集成續編）、《叢書集成三編》（又名四部分類叢書集成三編）。於民國五十九年至六十一年（1970－1972）內陸續出版。

1.《叢書集成續編》

《叢書集成續編》，又稱之為叢書菁華一、二、三期。共收有晚清到民國的叢書三十部。彙編類十二部，輯佚類一部，方域類三部，獨撰類十部，科別類四部。並編有一本索引，以供讀者參閱使用。但是自《續編》以來，便不再撰有提要，在研究利用方面而言，是一件頗為可惜的事情。

⑴彙編類

收有朱記榮的《槐廬叢書》、劉世珩的《聚學軒叢書》、徐乃昌的《積學齋叢書》、葉德輝的《觀古堂彙刻書》、陳洙的《房山山房叢書》、張鈞衡的《適園叢書》、劉承幹的《求恕齋叢書》、羅振玉的《雪堂叢刊》及《殷禮在斯堂叢書》、唐鴻學的《怡蘭堂叢書》、董金榜的《邃雅齋叢書》、劉盼遂的《段王學五種》。

⑵輯佚類

輯佚類是清代王謨輯的《漢魏遺書鈔》。

⑶方域類

方域類收有劉世珩的《貴池先哲遺書》、金毓黻的《遼海叢書》、宋聯奎的《關中叢書》。

⑷獨撰類

收有清代錢坫的《錢氏四種》、林春溥的《竹柏山房家刻》、沈豫的《蛾術堂集》、鄒漢勛的《鄒叔子遺書》、魏錫曾的《魏稼孫全集》、陳宗起的《養志居僅存藁》、劉臺拱的《劉端臨先生遺書》、葉德輝的《觀古堂所著書》、胡薇元的《玉津閣叢書甲集》、尹昌衡的《止園叢書》。

⑸科別類

收有清代臧琳、臧庸撰的《拜經堂叢書》、蔣士銓的《紅雪樓九種曲》、民國羅振玉輯的《史料叢刊初編》、羅福頤的《史料叢編第一集》。

2.《叢書集成三編》

《叢書集成三編》，又稱之為叢書菁華四、五、六期。亦收有晚清到民國的叢書三十部。彙編類十五部，輯佚類一部，方域類四部，獨撰類四部，科別類六部。同樣也附有《索引》，供讀者查索利用。

⑴彙編類

收有清代顧湘輯的《小石山房叢書》、蔣鳳藻的《心矩齋叢書》、王士濂的《鶴壽堂叢書》、民國徐乃昌的《鄦齋叢書》、姬佛陀的《學術叢編》，趙詒深、王保譿輯的甲戌至辛巳等八部叢編，以及嚴一萍輯的《頤素堂叢書初編》及《續聚珍版叢書》。

⑵輯佚類

輯佚類是清代黃奭的《黃氏逸書考》。

⑶方域類

方域類收有清代盛宣懷的《常州先哲遺書》、丁丙輯的《武林往哲遺書》、民國胡宗楙輯的《續金華叢書》、安徽叢書編審會輯的《安徽叢書》。

⑷獨撰類

收有清代沈濤的《十經齋遺集》、丁晏的《頤志齋叢書》、方宗誠的《柏堂遺書》、民國王樹榮的《紹邵軒叢書》。

⑸科別類

收有清代江有誥的《江氏音學叢書》、丁謙的《浙江圖書館叢書》、梅文鼎的《梅氏叢書輯要》、王驥德的《古雜劇》，民國陶湘輯的明代毛晉鈔的《汲古閣鈔宋金詞》，以及嚴一萍輯的《小學類編》。

合計《百部叢書集成》正續三編，收有書籍六千五百四十九種，共一萬一千二百四十四冊。其規模之大、收書之多，篇幅之巨，都可以說不在清代的《四庫全書》之下。其門人白玉崢在其〈嚴一萍先生全集校後記〉中對於這三編叢書，有如下的敘述：

此叢書之集，蒐羅歷代名著叢書，以及世不經見之宋元善本至夥，且增添前人之遺佚與未備，刪減各叢書中之互為重複，擇優輯之，更正題要及撰人之謬誤等。⓫

在當時臺灣《永樂大典》及《四庫全書》都未及出全的情形下，這三編叢書的出版，對於學術及文化的傳承與保存上，有很大的貢獻。而《百部叢書集成》在《叢書集成初編》的基礎上則有了更進一步的進展，在當時《叢書集成初編》未及出全的情況下，《百部叢書集成》的出版實具有極為重要的價值。

二、檢索方法

《百部叢書集成》由於採用分函套裝，故排列在書架上時數量頗為可觀。但函套上只標明小叢書的名稱，若要查閱其中的子目書，則必須先查閱目錄。

《百部叢書集成》附有總目一卷，將所有的子目書依四部分類法重新分類。並有序號、書名、卷數、冊數、作者、及所屬的叢書名稱等著錄項。在所屬的叢書名稱下又分為收入的叢書版本名稱及未收入的叢書名稱兩種。讀者只要按圖索驥，通常都能找到要找的書。而每一部小叢書前也都附有一份總目，說明子目書的基本資料，檢索起來也相當容易。此外還有人名、書名索引，一樣有助於檢索查閱。

⓫ 白玉崢：〈嚴一萍先生全集校後記〉，收於《嚴一萍先生全集》（臺北：藝文印書館，1990 年 10 月），頁 1－3。

但是有些小叢書由於卷帙太多，規模較大，所分的冊數便較多，便會佔了幾個函套，即一個子目書分成數個函套放置。但是卻沒有小叢書本身的一個目錄，說明子目書的放置情形。如《史學叢書》中的子目書王鳴盛的《十七史商榷》及錢大昕的《二十二史考異》都高達一百卷，分冊之後便會分成數函放置，但是每一個函內只有標示所收的子目書書名及冊數，並沒有標明其內容或卷數，故檢閱時仍然要一本本翻閱，若碰到必須用調閱方式的收藏機構，則更添加不少不必要的麻煩。對於使用者而言，也十分不便。

由於採取分函套裝，函套上只載明叢書名，並無註明其中的子目書，再者子目書本身也因卷帙多寡而有所調整。故使用者在翻閱時十分不易。當翻尋每一本書便必須打開函套一次，在收放使用上也都增加了許多不便。

三、特　色

《百部叢書集成》是在《叢書集成初編》的基礎上加以考校增訂，做了不少瑣細的整理工作。洪湛侯歸納出歸納出有⑴改影印，反映古籍的版刻特徵；⑵補闕書，即將原本商務的《叢書集成續編》中所未印之書補齊；⑶換底本，採用了古本、足本或校本；⑷述原委，說明所收書的版本源流及取捨概況；⑸訂書名，即考訂出同書異名的情形，並為之正名；⑹考作者；⑺核卷次；⑻辨偽作；⑼刪複出；⑽存剩本等十項優點，可以看出編輯態度的嚴謹；與《叢書集成初編》相較之下，《百部叢書集成》青出於藍而勝於藍。⓬而其中最大的特色便是在於版本的部份，嚴一萍為此增補更換了不少的足本及校本，在各個小叢書前的總目下說明一項中，都有詳細的記載。

由於古書之善本極少，有的話也多珍藏在珍本、善本室內，借調困難，閱讀上也多有所限制。但是由於《百部叢書集成》採用原刻影印的方式，使得善本古籍可以流傳，並合多種叢書為一套大部頭的叢書，放置在一處，使之使用便利，易於檢索，亦有助於研究上的效益。

由於《百部叢書集成》所收之叢書上自宋代，下至清末，且多具有重要價值，等於是歷代叢書之集大成。而從版本研究的角度來看，自宋至清，並收有國外的書籍及版刻，也相當於一部圖書版本的演變發展史。對於研究版本的讀者而言，亦是一部極方便的基礎書。且以叢書為綱，原刻影印保留住原本版刻特色，也完整呈現歷代的版刻款式。除了可以與同時代的叢書作比較之外，亦可與歷代的叢書作一對照，有利於版本的比較研究。翻閱此一套叢書，對於基本的版刻行式都可以有所了解。

對於學術研究者而言，由於善本書的借調不易，影印尤難。而《百部叢書集成》採影印出版，則免去了借閱困難的手續，故有助於研究者的使用。

⓬ 洪湛侯：《中國文獻學新探》（臺北：臺灣學生書局，1992 年 9 月），頁 228。

四、缺　失

莊氏在歸納此一時期（1949－1973）叢書出版的特點另提到：

> 合則為叢書，分則單行。近年所編刊之叢書，絕大多數均可單行，乃適應市場需求使然。因叢書的內容複雜，讀者無須全購。⓭

由於叢書的內容豐富，讀者使用時通常只查找自己需要的那一部分，如小說研究者常用的便是《古今說海》、《顧氏文房小說》及《稗海》、《稗乘》等小叢書，對於其他性質的小叢書便不是那麼需要。然而《百部叢書集成》卻有者無法單行的理由。

由於《百部叢書集成》有著重足本、選校本的特性，且一個子目書頂多只收錄兩個左右不同的叢書版本，便使得有些沒收到書的小叢書有了缺書。有的小叢書便會因為其子目書的版本不如其他的小叢書，便會一直缺書，便成了叢書之名而無叢書之實的情形。如《八史經籍志》原有十一部子目書，但是《宋史藝文志補》、《補遼金元藝文志》、《補三史藝文志》、《元史藝文志》的版本不如《史學叢書》的精善，故沒有收錄，《八史經籍志》便只剩下七部子目書，不是一個足本。故使得《八史經籍志》無法單行，必須與《史學叢書》配合使用。而一部小叢書中的部分子目書若被其他不只一種的小叢書所收，則配合使用的小叢書數量便會增加。如《史學叢書》中的部分子目書分別被《指海》、《經訓堂叢書》、《嶺

⓭　莊芳榮：《叢書總目續編》，頁7。

南遺書》所收，使用時便必須與上述這些小叢書配合使用。另外如《秘書二十一種》，本身二十一種子目書一本都沒有留下，全都被其他叢書的版本所取代，根本無法單行使用。這樣的做法，不但增添使用上的困難，也使得《百部叢書集成》不可能單行出版。也使得《百部叢書集成》有下列的缺點。

㈠售價昂貴

由於《百部叢書集成》不能夠單行使用，故在購買時便需要全數購足。《百部叢書集成》出版之後，其售價便高達新臺幣五十四萬。⓮對於一般的使用者而言，是一個極為沉重的負擔。且所需的空間也不小。故除了學術機構及學校圖書館之外，一般的人都難有能力承擔。故莊氏云：

> 叢書價格昂貴，少則數千，多則上萬。《百部叢書集成》每部高達五十四萬，連同續編三編，則逾八十萬。以此價格，私人力有不逮，即國內外圖書館及其他學術團體有此能力購置者，亦寥若晨星。即使有能力購置者，亦視之如珍寶，對讀者使用往往多加限制。⓯

由於購買不易，使得有能力購置者對此一叢書極為重視。有些圖書館便放置在珍本室內，出借調閱皆十分困難，也造成讀者的不便。

⓮ 同上註，頁 8。

⓯ 同上註，頁 8。另根據林春輝編：《資訊式全國圖書分類目錄》中的記錄，1984 年《百部叢書集成》的訂價為 81 萬。頁 52。

再者，因擁有者視之為珍寶，雖然是影印本，其限制一同於善本書，也同樣造成使用上的困難。而某些擁有《百部叢書集成》的圖書館，將總目、索引放置在參考室內，《百部叢書集成》則放置在珍本室內，所以檢索一書常會來往數趟，否則便要去檢閱小叢書前的總目，對於研究者而言，實無助益。

㈡缺少提要

張元濟在編輯《叢書集成初編》時曾經為所選的叢書撰寫過提要。簡單記述刻書故實、版本流傳及優劣評斷，有助於對叢書狀況的了解。然而《百部叢書集成》卻捨棄此份提要，只在每一部小叢書前附上總目，只交代說明其版本、作者等資料，對於叢書的性質則無介紹；對於使用者而言，不知道自己使用的這部小叢書的性質，殊為可惜。此為《百部叢書集成》不及《叢書集成初編》之處。此外，小叢書內有關子目書的總目又只附在每一部叢書之前，並沒有單行出版。若使用者要使用時則必須一部部的翻閱方能知其子目書的情形，也甚為不便，並造成時間的浪費。

古籍影印雖然能保存古書原貌，保留其書原有的特點，有利於初學者研究版本之用。但是因為遷就善本的原故，只留下一種或兩種較好的版本而沒有留下另外的版本，使之無法對照，也無從得知書籍在版本流傳時的變化，對於版本的研究者仍無助益。再者，由於留下足本，放棄缺本，在作內容比對時仍然要找出缺本方能比較，無形之中又增加了不少的查索的手續。一個時期的版本有其版本的特色，若由於留下善本的緣故而捨棄此一部叢書原本的版本特色，則未免失當。

結　語

《叢書集成初編》在叢書史上有其重要的地位，但因戰亂的原故無法出齊，對於當時的學術界而言是一項損失。而《百部叢書集成》則依據《叢書集成初編》的基礎，另外吸收了當時的學術成果，形成一部有自己特色的叢書。與《叢書集成初編》相較之下有後出轉精的長處。尤其在版本校勘上，更有者精審可信的優點，頗受使用者的好評，並在學術使用上有很大的助益。對於初識版本的使用者而言，也提供了一個完備的利用資源。

在五、六十年代出版的叢書，雖然以影印出版為最多。但是卻由於某些出版商動輒改纂原書名及編著者，或選擇底本並非善本，或影印時對於原書卷數及版口處予以忽略漏印，為人所詬病。但《百部叢書集成》則沒有此一缺失，對於作者及編著者都仔細考其真偽，卷數則收其最全，版本則細心考校，補其缺漏，故成為當時另外一部影響重大的叢書，其影響至今猶存，不因目前《叢書集成初編》出全而有所改動。且在整理古籍的觀點上，《百部叢書集成》編輯工作的完善，也有其特殊的地位。

新文豐《叢書集成新編》一至三編試論

鄭誼慧*

一、前　言

民國初年，商務印書館的張元濟、王雲五編輯刊印了《叢書集成初編》，選擇了宋、元、明、清各具有代表性的一百部叢書，彙刻為一部「叢書中的叢書」，其子目書剔除重複者則有四千一百零七種❶，分訂四千冊。其中依據的標準為「罕見與實用」。罕見為流傳孤本，實用則為適應需要。故許多罕見及不易流傳的書都因此而得以流傳，在保存文獻上有莫大的功用。為了適應需要，在分類上採用當時中外圖書統一分類法，且絕大多數採用排印，並加以斷句；有不宜排印者則改為影印，以符合「經濟實用」的需求。後因戰亂關係無法出齊，只出了三千四百六十七冊，卻仍然對後世的古

---

*鄭誼慧，東吳大學中國文學系碩士。

❶ 劉尚恒：《古籍叢書概說》（上海：上海古籍出版社，1989 年 12 月），頁 28。

籍整理與學術研究產生了極深遠的影響。

臺灣的藝文印書館於一九六五至一九七〇影印出版了《百部叢書集成》，選書一同於《叢書集成初編》，只是將重新排印改為原刻影印，現代圖書分類改為四部分類，子目為綱改為叢書為綱，完整保留叢書的原貌。在學術研究及古籍整理上，也有很大的貢獻。而臺灣商務印書館有鑒於當時國內有全套《叢書集成初編》者，不滿十部；學術界的需要也有緩急之分；故在一九六五年年底開始出版《叢書集成簡編》，從《叢書集成初編》四千餘種子目書中選出符合當時的實際需要者一千零三十一種，分訂八百六十冊，約為《初編》的四分之一，於一九六六年出齊。❷且以「一書自成一冊為原則」，故在使用上，尚稱便利。

一九八三年，北京中華書局徵得商務印書館的同意，重印了《叢書集成初編》的已出部分，並且將之前未出的五百三十三冊也補印出齊❸，使得《叢書集成初編》成為完帙。而臺灣的新文豐出版公司則於一九八五年依《叢書集成初編》的選書標準，重新編印了《叢書集成初編》的一百部叢書，並定名為《叢書集成新編》。另外在此基礎上更進一步，繼續刊印了《叢書集成續編》與《叢書集成三編》，接續於《叢書集成新編》之後。形成「叢書集成」系列，對古籍整理有相當程度的貢獻。

（以下簡稱為《初編》、《新編》、《續編》、《三編》）

---

❷ 王雲五：《叢書集成簡編・序》（臺北：臺灣商務印書館，1965 年 8 月），頁 3。

❸ 程毅中：〈古代叢書與《叢書集成》〉，收於《文史知識》2000 年第 1 期（2000 年 1 月），頁 33－38。

二、新文豐編《叢書集成新編》

《叢書集成新編》於一九八五年重新影印出版，其所收書與《叢書集成初編》完全相同。共一百部叢書，四千一百餘種子目書，二萬餘卷；採用中外圖書統一分類法，共分為十大類，類下再區分出五百四十一小類。以十六開本分裝成一百二十冊，並附有總目、書名索引、作者索引一冊。在其〈總目簡說〉第一條中云：「本編集古今叢書之大成，所收輯較往年商務印書館刊者為完備，故定名叢書集成新編」。其分類也一同於《叢書集成初編》，分類編排出版。並在每一冊的書脊上都標明部類名目，便於讀者查詢，而每一冊都附有本冊內的目錄及所屬的叢書名稱及頁數，亦有利於檢索。

㈠對《初編》的補足

商務印書館的《初編》編輯態度上依循著「實用」的原則，可以排印的排印，不利於排印則影印，如古文字或石經遺文，使得一書之中體例不一。《新編》基本上依循此一原則，但《新編》對於《初編》仍有所改進。當時的《初編》因戰亂的關係有五百多冊未及刊印出版，《新編》則全數補齊；並在目錄上標記出來。如第二十冊中的名家哲學類下的《公孫龍子》、《公孫龍子注》、《尹文子》、《鄧析子》、《人物志》四書皆是當時《初編》未及刊印之書，《新編》在書名上都作有「＊」的標記，以示區別。而對於這些《初編》中未及刊印的書，《新編》都另外做了校勘的工作，如在書後附上了《四庫提要》或《四庫提要補正》、《四庫提要辨證》等。宋代董史的《皇宋書錄》，則另外附有《外篇》及《四庫提要》、《四庫提要補正》、《四庫提要辨證》及《四庫提要補辨》；漢代郭憲的《漢武帝別國洞冥記》，也另外附上了《提要》、《補正》、《辨證》；或是採用校本，如宋代汪若海的《麟書》，則為明代陳眉公的訂正本，宋代李昌齡的《樂善錄》則附有《提要》及《校勘記》，在此都可以看出《新編》在校勘上的用心。

另外在索引冊內附有〈新編百部叢書提要〉，以了解某一叢書的版刻、卷數、時代及內容等，乃參考商務《初編》的〈叢書百部提要〉而成。在其〈新編百部叢書提要〉的前言中有云：「特參考商務原刊〈叢書百部提要〉，缺漏者增補之，訛誤者釐正之，冠於總目之前。」如清代李調元所輯《函海》的提要，原《叢書集成初編》張元濟的提要為：

> 調元字雨邨，號墨莊，四川綿州人。乾隆癸未進士，由廣東學政，監司畿輔。正值四庫初開蒐采遺書之日。與往年翰院同館諸人，尺素相通。因得借觀內府藏書副本，雇胥鈔錄，復開雕以廣其傳。始於乾隆辛丑秋，迄壬寅冬，裒然成帙。❹

而《新編》的提要則為：

> 調元字雨邨，號墨莊，四川綿州人。乾隆二十八年（1763年）進士，由廣東學政監司畿輔，正值四庫初開蒐採遺書之

❹ 張元濟：《叢書集成初編目錄・叢書百部提要》（北京：中華書局，1983年8月），頁27。

> 日。與往年翰院諸同館人尺素相通，因得借觀內府藏書副本，雇胥鈔錄，復開雕以廣其傳。調元蜀人，於錦里耆舊之著作，刻意蒐集，太半梓行。本編始於乾隆四十六年秋，迄於四十七年（1782年）冬，裒然成帙。❺

由上可知《新編》在《函海》的提要中，特別著重其特色，使得此叢書的性質更為明顯，有助於後世使用者利用。而將原本張氏〈提要〉中的干支紀年改為西元紀年，也便於參考。

㈡檢索方便

為方便讀者查閱，在其《索引》一冊內有總目、書名索引及作者索引。

在總目的部分，由於《新編》採用的是中外圖書統一分類法，故其分類的安排同時也是其冊次的排序，如總類是第一冊到第十四冊，哲學類是第十四冊到第二十六冊，依類排次完成。先總類，後子目，依次著錄書名、卷數、附錄文獻資料、時代作者，所屬叢書的簡稱及冊別頁次。讀者只要依類查找，便很容易找到其子目書。

在書名索引方面，以書名為主，不著卷數及附錄文獻，依筆畫多寡為序。一書而有兩名者，則分別列條，並各加注另一名稱。如《祝子小言》（又名：《環碧齋小言》）；《彭文憲公筆記》（又名：《丁齋雜錄》）。書名相同而作者不同，則並列作者。如：

---

❺ 新文豐出版公司編輯部：〈新編百部叢書提要〉，收於《叢書集成新編·索引》（臺北：新文豐出版公司，1986年1月），頁34－35。

《賓退錄》（宋 趙與時撰）

《賓退錄》（明 趙善政撰）

以示區別。同一書而經不同人校注，亦加注校注人姓名。如

《鄭志》（錢東垣校訂）（秦鑑附錄）

《鄭志》（王復輯）（武億校）

皆有助於讀者檢索查閱。

在作者索引方面，則分有原撰著人及後代重編者、注疏者及校證者等，特別標出了撰、纂、輯、校、注、著、譯等字樣，以示有別。如宋代的王應麟，「撰」有《小學紺珠》、《詩地理考》、《詩考》，「撰集」有《古文尚書》，「著」有《漢制考》、《六經天文篇》、《通鑑地理通釋》，「輯」有《鄭氏周易注》、《周易鄭注》、《尚書鄭注》，「補注」有《急就篇》。清代的錢大昕則「撰」有《補元史藝文志》、《宋遼金元四史朔閏考》、《元史氏族考》、《二十二史考異》，「纂」有《恆言錄》，「著」有《竹汀先生日記鈔》，「述」有《聲類》，「修改」有《地球圖說》，「編」有《疑年錄》。除了使讀者能於作者所著作的書目一目了然外，也對於書的性質有所了解。另外，對於作者姓名，原書不詳或舊有錯誤者，也都予與補訂及改正。

㈢缺失

1.拼版失序

由於《新編》的排版編輯大多採用影印剪貼的方式而成，〈總

目簡說〉第七條云：「排印方式以經濟實用之四合一版為主，有不宜排印者則改以九合一版」重新排印因有標點斷句，故排版時可依順序，不易出錯。但原刻影印則因礙於無標點斷句，故版面拼湊則有與原書出入的情形。如第十九冊的《古文參同契集解》，第二十五冊的《通占大象曆星經》，第七十冊的《山谷題跋》、《晦庵題跋》、《西山題跋》都有此一現象。原本版面的排序有葉次或版心、牌記可循，拼湊時若能依順序對齊則可以避免此一情形。但《新編》在拼湊這些版葉時卻捨棄了版心及葉次，直接採用文字部分來拼湊版面，且順序有所錯誤，故使使用者無法閱讀。

這樣的拼湊方式所造成的失誤，顯然是編輯過程中有所疏忽而致。對於一套印刷精美，選書優良，檢索便利且校勘精審的叢書而言，無疑是最大的遺憾。

2.中外圖書統一分類法

中外圖書統一分類法是王雲五所創，跟四角號碼檢字法相關。原本只用於商務印書館所出版的圖書，如原本的《叢書集成初編》及《萬有文庫》等，後延用到商務的東方圖書館的圖書分類。但是以目前臺灣圖書館所用的圖書分類法中，中外圖書統一分類法並不常見，大部分的圖書館多使用賴永祥的中國圖書分類法。一般的讀者不是習慣中國圖書分類法，就是慣用傳統的四部分類。新文豐已經新編了《叢書集成》，卻仍然延用王雲五的分類法，在現實上並不符合實際需要。

三、《叢書集成續編》

新文豐自開始籌印《新編》時，也同時在進行《續編》的準備工作。故在《新編》的〈編刊說明〉：「蒐集彙印兩百種重要叢書，仍以罕見與實用為原則，真乃集叢書之大成，且與商務、藝文出版者不盡相同，故名曰新編。」故有學者誤以為《新編》所收叢書總數與商務的《叢書集成初編》不同。❻

(一)內容體例

《續編》編輯工作開始於一九八六年初，仍以罕見與實用為原則，選取了清初至民國三十七年（1948 年）所編印的叢書一百五十一種。汰其重複及《初編》已收者，共有四千七百餘種子目，兩萬餘卷，依舊採用中外圖書統一分類法，共分為十大類，三百八十五小類。以十六開本分裝成二百八十冊，並附有總目、書名索引、作者索引一冊，於一九八九年出版。《續編》與《新編》一樣，都在每一冊的書脊上標有分類名稱，書內有本冊的目錄，以供讀者檢索。索引冊中除了總目、書名索引、作者索引外，另外增加了「收藏地點」一項，表示其叢書的收藏機關或學校，符合現實需要。另外與《新編》一樣撰有〈叢書提要〉❼，可供讀者參考。《續編》

---

❻ 王良海：〈叢書叢中之叢書──《叢書集成新編》評介〉，《出版工作·圖書評介》1997 年第 11 期（1997 年 11 月），頁 111－112。

❼ 〈提要〉的撰寫者為王德毅與甯慧如小姐，甯慧如小姐當時為臺大歷史研究所碩士班學生。《叢書集成續編·索引》（臺北：新文豐出版公司，1991 年 7 月），頁 5。

共收有普通叢書一百一十部，專科叢書六部，地方叢書三十五部。

1.**普通叢書**

普通叢書依時代先後分為清代前期十三部，清代後期四十九部，民國四十六部，其它二部，合計一百一十部。

清代前期的叢書有以藝術鑑賞內容為主的曹寅《楝亭叢書》，以明清小品為重的張潮《昭代叢書》及《檀几叢書》，多收五經文字音義字疑及算經的孔繼涵《微波榭叢書》。另外還有黃奭的《清頌堂叢書》，專收近世江南作者之作品，陳喬樅的《小瑯嬛館叢書》則專收其考經之作，楊紹文的《受經堂彙稿》則收張惠言及其友人著作。

清代後期則選有楊以增的《海源閣叢書》，其中的《蔡中郎集》為目前最足之本。蔣鳳藻的《心矩齋叢書》則延續其《鐵華館叢書》，多收傳世未廣，或少見的著作，而《心矩齋叢書》的傳本在後世也極為罕見。張壽榮的《花雨樓叢鈔》，所收的部分子目書雖非全書，但選擇精雅，校勘嚴謹。朱記榮的《槐廬叢書》，多收清人經說及金石書為多。王先謙、繆荃孫的《南菁書院叢書》，專錄清人有關考訂的著述，可視為《皇清經解續編》的補遺。傅雲龍的《籑喜盧叢書》仿黎庶昌《古逸叢書》之例，影印日本唐刊卷子本陶淵明文，也是難見的珍本。劉世珩的《聚學齋叢書》，所收書除了原刻本外，多為稿本、抄本。與李盛鐸的《木樨軒叢書》及徐乃昌的《積學齋叢書》、《鄦齋叢書》，同為專收清儒輯述著作。另有張蔭桓的《西學富強叢書》，所收以翻譯西書為主，可反映當時時代背景。沈宗畸的《晨風閣叢書》所收清代私人藏書目錄，多具有代表性，如朱彝尊的《潛采堂書目四種》，佚名編的《滂喜齋宋元本書目》。另外所收的唐宋人著述，也多為難求之本。而繆荃孫的《藕香零拾》、《雲自在龕叢書》，葉德輝的《觀古堂彙刻書》，也多為後世所稱。

民國時期則收有張鈞衡的《適園叢書》❽，仿《知不足齋叢書》體例，所刻多為罕見的歷代著述。而《擇是居叢書》則仿《士禮居叢書》之例，影印宋元舊本，如《卻掃編》、《湘山野錄》皆據宋刊足本影印，甚為後世所重。廣雅書局所編的《廣雅書局叢書》❾，分為經部、小學、雜著、史學、集部五類，史學部分已彙刻為《史學叢書》收入《初編》中，此處所收的為其他各類書籍。張元濟的《續古逸叢書》延續黎庶昌《古逸叢書》而編，所收多為善本或孤本，如郭象注《南華真經》，前六卷為南宋本，後四本為北宋早期刊本，皆極為珍貴。宋代章炳文的《搜神秘覽》，中國久已亡佚，唯有日本天理大學圖書館藏有宋代全本，也為海內孤本，極為後世所珍。羅振玉的《玉簡齋叢書》多收目錄學之書，以舊鈔本或手稿本、原刻本校刻，也頗為珍貴。另外還有《吉石盦叢書》影印日本諸家藏書及英法博物館所藏的敦煌卷子，皆為罕見之孤本；其他還有《殷禮在斯堂叢書》、《百爵齋叢書》也多珍貴難得之書。另外還收有個人著作的如葉德輝的《郎園先生全書》、況周頤的《蕙風叢書》、張其淦的《寓園叢書》、胡樸安的《樸學齋叢書》，對於作品的保存流傳也多有所助益。另有謝國楨的《國立北

---

❽ 清代後期另收有《張氏適園叢書初集》7種33卷，為宣統三年鉛印本。

❾ 《廣雅書局叢書》為光緒年間刊本。但廣雅書局於光緒晚年停辦，至民國六年才重新整理書版，選其版本一致者刊行。

平圖書館善本叢書》，張元濟的《海鹽張氏涉園叢刻》，也都有助於文獻保存。

其它二部為日人小室翠雲輯的《崇文叢書》，板倉盛明輯的《甘雨亭叢書》，所收均為日本學者有關於中國典籍的著作。

《崇文叢書》是日人小室翠雲（1874－1945）主編的。小室翠雲，原名貞次郎，是日本明治至大正間著名的南畫畫家，曾經代表日本到歐洲參加畫展，並擔任日本帝國藝術院委員，在近代日本南畫畫壇上有重要的地位。小室翠雲有感於日本先哲遺著及傳來故籍流傳不易，並以東洋文化維持為目的，故在東京設置崇文院，以《崇文院叢刻》之名刊刻出版先人著作。原本計畫每兩年一輯，共出五輯，但今只有二輯。共收日人著作二十三種，其書簡目如下：

第一輯

⑴書說摘要……安井息軒（安井衡）

⑵蕉窗文草……林述齋

⑶蕉窗永言……林述齋

⑷慊堂全集……松崎慊堂

⑸篆隸萬象名義……釋空海

⑹紫芝園漫筆……太宰春臺

⑺夏小正校註……增島蘭園

⑻讀左筆記……增島蘭園

⑼侗庵非詩話……古賀侗庵

⑽傳經盧文鈔……海保漁村

第二輯

⑾定本韓非子纂聞……松皋圓

⑿履軒古韻……中井履軒

⒀崇程……古賀侗庵

⒁崇孟……藪愨（藪孤山）

⒂萬庵集……釋萬庵（萬庵圓資）

⒃論語會箋……竹添光鴻

⒄東遊負劍錄……竹原彌太郎

⒅天民遺言……井河天民

⒆論語徵廢疾……片山兼山

⒇諧韻瑚璉……中井履軒

㉑毛詩輯疏……安井衡

㉒讀朱筆記……海保漁村

㉓樂我室遺稿……朝川鼎❿

其中，釋空海的《篆隸萬象名義》，是日人編纂字書中最古的，被日本政府定為「國寶」，楊守敬當年在日時也讚嘆不已。當時的葉德輝、黃侃等著名學者也都注意到此書的重要性，故此書的刊刻流傳，對於古籍的傳布及學術上的發展有莫大的助益。⓫

《甘雨亭叢書》為板倉勝明所輯。板倉勝明，一號節山，又號甘雨；是日本江戶時代安中藩的藩主，經史之學的造詣極深。他將江戶時代著名的學者三十多人的論文、隨筆、詩文等六十餘種作品

---

❿ 林師慶彰所編《日本儒學研究書目》（臺北：臺灣學生書局，1998 年 7 月），頁 888 中所載書目，少《履軒古韻》一書，另多《讀呂氏春秋》一書。

⓫ 《續編》中所收的《崇文叢書》只有 13 種 78 卷。即只有第 2 輯，第 1 輯未收。

收編為《甘雨亭叢書》。並為這些學者及學者之間的關係作了一個簡短的傳記說明。《甘雨亭叢書》共分為七集（別集二集），五十六冊，於一八四五至一八五六年刊行，其書簡目如下：

第一集

(1)文公家禮通考………室鳩巢
(2)仁齋日記……………伊藤仁齋
(3)格物餘話……………貝原益軒
(4)韞藏錄………………佐藤直方
(5)白石先生遺文………新井白石、立原翠軒編
(6)白石先生遺文拾遺…新井白石

第二集

(1)西銘參考………………淺見絅齋
(2)倭史後編………………栗山潛鋒
(3)澹泊先生史論…………安積澹泊
(4)湘雲瓚語………………祇園南海、同尚濂編

第三集

(1)狼疐錄……………………三宅尚齋
(2)赤穗義人錄………………室鳩巢
(3)烈士報讎錄………………三宅觀瀾
(4)萱野三平傳………………伊藤東涯
(5)大高忠雄寄母書…………赤松滄洲
(6)天野屋利兵衛傳…………賴春水
(7)大石良雄自畫像記………赤松滄洲
(8)奧羽海運記………………新井白石

⑼畿內治河記……………………新井白石

⑽芳洲先生口授……………雨森芳洲述、岱琳編

第四集

⑴尚書學……………………………荻生徂徠

⑵孝經識……………………………荻生徂徠

⑶孟子識……………………………荻生徂徠

⑷帝王譜略國朝紀……………伊藤東涯編

⑸東涯漫筆…………………………伊藤東涯

⑹奧州五十四郡考……………新井白石、広頼典補

⑺南島志……………………………新井白石

⑻鳩朝先生義人錄……………大地昌言編

⑼修刪阿彌陀佛經……………太宰春臺

⑽助字雅……………………………三宅觀瀾

第五集

⑴孝經啟蒙…………………………中江藤樹

⑵足利將軍傳……………………佐佐宗淳

⑶東韓事略…………………………桂山義樹編

⑷琉球事略…………………………桂山義樹編

⑸弊叟集……………………………栗山濳鋒

⑹木門十四家詩集……………新井白石編

《崇文叢書》與《甘雨亭叢書》所收之書，在當時都是很難見到的。新文豐將之影印出版，對於學術上有莫大的貢獻。

2.專科叢書

專科叢書共有六部，臧庸、臧琳的《拜經樓叢書》，收二人有

關經學的著作。王士濂的《鶴壽堂叢書》，多收王氏考訂經書之作。另有《上海掌故叢書》，收上海一方之文獻。崇文書局所編的《百子全書》，專收子部著作。清蟲天子輯的《香豔叢書》，以收與女性有關著作，且多為祕本或未曾刊刻之本。朱祖謀的《彊村叢書》則為詞類叢書。

3.地方叢書

地方叢書分為省區十二部，郡邑叢書二十三部。其中民國之後出版的有二十四部，佔了此類叢書的三分之二。

省區叢書有胡思敬的《豫章叢書》、盧靖輯的《湖北先正遺書》，以及《遼海叢書》、《安徽叢書》。郡邑叢書則有丁丙、丁申的《武林掌故叢編》及《武林往哲遺著》，孫衣言的《永嘉叢書》，陸心源的《湖州叢書》，劉承幹的《吳興叢書》，張壽鏞的《四明叢書》，翁長森、蔣國榜的《金陵叢書》，盛宣懷的《常州先哲遺書》可為代表。

從其所收叢書性質可知，地方性叢書明顯增多；以及在普通叢書中出現了以收集個人作品為主的叢書比例偏高，為此一時期的特色。從叢書發展的歷史來看，清代是叢書的鼎盛時期，加上乾嘉學風的影響，清代學者對於刻書特別注重版本及校勘的工作，故品質極高，各種類的叢書都有極高的成就。而蒐集刊刻地方先哲賢達的作品，既可以傳前人之書亦可以傳一己之名，且還有助於地方教化，故使得不少學者都對於鄉邦文獻投下不少心力，以示重視。此一風氣至民國建立後仍然不衰，從所收的叢書刊刻時間多在民國之後便可得知。故地方性叢書實為《續編》的最大特色。

㈡對《新編》的補足

《續編》跟《新編》所收的叢書在時代上有重疊，故所收的子目書也有所重複。在《續編》的〈敘錄〉中對此則特別做了說明：「子目書與初輯中所收者，遇有重複，其內容完全相同者則不予收編，如僅書名相同而作者為兩人，或同一作者而內容不同，皆並存之。」⓬大致上可以分成三種情形：

1.新編已收者，續編特收其補遺、補注或校勘記。

如《新編》所收的元代張翥的《蛻巖詞》為《知不足齋》的二卷本，《續編》所收的乃是《彊村叢書》的二卷本，並附校記。另漢代應劭的《風俗通義》，《新編》為《兩京遺編》十卷本，《續編》則收有清代補輯的《風俗通義佚文》一卷本。皆有助於使用。

2.新編已收各書，遇有版本較好、卷數多者續編亦收之，不避重複。

如宋代李昌齡所撰的《樂善錄》，《新編》所收的乃是《稗海》本兩卷，並附提要與校勘記。《續編》則收《續古逸叢書》本十卷，且為宋本。章炳文的《搜神秘覽》，《新編》所收的乃是《龍威秘書》本一卷，《續編》則收《續古逸叢書》本三卷，且為宋代全本。何晏的《論語集解》，《新編》已收，《續編》所收的則為唐代的卷子本十卷，並有附錄一卷。

⓬ 王德毅：〈叢書集成續編·敘錄〉，收於《叢書集成續編》第 1 冊（臺北：新文豐出版公司，1988 年 8 月），頁 4－5。

3.同書名同作者，而有兩種版本，就內容而言絕大部分不同，同樣兩編兼收。

如《新編》所收的吳萊《淵穎集》為《金華叢書》本十二卷，為詩集。《續編》所收的吳萊《淵穎集》則為詩文集十二卷，收入《續金華叢書》本中。

《續編》在《新編》的基礎上做了不少增補的工作，所補足的部分除了有後人著述之外，以難得的版本最為可貴，充分達到叢書典藏及廣為流傳的功能。

(三)缺失

《續編》所收的叢書多達一百五十一種，其子目書更多達四千七百多種。面對此大型的叢書，索引的編製則是必須的。索引乃是一書中除本文外最重要的部分，尤其是像這種數量高達兩萬餘卷的大型叢書，更是不可缺少。但是《續編》索引卻有疏漏，使讀者使用頗感不便。在目錄的部分，其目錄的頁次安排便與實際頁碼不合。如《永嘉叢書》的提要目次為七七頁，實際上則在七九頁。而書名索引及作者索引則多有錯誤，如李昌齡《樂善錄》在書名索引的部分標示為：〔021・001〕，但查檢第二十一冊總目卻無此書；反在作者索引的部分標示為：〔211・001〕，經檢索為第二一一冊，增添不少麻煩。再如收於第二〇六冊的宋徽宗《宋徽宗詞》，在作者索引中不論是用「宋徽宗」或「趙佶」都遍尋不到，若要檢索《續編》中所收其他宋徽宗的著作，則無法得知。

此外，《續編》大多以影印方式刊行，但所選的叢書底本良莠不齊，中有脫漏或模糊不清者，《續編》都另行檢索複本以配補更換。但有些礙於時間緊迫之故，或一時之間查無複本，則依原本影印。如第十四冊中的《禮經綱目》因版片破損無法配補，只好原書影印；其餘的拓印金石遺文字畫不清，或是手寫稿本字跡難以辨識，皆依原書影印。但未附校勘記或說明，造成讀者使用不便，則甚為可惜。

㈣與其他《續編》比較

商務印書館的《叢書集成初編》於出版之後，有遵循《叢書集成初編》的體例而編輯的《叢書集成續編》。目前所知的即有臺灣藝文印書館的《叢書集成續編》及上海書店的《叢書集成續編》兩種。

藝文印書館的《叢書集成續編》⑬，接續其所出的《百部叢書集成》之後，共選擇了清代到民國初年的叢書三十部。包括了彙編類叢書十二部，輯佚類叢書一部，方域類叢書三部，獨撰類十部，科別類四部。於一九七〇至一九七二年以原刻影印的方式出版。由於採用的是傳統的四部分類法，故又名《四部分類叢書集成續編》，表示與商務所出的不同。其所收的叢書與新文豐的《叢書集成續編》重複的有十五部，包括《適園叢書》、《聚學軒叢書》、《拜經堂叢書》、《遼海叢書》等。而上海書店的《叢書集成續編》則於一九九四年出版，依「流通稀少，學術價值較高以及研究工作實用」等原則選擇了明、清、民國時期所出版的叢書一百部，採用四部分類法分類編排影印出版，共有一百八十冊，卻未附提要

⑬ 藝文印書館的《叢書集成續編》，又稱為《叢書菁華一、二、三期》。

或總目、索引，甚為可惜。所收叢書種類與新文豐的《續編》重複者有七十四部。

這三種《續編》的時間斷限幾乎相同（上海書店的《續編》明代叢書只有四種⓮），所選的叢書也都以具有代表性的為主，故重複性極高。但新文豐的《續編》選擇叢書種類卻多達一百五十一種，為其中最多者。在分類上，藝文的《續編》與上海書店的《續編》同樣選擇四部分類法，所不同的是藝文的《續編》保留叢書原來的面貌，分函裝訂出版；而上海書店則將子目書以四部分類法重新分類編排，依類刊行。只有新文豐的《續編》是完全依循《初編》的十部分類法編排印行。此外，雖然三編所依據的選書原則不盡相同，卻都同樣指出「郡邑叢書」為此一時期叢書發展的最大特點。上海書店的《續編・出版說明》：「郡邑類叢書保存許多重要學術著作及較少流傳的地方文獻，本書特別注重這類叢書的選收。」可為此一時期的叢書發展做最好的註解。

四、《叢書集成三編》

九〇年代初期，新文豐開始《叢書集成三編》的選編工作。在其〈總目簡說〉第三條中特別說明：「三編所選叢書除以罕見實用為標準外，氏族與獨撰者為前兩編所不足，特為增編」⓯依「罕

⓮ 明代叢書四種為：《金聲玉振集》、《閒情小品》、《快書》、《廣快書》。

⓯ 〈叢書集成三編總目簡說〉，收於《叢書集成三編・索引》冊（臺北：新文豐出版公司，1999 年 2 月），頁 1。

傳、學術與實用兼顧」為主要考量，又以在臺灣各大圖書館方便借得之叢書為主要原則。選擇了清初至民國六十一年（1972 年），所編印的叢書九十六部。並以「氏族與獨撰類」為其主要特色。

(一)內容體例

《三編》選擇清初至民國六十一年（1972 年），與前二編所收以外所編印的叢書九十六種，汰其重複的，其子目書共有二千多種，八千五百餘卷。仍採用中外圖書統一分類法，共分為十大類，二百〇四小類；以十六開本分裝成一百冊，其中第一〇〇冊為前九十九冊的補遺。於一九九六年開始出版。並附有總目、書名索引、作者索引一冊，於一九九九年出版。其體例與前二編相同。在索引冊內都撰有〈叢書提要〉⑯，可供讀者參考。《三編》共收有普通叢書十部，專科叢書三十七部，氏族與獨撰叢書四十八部。⑰

1.普通叢書

普通叢書有黃奭的《漢學堂知足齋叢書》、趙詒琛的《峭帆樓叢書》、阮元的《選印宛委別藏》多收罕見祕刻之本。羅振玉的《楚雨樓叢書》專為考證金石之作，為後世人所稱重。

2.專科叢書

專科叢書有吳志忠輯的《經學叢書》，以清儒考經之作為主。劉盼遂的《段王學五種》，收段玉裁、王念孫父子之著作為主。嚴

⑯ 三編〈提要〉的撰寫者為王德毅與黃蘊中先生。《叢書集成三編・索引》（臺北：新文豐出版公司，1999 年 2 月），頁 5。

⑰ 依其分類，僅得九十五部。

式誨的《音韻學叢書》則專收音韻學著作。徐世昌輯的《顏李叢書》收有研究清代前期經世之學的重要著作。羅振玉的《明季遼事叢刊》、丁謙的《浙江圖書館叢書》、朱記榮的《九朝記事本末》多收史地著作。另還有上海書局的《筆記小說大觀》、上海文明書局的《說庫》多收說部作品。董康輯的《誦芬室讀曲叢刊》多為海內外孤本，查培繼的《詞學叢書》則為初學詞者的基本教科書。

3.氏族與獨撰叢書

其中收有莫友芝的《獨山莫氏遺稿》，為莫氏原稿本，頗為珍貴。劉鳳的《劉侍御全集》，《四庫》未收，《三編》所收為明萬曆刊本，也甚為罕見。另收汪中等人作品的《江都汪氏叢書》，黎庶昌輯其家人著作的《黎氏家集》，洪頤煊撰輯兄洪坤煊、其弟洪震煊的著作為主的《傳經堂叢書》，陳本禮、陳逢衡父子撰輯的《江都陳氏叢書》，都屬於氏族類的叢書。焦循的《焦氏叢書》，冒廣生輯收冒襄作品的《如皋冒氏叢書》，陳繼儒的《眉公叢書》、袁枚的《隨園全集》，錢大昕的《潛研堂全書》，紀昀的《鏡煙堂全集》、姚鼐的《惜抱軒全集》、郭嵩燾的《養知書屋合集》、陳垣的《勵耘書屋叢刊》，也多收個人性著作為多。

㈡編輯特色

《三編》的選書原則，除了是「罕見與實用外」；另以補足前二編所不足的為另一考量依據。故在此編中，氏族類與獨撰類的叢書大量選錄，成為《三編》的主要特點所在，並能補前二編之不足。使得《新編》、《續編》、《三編》不但各有特色且互相增補，成為一個具有連貫性的系列。

而自從《續編》開始，新文豐在整理這些叢書的時候便逐漸以影印為主，排印為佐。《三編》則因為多以稿本或抄本為主，故絕大多數都為影印，以保留其書的原本特色。在拼湊版面時也保留了版心及頁次，使得拼湊時不易失去其次序，可以完整保存原書樣貌。再者，《三編》在影印這些古籍時，遇有原書脫漏或是版片毀損時，未及影印時則陸續補印，收於最後一冊「補遺」之中，不因時間所限而直接印行，可為一大改進。

㈢缺失

《三編》於一九九六年三月刊行出版第一冊，書前附錄的〈叢書書名對照表〉則有九十六部叢書；一九九七年三月刊行出版最後一冊，近二年後〈提要〉才在一九九九年二月出版。在其〈總目簡說〉第一條：「繼《叢書集成續編》後，乃賡續精選叢書九十六部……」已經說明收有九十六部叢書，但在其〈叢書三編提要目錄〉，卻僅有九十五部。另在其〈書名、作者索引·編例〉第一條：「叢書集成三編，是從選編的九十三種叢書中……」同一書中，前後說法不一。對使用者來說，造成了甚大的不便。

新文豐的《新編》、《續編》、《三編》都依循當初商務《初編》的體例，撰有〈叢書提要〉可供讀者參考使用。《三編》收書九十六種，為三編之中最少的，但查其〈提要〉，卻只有九十三種。《石蓮盦彙刻九金人集》、《佚存叢書》、《馮定遠馮舍人詩集》三種叢書並無〈提要〉。而所缺的三種〈提要〉，在其索引冊中並無任何說明。且其中的《佚存叢書》與《新編》中的《佚存叢書》名稱相同，卻無從得知其內容大略，也不知道是否與《新編》

所收的相同；或是他人所輯的另一種叢書。讀者檢索時也無從得知其所收的叢書編者、版本、子目書等性質，使用時倍增困擾。

《三編》延續前二編的體制，並吸收其長處，補其缺失；基本上比前二編要來得良善。然而一編之中卻有收書不詳，編輯不嚴的情形，則頗為可惜。

五、結　語

《新編》、《續編》、《三編》共收叢書三百四十七部，子目書則有一萬一千餘種，總卷數在五萬卷以上，共有五百冊；這樣的規模相當於《四庫全書》的三倍。且中國歷朝各代的重要著作多搜羅在內，使得讀者檢索時都可以有得到最快速也最容易得到的底本，頗有助於學術研究。如編者在〈三編·編後記〉所言：「以研究宋史而言，十之六七的史料都在其中。」而對於文獻保存而言，使使用者免去不少借調善本的繁瑣手續。

張元濟在編修《叢書集成初編》時曾經對每一部叢書做有提要，對每一部叢書都做了精當的解題，附錄在《初編》目錄之前的〈叢書百部提要〉，是目前最早的〈叢書總目提要〉。[18]而《新編》、《續編》、《三編》都吸收了此一長處，在其索引冊中也附上了提要，不但有助於讀者參考，也使得從宋代到民國以來的重要叢書都有一份簡介與評價，有助於學術研究者的使用，為其主要的貢獻。

---

[18] 程毅中：〈古代叢書與《叢書集成》〉，頁36。

而從商務的《初編》以來，後世繼之者甚多。唯有新文豐的《新編》、《續編》、《三編》，是完全貫徹原本《初編》所訂的體例編制，尤以十部分類為最顯著的特點。商務的《初編》是依當時的實際需要所編纂，有其當時的考量。然而中國的古籍叢書在現今的使用上，仍習慣傳統的四部分類，十部分類是否適合「現實」的考量，則仍有考慮的餘地。

嚴靈峰所編各種叢書之檢討

簡崇元*

一、前　言

嚴靈峰（1904－1999），名明傑，以字行。福建連江人，原籍侯官。俄國莫斯科東方大學畢業。曾任上海藝術大學教授、國家總動員會議經濟檢察處處長、福州市市長、香港珠海書院教授兼訓導長，輔仁大學、國立臺灣大學教授，第一屆國民大會代表。著有《老子章句新編》、《列子章句新編》、《無求備齋諸子讀記》等書，並編有《無求備齋諸子集成》（含《無求備齋老子集成初編》、《無求備齋老子集成續編》、《無求備齋列子集成》、《無求備齋韓非子集成》等凡九種）、《無求備齋論語集成》、《無求備齋孟子十書》、《無求備齋易經集成》及《書目類編》等大型叢書共一十三部。

嚴氏為開翻印秘書之風，曾於民國四十六年（1957 年）夏間，計劃印行所輯《老子集成》，發布「徵求集資影印」啟事；然應者寥寥，遂告中止。直至民國五十四年（1965 年），在臺北藝文印書館主人嚴一萍之重提舊議並願獨資承印下，《無求備齋老子集成》

*簡崇元，東吳大學中國文學系碩士生。

得以問世。其後，嚴靈峰陸續編輯《無求備齋論語集成》、《無求備齋孟子十書》、《無求備齋老子集成續編》等一系列大型叢書。這些叢書，對於保存古書秘笈、推動學術風氣、方便專門研究等方面均有相當程度的影響與貢獻。

本文擬就嚴氏輯印各種叢書之動機、所編各種叢書之內容體例及評價等相關問題，為概略之論述。

二、嚴靈峰輯印各種叢書之動機

嚴氏所以用心於輯印各種叢書之動機何在？據其序跋所言，約有「開秘書翻印之風」、「起文獻保存之用」、「便專門研究之利」、「觀中華文化之止」四項。茲說明如下列各端：

㈠開秘書翻印之風

嚴氏謂自弱冠以來，醉心《老》學。其所涉獵《老子》專著不下數百種；既有《老列莊三子知見書目》之作，復覺見存各家《老子》書籍有廣事搜羅之必要。遂擬出無求備齋所藏，並假海內外公、私圖書館與藏書家之孤本遺篇，輯為一編，影印行世；計數百種，冀補正、續兩《藏》之闕佚，開秘書翻印之風。

㈡起文獻保存之用

嚴氏以學術為天下公器，善本名著，詎可私家自秘？況典籍之藏弆，聚散靡常。遠之如千頃堂、汲古閣；近之如海源閣、士禮居；其庋藏之富，差可媲美石室、蘭臺。一旦式微，旋歸他人所有；乃至殃於水火，飽於蠹魚。盍盡出秘藏，公之於世，用廣流傳，嘉惠士林。發潛德之幽光，啟後學之顓蒙。使我國數千年之文化遺產，得以永續不墮。

㈢便專門研究之利

嚴氏為求諸子之學不至失墮，遂輯現存歷代與諸子學相關著述之足供研究參考者為一編，按白文、傳注、評點、簡節、札記、校釋、箋證、音義、雜著、論文等類目，分別部居。專研之學者，備書一部，不煩尋檢之勞，而有功倍之效。

㈣觀中華文化之止

嚴氏以不讀先秦諸子之書，未足以明漢魏學術之流變；不考老、列、莊三子之學，無以知先哲思想之精萃。夫天下同歸而殊塗，一致而百慮。古聖輝煌之成就，實足媲美古代希臘、羅馬之文明。是則《諸子集成》之編印，其歷史意義之深長不言可喻。非徒保藏文化遺產、流傳版本而已，要在見我中華文化內容之包攬無遺、義蘊之廣博精深於天下也。

三、嚴靈峰所編各種叢書之內容體例

自民國五十四年（1965 年）三月《無求備齋老子集成初編》印行問世後，嚴氏持續進行各種叢書的編輯工作。茲按印行時間之先後為序，次第列示書名、印行年月、印行者如下列各端：

《無求備齋論語集成》　民國五十五年（1966 年）　臺北藝文

印書館

《無求備齋孟子十書》　民國五十八（1969 年）年十月　臺北藝文印書館

《無求備齋老子集成續編》　民國五十九年（1970 年）　臺北藝文印書館

《無求備齋列子集成》　民國六十年（1971 年）十月　臺北藝文印書館

《無求備齋莊子集成初編》　民國六十一年（1972 年）五月　臺北藝文印書館

《無求備齋莊子集成續編》　民國六十三年（1974 年）十二月　臺北藝文印書館

《無求備齋墨子集成》　民國六十四年（1975 年）　臺北成文出版社

《無求備齋易經集成》　民國六十五年（1976 年）　臺北成文出版社

《無求備齋荀子集成》　民國六十六年（1977 年）十月　臺北成文出版社

《書目類編》　民國六十七年（1978 年）五月　臺北成文出版社

《無求備齋韓非子集成》　民國六十九年（1980 年）四月　臺北成文出版社

《無求備齋老列莊三子集成補編》　民國七十一年（1982 年）九月　臺北成文出版社

以上嚴氏所輯各種叢書，合計凡一十三種。其中，除《無求備齋論語集成》、《無求備齋孟子十書》、《無求備齋易經集成》及《書目類編》四種外，餘九種合稱曰《無求備齋諸子集成》。

茲為論述行文之方便計，本文將嚴氏所編各種叢書分為《書目類編》、「無求備齋經學類叢書」與《無求備齋諸子集成》三部分加以討論。

(一)《書目類編》

《書目類編》一書的編輯，旨在彙印中、日兩國古籍目錄資料，以供各方研究參考之用。其中所錄圖書，除書目及與目錄學相關之各種著作外，揭示歷代公私藏書經歷、版本知識、刻版源流、重要書籍現藏、讀書門徑等相關問題之典籍亦在收羅之列。全編收書凡一百九十九種，以類為綱，共分十類：

1.「公藏類」：收書三十二種。如清姚振宗輯漢劉向《七略別錄佚文》一卷、劉歆《七略佚文》一卷，清葉德輝輯《秘書省續編到四庫闕書目》二卷、清阮元撰《四庫未收書目提要》、清傅維鱗撰《明書·經籍志》一卷等。

2.「私藏類」：收書四十三種。如明高儒撰《百川書志》二十卷、明陳第撰《世善堂藏書目錄》二卷、清朱彝尊撰《潛采堂全唐詩未備書目》一卷、清薛福成等撰《天一閣見存書目》四卷等。

3.「專門類」：收書二十四種。如唐費長房《歷代三寶紀總目》一卷、宋呂夷簡《景祐新修法寶錄略出》一卷、明釋寂曉《釋教彙門標目》四卷、胡韞玉《周秦諸子書目》一卷、不著撰人《日本續藏經目錄》一卷、姜亮夫撰《楚辭書目》一卷等。

4.「叢書類」：收書八種。如羅振玉撰《續彙刻書目》十卷、嚴靈峰《無求備齋諸子集成彙目》一卷等。

5.「題識類」：收書三十一種。如宋晁公武撰《昭德先生郡齋讀書志》五卷、清錢謙益撰《絳雲樓題跋》一卷、清黃丕烈撰《蕘圃刻書題識》一卷、羅振玉撰《雪堂校刊群書敍錄》二卷、張元濟《涉園序跋集錄》一卷等。

6.「版刻類」：收書十種。如孫毓修撰《中國雕版源流考》一卷、錢基博撰《板本通義》四卷、毛春翔撰《古書版本常談》一卷等。

7.「索引類」：收書二種。有陳乃乾《清代碑傳文通檢》一卷、不著撰人《敦煌遺書總目索引》一卷。

8.「論述類」：收書六種。有清丁申撰《武林藏書錄》四卷、清楊守敬撰《藏書絕句》一卷、清曹溶撰《流通古書約》一卷、清丁雄飛撰《古歡社約》一卷、清葉德輝撰《藏書十約》一卷、日本島田翰《皕宋樓藏書源流考》一卷。

9.「勸學類」：收書十二種。如清方東樹撰《書林揚觶》、清張之洞撰《輶軒語》一卷、姚名達撰《中國目錄學年表》一卷、梁啟超《國學必讀書目》一卷、胡適《一個最低限度的國學書目》等。

10.「日本類」：收書三十一種。如藤原佐世《日本國見在書目》一卷、丸屋源兵衛《寬文書目》、永田調兵衛《元祿書目》、竺徹定《古經題跋》二卷及《續古經題跋》一卷等。

各書均假自嚴氏無求備齋庋藏逕行影印。為免與同業重複，頗多善本寧予割愛。此外，凡現藏臺灣省內各公立圖書館及日本現有之公藏目錄均不收。

《書目類編》所收書目圖籍，具實用價值者頗多。例如公藏類中清傅維麟（？－1666）撰《明書·經籍志》，對明朝歷代帝王敕撰詔修之書記述頗詳；阮元（1764－1849）撰《四庫未收書提要》，有一百七十餘種修四庫時未及收得的珍貴古籍之提要。又如論述類中清丁申撰《武林藏書錄》，「採公私目錄，備古今掌故」。❶卷首紀清代建造文瀾閣的經過。卷上紀自宋至清，杭州一地官家藏書、刻書、採書與地方進書的概略，中間並載錄一些當地藏置的圖書版本的目錄。卷中至卷下，列載杭州歷代私家藏書之故實。卷末載僑寓杭州的藏書家，如宋周煇、周密、清鮑廷博等。對於研究版籍、藏書典故的學者，有其一定程度的史料價值。再如楊守敬撰《藏書絕句》，分詠各種板本。對於殿本、監本、公庫本以至梵夾本、日本足利本、巾箱本、石印本，各為一絕句以敍其特徵，並將有關這一種板本之原始材料附於詩後，可供研究板本流變的學者參考。

雖然，《書目類編》仍有其缺點。第一，就翻檢方便與否而言，全書一百餘冊，每冊又兼有數書，而〈總目〉中並未標注某書載錄於某冊，讀者每苦其檢書不易；第二，就書籍分類適當與否而言，有待斟酌商榷之處頗多。茲分項敘述如下：

1.論述類中所載各書，俱為「書林掌故」之屬，或可另立一類。

2.版刻類中的《中國雕版源流考》、《板本通義》、《古書版本常談》及勸學類中的《中國目錄學年表》、《目錄學叢考》、

---

❶ 丁申：〈武林藏書錄序〉，收於《書目類編》第91冊，頁40857。

《書林揚觶》似應歸論述類中。蓋《中國目錄學年表》係廣羅中國古來目錄學界之大事，依年代順敘。凡公私圖書目錄之編纂，與目錄編纂相關之校書、藏書、求書，乃至大部書之編纂、典書官制之沿革、藏書館閣之興廢等，均詳敍其原委始末，而與《中國目錄學史》互為表裡。程會昌《目錄學叢考》，係考訂古籍目錄之專門著作。至若清方東樹《書林揚觶》，專為著書而發論，凡十六篇。亟言著書立說之源流、凡例與原則，鉅細靡遺。

3.勸學類中，除《中國目錄學年表》、《目錄學叢考》、《書林揚觶》外，餘均多為書目舉要，似可改易為「舉要解題類」。

4.「日本類」中，專收日人之書，然版刻類中間有《十三經注疏影譜》、《文求堂善本書影》二種日人著作，似應迻返日本類中。倘不將其迻返日本類中，則應將日本類中《古經題跋》、《續古經題跋》等書歸入題識類，《經籍答問》歸入勸學類中。

以上四點，不但分類失當，更可說是體例不一的缺失。

㈡無求備齋經學類叢書

1.《無求備齋論語集成》

《無求備齋論語集成》之編輯，根據嚴氏的說法，係由於「大陸赤禍瀰天，高唱『薄古厚今』邪說，摧殘數千年文化傳統，視知識分子如仇讎；行見秦政焚坑之禍將重演於今日。返觀本省文教現狀，年來雖有碩學宿儒發揚孔孟學說，不遺餘力；惟有關此類較完備之參考書籍，則付闕如。尤可悲者，或則災梨禍棗，使謬種流傳；或者禁秘度藏，視同古玩，徒令有志學人望書城而興嘆。」❷於是繼《無求備齋老子集成初編》後，續編是集。

本叢書影印漢、唐、宋、元、明、清、民國以及日本之歷代與論語相關之重要著述凡一百四十八種。其據以影印之書，主要係無求備齋之見藏者，少部分則假自國內外之公私藏書。就所收書之版本風格特徵而言，有石本、寫本、刻本、鈔本四類。石本以漢、唐石經殘碑為主；寫本以敦煌殘卷為主；刻本以宋、元、明、清刋本為主；鈔本則以精鈔本為主。就版本之採擇而言，以影印善本為主，次選精鈔；重要簡明著作，雖屬排印，亦酌為採用，然為數不多。

所收書籍，以類為綱，凡分六類：一曰白文，計八種；二曰全解，計三十三種；三曰札記，計八十八種；四曰輯佚，計一十五種；五曰敦煌寫本，計三種；六曰索引，計一種。

《論語集成》中常見同書而不同版本共錄者。如《論語集解》十卷，收有天祿琳瑯叢書影元盱郡刊本、日本正平十九年刊本及日本津藩有造館刊本三種版本。版本不同，文字互異，可考書版之異，復得校讎之功。如〈學而〉第一「子曰：學而時習之，不亦說乎」下何晏集解，元刊本作「馬曰：子者，男子之通稱，謂孔子也。」而正平本作「馬融曰」；元刊本作「王曰：時者，學者以時誦習之。」而正平本作「王肅曰」。又如「孝悌也者，其為人之本與」一句，正平本作「孝悌也者，其人之本與」。其例不可勝舉。

---

❷ 嚴靈峰：〈無求備齋論語集成序〉，收於《書目類編》第 80 冊，頁 36137。

又《論語集成》中多殘石拓本，其中或有缺佚者。如白文類《漢石經論語》，前有馬衡撰集石經殘石之釋文及考訂，後附石經殘石拓本。按：拓片中缺圖四七二（馬氏自按：此石昔曾見有拓本，今徧尋不得，俟訪之。）、四七三、四七四、四七五（按：同圖四七二之馬氏自按）、四七六、四七七、四七九、四八〇、四八三、五〇〇。嚴靈峰附注云：「以上係節錄馬衡《漢石經集存》（七）論語部分，其編號即為《集存》全書之編號。圖版部分不如釋文之多，其所缺者，皆為原缺。」圖版所缺，雖為原缺，然倘嚴氏於輯印時，能補足所缺之圖版，將不致有所缺憾矣！

《論語集成》中有名同而實異者，亦有名異而實同者。名同而實異者，如康有為與黃奭所輯之《論語注》、惠棟與伊藤仁齋之《論語古義》、蘇轍與林春溥之《論語拾遺》、員興宗與昭井一宅之《論語解》、陳鱣與太宰純之《論語古訓》。名異而實同者，如張栻《南軒論語解》與《癸巳論語解》二者，實係一書。然因前者為通志堂經解本，後者為學津討源本，版本俱佳，故並存之。

全書採中式線裝，分訂三百零八冊。雖精緻典雅，然讀者尋檢，頗為不便。

2.《無求備齋孟子十書》

繼《無求備齋論語集成》之編印後，民國五十八年《無求備齋孟子十書》出版問世。嚴氏表示：「《論》、《孟》並為我國儒家之正統思想。當茲海內外廣泛推行文化復興運動之際，此為不可或缺之典籍。故續予編印，用廣流傳。」❸

---

❸ 嚴靈峰：〈無求備齋孟子十書・編輯要旨〉。

《無求備齋孟子十書》以影印漢、宋及清代重要《孟子》著述為主，收有《孟子白文》七卷、漢趙岐《孟子趙注》十四卷、宋許謙《孟子叢說》二卷、宋孫奭《孟子注疏》十四卷（附《音義》二卷）、宋朱熹《孟子集註》七卷、清戴震《孟子字義疏證》三卷（附標點本三卷）、清趙順孫《孟子集註纂箋》十四卷、清俞樾《孟子平議》二卷、清朱亦棟《孟子札記》二卷及清焦循《孟子正義》三十卷，凡十書。蓋歷代《孟子》之相關著述，實不及《論語》之多。雖僅收書十種，然已包括白文、注疏、箋證、音義、札記等，一應俱全。嚴氏自謂「備此十書，已足基本研究」。❹

就所收注疏而言，《孟子趙注》十四卷為現存最早且完整的《孟子》注本，保留了漢儒對《孟子》的看法。其箋釋文句，淺要簡明，頗似後世口義，與漢儒注經之重視名物訓詁不同。注文雖不如後來者精善，然不失其奠基之功。又如宋朱熹《孟子集註》七卷可視為集宋人說解《孟子》之大成之作。注重義理之闡發，頗能掌握《孟子》內容之精要；偶有以理學說解章句者，說理固然精當，卻非《孟子》本義。本書雖曰「集註」，然非徒會集各家之說耳。蓋其中多朱熹個人之心得；且其所徵引者，雖為朱氏所尊崇，亦各有去取。至若其訓詁方面，大抵採趙岐之說，尚稱平穩妥貼。又如清焦循《孟子正義》三十卷可視為集清人說解《孟子》之大成之作。其所徵引之資料極其廣博豐富，名物制度之考證甚為詳細精審。雖以考據見長，亦能兼重義理。凡於趙《注》有所疑者，則不惜抉發並為補正。此舉雖不合「疏不破注」之傳統，然甚俾益於讀

---

❹ 同註❸。

者也。

至若本叢書中所收版本，均為宋、明、清三朝善本。如《孟子白文》為宋刊巾箱八經本，《孟子注疏》為明汲古閣刊本，《孟子字義疏證》為指海本。此外，戴震《孟子字義疏證》附新式標點排印本，編者意在於便利讀者閱讀。然筆者以為：本叢書既為提供學者研究《孟子》學說之用，則是書之讀者應具備相當之古文閱讀能力，自無庸附上新式標點排印本；且新式標點排印本易索，惜哉徒負畫蛇添足之誚。

3.《無求備齋易經集成》

《無求備齋易經集成》之編輯，據嚴氏的自序中所說：「非但為保護古代文物，非但為提供學者研究；欲有以倡導學術風氣，勗國人共喻夕惕朝乾之大義也。」❺

本叢書係影印現存中國歷代《易經》相關著述及近代名家論說而成，凡涉及版權者概不收錄。共收錄《易經》相關著作計三百六十二種，一千六百一十四卷，三百一十九家，凡分十五類。具體而言：正文類收宋刊八經巾箱本《周易》白文一卷一種。傳注類六十九種，如魏王弼《周易注》十卷（附唐陸德明《音義》並孟森〈校勘記〉）、唐魏徵《周易治要》一卷、宋蘇軾《東坡先生易傳》九卷、元吳澄《易纂言》十二卷、明李贄《易因》六卷、清張爾岐《周易說略》及近人楊樹達《周易古義》七卷等。通說類四十種，如宋呂祖謙《古周易》一卷（附《古周易考》一卷）、元許衡《讀易

---

❺ 嚴靈峰：〈無求備齋易經集成序〉，刊於《無求備齋易經集成》（臺北：成文出版社，1966年1月），頁5。

私言》一卷、清黃宗羲《周易象數論》六卷、清惠棟《易漢學》八卷及近人錢基博《周易解題及其讀法》一卷等。札記類四十八種，如宋程大昌《易原》八卷、明楊慎《易經說》二卷、清王夫之《周易稗疏》四卷及近人于省吾《周易新證》四卷等。答問類七種，如宋歐陽脩《易童子問》三卷、清李光地《榕村易經語錄》一卷等。音義類十一種，如清江有誥《易經韻讀》一卷。圖說類二十三種，如唐呂岩《易圖》一卷、宋吳仁傑《易圖說》三卷、元張理《易象圖說內篇》三卷（附《外篇》三卷）、明馬一龍《元圖大衍》一卷、清惠棟《周易爻辰圖》一卷及近人杭辛齋《易數偶得》二卷等。略例類六種，如魏王弼《周易略例》一卷及清王夫之《周易內傳發例》一卷等。占筮類十一種，如宋趙汝楳《筮宗》一卷、清黃奭《京房易雜占條例法》一卷等。雜著類十一種，如宋朱熹《周易參同契考異》一卷、明王文祿《參同契疏略》一卷及清黃奭《衛元嵩易元包》一卷等。緯書類四十四種，如《易緯乾鑿度》二卷、清孫詒讓《易緯札迻》一卷及清黃奭《河圖緯》等。校勘類一十八種，如唐郭京《周易舉正》三卷、清盧文弨《周易注疏校正》一卷、清阮元《周易校勘記》九卷、近人羅振玉《敦煌古寫本周易王注校勘記》一卷等。輯佚類五十六種，如宋王應麟《周易鄭康成注》一卷、明姚士粦輯《陸氏周易述增補》一卷、清馬國翰《漢魏晉唐四十四家易注》五十八卷、近人徐昂《周易虞氏學》六卷等。彙考類八種，如宋林光世《水村易鏡》一卷、明胡應麟《易經正譌》一卷、清全祖望《讀易別錄》二卷及近人張心澂《周易通考》一卷等。論辯類四種，如近人李鏡池等《周易辯論集》一卷等。編者自謂「象數、義理、遺佚、新說，包括無遺❻」、「足供研究《易》學之充分參考。備此一部，可以受用不盡。」❼此外，其所收各書均以著述之年代先後而排序，間有已附於他書者，僅列其書目。如劉承幹《周易正義校勘記》已附於唐孔穎達《周易正義》中，故校勘類中僅列其書目而已。

至若本叢書中各書版本之採擇，計有宋刊六種，元刊三種。宋、元舊刻，或依原刊，或就景本；皆從善本，豪芒畢肖。明、清諸本，亦儘量選用原版，皆無求備齋所自藏。❽如《周易》白文一卷用宋刊八經巾箱本，《周易鄭康成注》一卷用元刊本（附張元濟〈跋〉），《大易象數鈎深圖》三卷用明正統十年刊《道藏》本，《易卦圖說》一卷用清道光四年刊《東壁遺書》本。

《無求備齋易經集成》常有作者誤植之狀況發生。如輯佚類中《陸氏周易述增補》一書，本係吳陸績所撰，明姚士粦采李鼎祚《集解》、陸德明《釋文》及陸績所注《京房易傳》彙而成之，後由清孫堂增補。嚴氏誤作姚撰。又《干寶易解》係明樊維城彙編，姚士粦訂閱，而嚴氏誤以為姚撰。作者誤植之例於嚴氏其他叢書中亦多見，茲不贅舉，讀者自明。

《無求備齋易經集成》採精裝方式發行，且於目錄所載各書條目之下，均附其所屬冊數，檢索使用，堪稱便利。

---

❻ 嚴靈峰：〈無求備齋易經集成・編輯要旨〉，頁1。

❼ 同上註，頁2。

❽ 同上註，頁1－2。

㈢《無求備齋諸子集成》

1.《無求備齋老子集成初編》

《無求備齋老子集成初編》一書之編輯，旨在保存我國文化遺產，並防意外散佚，用廣流傳。其非如商務印書館《叢書集成初編》一般另行排印，而是據本直接影印。影印的優點在於省時、省力、省錢，且得以儘量保持版本原貌。而據以影印之書，係以無求備齋之庋藏為主，少部分則假自海內外各公私立圖書館或藏書家。收書凡一百四十種。就其所收書之時空斷限而言，自六朝、唐、宋、元、明、清以至民國之中、外歷代與《老子》相關之重要著述，均在收錄之列。就其所收書之版本風格特徵而言，有寫本、石本、刻本及注本四類。寫本以敦煌古本卷子為主；石本以唐、宋碑、幢為主；刻本以白文五千言為主；注本則搜羅歷代及各國之善本、孤本、名著而成。甚至殘卷、輯佚之書，亦在編印之列。每類均按年代先後順序排列。就版本之採擇而言，凡同一書有多種版本者，則擇優影印，並以最古者為主。

《無求備齋老子集成初編》中多輯佚之書。如嚴遵《道德指歸論》十三卷，見存者僅下篇七至十三卷，上篇全闕。嚴靈峰據陳景元《道德真經藏室纂微篇》錄其佚文，與劉惟永《道德真經集義》、李霖《道德真經取善集》對校，以窺《道德指歸論》上篇遺說。此外，嚴靈峰輯校成玄英《道德經開題序訣義疏》、李榮《老子注》、王安石《老子注》、嚴靈峰補佚程大昌《易老通言》與葉德輝輯葉夢得《老子解》等，亦為輯佚之本。

全書採中式線裝，精緻典雅，古色古香。惟尋檢不易，讀者每苦其不便。

2.《無求備齋老子集成續編》

繼《無求備齋老子集成初編》後，民國五十九年《無求備齋老子集成續編》問世。嚴氏之所以復為《續編》者，蓋為俾益研究《老》學者可獲更多之參考資料，並使各書廣為流傳也。

就所收書之類別而言，《無求備齋老子集成續編》包括註釋、句解、評點、節選、札記、校勘、音韻、考證、雜記等類目。然而，本叢書不以類目為綱，而以著者所屬之國別為綱，分為中國之部一百二十一種，日本之部七十五種，韓國之部一種。就所收書之時空斷限而言，《無求備齋老子集成初編》自六朝、唐、宋、元、明、清以至民國之中、外歷代與《老子》相關之重要著述，均在收錄之列；而《無求備齋老子集成續編》則以影印自滿清以來及日本、韓國之《老》學著述為主。具體而言，計有：明代一種，清代六十五種，民國五十五種，日本七十五種，韓國一種，凡三百七十六卷，合訂二百八十冊，三十函。各書主要係無求備齋所現藏，並依年代先後次第編序。其中明代著述一種者，係明萬歷間楊宗業所刋純陽呂仙之《道德經解》二卷。據嚴氏個人的說法，因是書為後人偽託之作，非唐代呂岩所自著，故與清代同類各書彙集付印，而暫附焉。❾

本叢書版本之採擇，不乏善本。如王夫之《老子衍》一卷，用同治四年金陵節署刋《船山遺書》本，遠較他本為善。

全書仍如《初編》一般，採中式線裝，精緻典雅，古色古香。

---

❾ 嚴靈峰：《無求備齋老子集成續編·凡例》。

惟尋檢不易，讀者每苦其不便。

3.《無求備齋列子集成》

《無求備齋列子集成》之編輯，其用心在於使《列子》之學不致失墮。於是嚴氏乃繼《無求備齋老子集成》正、續兩編後，就無求備齋庋藏⑩，收輯現存歷代足供吾人參考利用之《列子》著述，別為《無求備齋列子集成》一書。本書以影印宋、明善本與近代有關著作為主，除採擇《道藏》中與《列子》相關之全部著述外，其他如張湛《沖虛至德真經注》八卷則用鐵琴銅劍樓北宋刊本；而外文之各種譯著，凡涉及版權或無必要者，概不收錄。

《無求備齋列子集成》收書凡八十八種，二百三十五卷，論文三十四篇。具體而言：有白文本類二種，如道藏本《列子》三卷；張湛注本七種，如鐵琴銅劍樓藏北宋刊本《沖虛至德真經注》八卷。評注本類六種，如劉辰翁《列子沖虛真經評點》八卷、張之純《列子菁華錄》一卷等。簡節本類十一種，如魏徵《列子治要》一卷、沈津《列子類纂》一卷及張默生《列子選注》等。札記校釋本類十一種，如盧文弨《列子張注校正》、孫詒讓《列子札迻》、王重民《列子校釋》等。釋文音韻本類四種，如江有誥《列子韻讀》一卷。《列子》彙考論文辨偽集類四十一種（其中著述七種，論文三十四篇），著述如《古今圖書集成》中〈列子彙考〉、〈列子紀事〉、〈列子雜錄〉及嚴靈峰《列子章句新編全文》（附《列子新傳》）等；論文如《呂氏春秋・觀世篇》、洪邁《容齋隨筆・列子

---

⑩ 另《無求備齋列子集成》除南宋孤本張湛《沖虛至德真經》八卷借印自日本尊經閣文庫外，餘均係嚴氏無求備齋所藏。

隨筆》、梁啟超〈列子真偽及其時代〉等。其中，關於《列子》真偽之彙考論辨文字，嚴氏自謂：「辨偽文字，幾搜羅殆遍，可以對歷來加諸『偽託』之冤詞，予以湔雪也。」⓫

本叢書改採精裝，不用線裝。精裝分訂十二冊，雖不若線裝之古色古香，然方便讀者購置，利於檢索。

4.《無求備齋莊子集成初編》

繼《無求備齋老子集成》初、續編及《無求備齋列子集成》後，民國六十一年五月，《無求備齋莊子集成初編》出版問世。其編輯之意旨，在於《莊》學著作，卷帙浩繁，故羅列古今相關著述，以利讀者深入研究之用。

本叢書以影印宋、元、明善本、孤本與近代有關之名家名著為主。共收書六十四種，凡三百七十三卷，精裝分訂三十冊。如：郭象《南華真經注》十卷用北宋、南宋刊合璧本⓬，郭象《莊子南華真經》十卷用明張登雲參補朱東光刊《中都四子》本，王夫之《莊子解》卅三卷用清同治四年湘鄉曾氏金陵節署重刊本。此外，張位《南華標略》二卷用明萬曆間刊本，葉秉敬《莊子膏肓》四卷用明萬曆四十二年刊本，二書今藏國家圖書館中。又如劉文典《莊子補正》十卷、王重民《莊子殘卷校記》一卷、于省吾《莊子新證》二卷等，俱為近代莊學名家名作。

據嚴氏〈無求備齋莊子集成（初編）編輯要旨〉的說法：呂惠卿《莊子解》十卷有宋刊殘本，現藏蘇俄亞洲博物館；又有金大定

⓫ 嚴靈峰：〈無求備齋列子集成自序〉，頁3。

⓬ 作者按：該書卷十末頁有奪文，嚴氏據世德堂本補。

十二年重刊本，現歸北京圖書館。因皆無法影印，故採民國二十三年陳任中輯校之排印本。嚴氏為此「深感不足」。又如張居正《解莊》、金兆清《莊子榷》、胡文蔚《南華經吹影》、陳柱《莊子內篇學》等，一時無法偏尋，只得暫付闕如，是為「遺珠之憾」。

嚴氏自謂本書具白文、注解、音義、札記諸類，然於其書目中並無詳細分類，是其體例上的一大缺失。

5.《無求備齋莊子集成續編》

繼民國六十一年五月《無求備齋莊子集成初編》出版後，民國六十三年十二月《無求備齋莊子集成續編》問世。

本叢書共收莊子著述七十四種，七十二家，四百一十卷，精裝分訂四十二冊，以影印自南宋迄於近人之著述為主。詳言之：有宋代二種，明代三十二種，清代二十一種，民國一十九種。除民國著作採排印本外，其餘所用版本俱為宋、元、明善本、孤本。所收書籍除少數假自國家圖書館、日本國會圖書館內閣文庫（現歸公文書館）或美國國會圖書館外，大部分均為無求備齋所自藏。

《無求備齋莊子集成續編》所收書中，如：王繼賢、吳宗儀《古蒙莊子校釋》四卷，陳榮選《南華全經分章句解》四卷，陸可教、李廷機《莊子玄言評苑》三卷，吳伯與《南華經因然》六卷，徐曉《南華日抄》四卷，韓敬《莊子狐白》四卷及黃正位《莊子南華真經校訂》，俱屬難得之孤本。又如王念孫、洪頤煊、俞樾、孫詒讓、陶鴻慶諸家之讀書雜錄，武延緒《莊子札記》三卷，奚侗《莊子補注》四卷及劉武《莊子集解內篇補正》七卷等書，皆能獨標新義，踵武前修，故俱收錄焉。

6.《無求備齋墨子集成》

民國六十四年，《無求備齋墨子集成》由成文出版社印行問世。

本叢書係以影印現存中國歷代《墨子》名家名著而成，收書凡九十九種，三百七十一卷，七十有七家，精裝分訂四十六冊。影印各書，除陳仁錫《墨子奇賞》等四書假自國家圖書館外，餘均為嚴氏無求備齋之庋藏。

據本書〈編輯要旨〉：《無求備齋墨子集成》分白文、注解、語譯、音韻、節要、評點、校釋、札記及考證諸類。備此一部，足供研究墨子學術之充分參考，當可無待外求。然其目錄中僅徒列書目，並未依類排序，是體例上的一大缺失。

7.《無求備齋荀子集成》

民國六十六年，為便利《荀》學研究者之充分參考，嚴氏編輯《無求備齋荀子集成》，由成文出版社印行問世。

本叢書係以影印現藏中國與日本歷代名家名著而成，收書凡九十種，四百卅八卷，計八十家，精裝分訂五十冊。具體而言：有白文四種，如明萬曆間新安吳勉學刊二十子本《荀子》一十卷；注解一十五種，如唐楊倞《荀子註》二十卷、清王先謙《荀子集解》二十卷及民國梁啟雄《荀子柬釋》二十卷等；節本二十二種，如唐魏徵《荀子治要》、明沈律《荀子類纂》一卷、明歸有光《荀子彙函》一卷、清方苞《刪定荀子》及民國譚正璧《荀子讀本》等；札記二十二種，如清劉台拱《荀子補註》一卷、郝懿行《荀子補註》一卷、王念孫《荀子雜志》九卷、俞樾《荀子平議》四卷、劉師培《荀子斠補》四卷及民國嚴靈峰《荀子讀記》等；雜著一十五種，如清江有誥《荀子韻讀》、汪中《荀卿子通論》及民國梁啟超《荀子評諸子語彙釋》等；日本漢文著述一十二種，如物雙松《讀荀子》四卷、久保愛《荀子增註》二十卷、豬飼彥博《荀子增註補遺》一卷及安積信《荀子略說》一卷等。凡六類。影印各書版本，包括宋、明、清、近代及日本刋本，絕大部分為無求備齋所自藏。

其中清張道緒《荀子選》二卷，雖《荀子》全書三十二篇具在，然其中有所刪削採擇，並加以評點。其用心不在闡釋義理，而志於翰藻之道也。又張之純《荀子精華錄》一卷，亦係評注之本，與《荀子選》同。至若清任兆麟《荀子述記》（清乾隆五十二年遂古堂刋述記本）頁十一、十二之原稿缺，倘嚴氏能設方補齊，使成全璧，則無所憾矣！所幸尚有清光緒十年閒雲精舍刋本在，可以互相參照，補其缺佚。

8.《無求備齋韓非子集成》

民國六十九年四月，為便利韓非學術之研究，嚴氏乃輯中國歷代與日本之名家名著，成《無求備齋韓非子集成》一書，由成文出版社印行問世。

本叢書收書凡七十二種，五百九十六卷，計六十九家，精裝分訂五十二冊。具體而言：有白文三種，如明萬曆間新安吳勉學刋《韓非子》二十卷；注解二十種，如明趙用賢《校正韓非子》二十卷、清王先慎《韓非子集解》二十卷及民國陳其猷《韓非子集釋》二十卷、梁啟雄《韓非子淺解》二卷等。節本二十種，如唐魏徵《韓非子治要》一卷、元陶宗儀《韓非子節鈔》一卷、明陳深《韓非子品節》四卷、清張道緒《韓非子文選》二卷等。札記一十四種，如清盧文弨《韓非子校正》、劉師培《韓非子斠補》、陶鴻慶

《讀韓非子札記》及嚴靈峰《韓非子讀記》等。雜著有九種，如清江有誥《韓非子韻讀》一卷、孫詒讓《韓非子札迻》一卷及民國梁啟超《韓非子釋義》一卷、容肇祖《韓非子考證》一卷等。另外則有日本漢學者漢文著述有九種，如片山格、朝州慶的《眉批乾道本韓非子》二十卷及萩原擴《韓子考》一卷等。所用版本，計宋刊一種、明刊一十四種及日本九種，而大部分俱為無求備齋所自藏。

本書目錄中所載各書條目之下，均附其所屬冊數，檢索使用，堪稱便利。

9.《無求備齋老列莊三子集成補編》

自民國五十四年起，嚴氏陸續編輯《無求備齋老子集成》初、續編、《無求備齋列子集成》、《無求備齋莊子集成》初、續編。嚴氏本欲繼續編輯《無求備齋老子集成三編》，然無法實現。民國七十一年九月，輯《無求備齋老列莊三子集成補編》以足之，由臺北成文出版社印行問世。

本叢書收入前編未及採用之中、日、韓三國之《老》、《列》、《莊》三子漢文著述之孤本、善本、古鈔本及稀見本凡七十八種，附錄二十二種，計四百卷，精裝分訂五十六冊。一般名著及淺顯便於初學者之著作亦酌加收錄，以俾學習與研究之參考。

《無求備齋老列莊三子集成補編》係以所收「版本」為其特色。孤本有南宋刊本《纂圖互注》之《老》、《莊》二子，及原係單行本之《列子》。中央研究院傅斯年圖書館所藏之安仁趙諫議宅刊本之《南華真經》，日本靜嘉堂文庫庋藏之成玄英《南華真經註疏》殘本，日本大阪府圖書館所藏之天文十五年鈔本《老子河上公章句》，無求備齋所自藏之明安如山刊本之王道《老子億》、焦竑

《老子道德經註解評林》、李騰芳《說莊》、清汪光緒《道德經纂註》、日本慶長活字本《老子河上公章句》、林希逸《老子鬳齋口義》、元祿二年真宗本願行寺所藏之木刻本《老子》白文，韓國崔岦《句解南華真經》等，均屬世所罕見之善本。

至於本書目錄中所載各書條目之下，均附其所屬冊數，檢索使用，堪稱便利。

四、結　語

嚴靈峰先生能以隻身之力，自民國五十四年三月至民國七十一年九月止，輯印《書目類編》、《無求備齋諸子集成》、《無求備齋論語集成》、《無求備齋孟子十書》及《無求備齋易經集成》共一十三種叢書，誠屬不易。其輯印各種叢書之動機，如前文所述及之「開秘書翻印之風」、「起文獻保存之用」、「便專門研究之利」、「觀中華文化之止」四項。是四者，亦為嚴氏輯印各種叢書之價值所在。

就嚴氏所輯印之各種叢書之共通特色而言，在於「據本直接影印」。蓋無求備齋系列叢書之編輯，旨在保存我國文化遺產，並防意外散佚，用廣流傳。其非如商務印書館《叢書集成初編》一般另行排印，而是據本直接影印。影印的優點在於省時、省力、省錢，且得以儘量保持版本原貌。再者，據以影印之書，係以無求備齋之庋藏為主，少部分則假自海內外各公私立圖書館或藏書家。就其所收書之版本及時空斷限而言，自六朝、唐、宋、元、明、清以至民國之中、外歷代之孤本、善本，均在收錄之列。

雖然，無求備齋系列叢書仍有苦干缺憾。首先是僅有編輯要旨，而無凡例。凡例為一書之綱領所在，讀者可藉以瞭解編者編輯之體例與用心，更可方便、切實地利用該叢書。今嚴氏嚴書無有凡例，非特不利於讀者，更可能影響叢書編輯的品質。蓋叢書之編輯，工程浩大，倘不先行訂定凡例，則編輯時或稍有疏忽，導致體例不一的情況發生，實在令人感到遺憾。其次是無索引，不利檢索。一部叢書，收羅圖書少則數十，多則上百。倘不編訂索引，則讀者索書，甚為不便。今嚴氏所編叢書並未附索引，且大部分叢書之目錄中僅載書名，而未載其所在冊數，讀者每苦其不利檢閱。所幸嚴氏自編輯《無求備齋易經集成》起，始知於各條書目下附註所載冊數，改正了這個大缺點。

叢書之編輯滋事體大，斷不可師心自用，率爾而行。本文的撰作，並不在批判嚴靈峰先生的辛勞成果，而是期待我們能在前人的經驗與錯誤中，尋出一條新路，為叢書之編輯史再開嶄新的一頁。

《民國叢書》述論

何淑蘋*

一、前　言

自一九一二年一月一日孫中山先生在南京組織中華民國臨時政府，至一九四九年十月一日共產黨建立中華人民共和國，後人將這三十八年（1912－1949）稱之為「民國時期」，大陸學者並以人民解放運動的觀點，把這段民國時期視為舊社會的最後一個朝代。在這段時期內的出版品，受到國家動亂、政治摧殘等因素的影響，不少已經散佚，殊為可惜。因此，編印一套以此時期書籍為收錄範圍的叢書，成為學界共同的期盼。十餘年前，在一批學者的努力下，《民國叢書》終於開始有計畫的分編逐步推出，成為學術界和出版界的盛事。

《民國叢書》是近年來大陸學者編輯的一部大型叢書，由上海書店分別於一九八九年、一九九〇年、一九九一年、一九九二年、

*何淑蘋，國立成功大學中國文學研究所博士生。

一九九六年，陸續將各編印行出版。❶這套叢書截至目前為止，總共出版了一至五編，每編一百冊，合計五編、五百冊，收書達一千一百二十六種。這是第一套專門以民國時期出版之書籍為選錄範圍的大型叢書，對於研究者提供不少參考上的便利，同時在保存文獻上也有相當的貢獻。本文的撰寫，旨在介紹這套叢書的編輯特色和其學術價值，並針對編輯上有待商榷之處，提出一點建議；另一方面，大陸地區編輯出版的叢書數量頗多，但品質良莠不齊，本文所指出的幾個問題，似乎同為其他叢書所常見，故希望能提供《民國叢書》及其他叢書編者參考。限於筆者學殖淺陋，所論恐有不當之處，尚祈學者專家指正。

二、編輯緣起與過程

清朝滅亡，民國繼起，不僅是國家政治上的大改變，更是一切傳統文化變革的契機。從一九一二年至一九四九的這三十八年間，稱之為「民國時期」。在這段時間裏，雖然內憂外患頻仍，社會動盪不安，但有很多學者基於文化使命或教育職志等責任感，仍辛勤著述不輟，所以民國時期的出版品豐富多樣，且在各學科領域中，多成為今人奉為啟蒙或開新的代表之作，顯見這段時期著作的特殊地位。

❶ 五編陸續出版，雖然各編同樣都是一百冊，但隨著出版時間不同，售價也各異，每套價格分別是人民幣 3500 元、3500 元、3750 元、4500 元、8800 元。附記於此，謹供參考。

㈠編輯緣起

《民國叢書》編印的倡始者，是周谷城（1898－1996）先生，據傅德華〈周谷城與《民國叢書》〉一文的記述：

> 九年前的 1988 年 8 月 11 日，周谷城先生作為編纂出版大型《民國叢書》的主編，在上海北京西路 860 號上海市政協大樓四樓月潭廳舉行的《叢書》編輯出版工作座談會上，鄭重地向出席會議的市委宣傳部和新聞出版局的領導、學術界知名人士、各報社的記者、各大圖書館的負責同志等七十餘人，公布了在他有生之年，為保存史料，搶救文獻，造福子孫後代，決意輯印《民國叢書》的宏偉計劃。❷

周氏為大陸著名歷史學家，在學界和政界都頗具影響力❸，他的大力提倡編印，對叢書編輯工作的推動有一定的助力。周氏並具體地訂立選書標準、規模等編輯體例，對於叢書的編輯出版，有主導性的影響。故知《民國叢書》的編輯出版，周谷城先生可謂關鍵人

---

❷ 傅德華：〈周谷城與《民國叢書》〉，收入上海社會科學學會聯合會編：《周谷城學術思想研究論文集》（上海：上海社會科學院出版社，1998 年 9 月），頁 92。

❸ 周谷城先生的經歷，可參考莫志斌《周谷城傳》（長沙：岳麓書社，1997 年 4 月）。周氏除任復旦大學教授外，曾擔任上海市人民政府委員、上海市人大常委會副主任兼文教委員會主任、上海政協副主席、全國人大代表、全國政協常委等職務，可知他在教育界、政治界的影響力。另外，周氏所主編叢書，除《民國叢書》外，另有《中國文化史叢書》（上海：上海人民出版社，1984－1990 年）、《世界文化史叢書》（杭州：浙江人民出版社，1986－1991 年）兩種，皆受到學界相當的重視。

物。

《民國叢書》的編輯，首先是在一九八八年二月成立了「以復旦大學為主體的上海地區各學科著名專家、教授組成的編輯委員會」。❹以復旦大學為主要單位的原因，是基於「復旦大學圖書館歷來重視民國圖書的收藏，可提供較多版本作為編選影印版本之用」❺的考量。另外，出版單位則選擇了上海書店，因其「已影印出版的《申報》、《新華日報》、《現代文藝叢刊》等多項大型書刊，積累了豐富的影印舊籍書刊以及出版發行的經驗」❻，故交由上海書店負責印行。整套規模頗大的《民國叢書》，便是由復旦大學和上海書店持續長達近十年的合作，終於在一九九六年完成了原訂計劃出版十編的一半，餘下的五編，據聞亦正在進行中。

㈡編輯動機

《民國叢書》編輯的主要目的，是為了要「整理和保存民國時期重要圖書資料」❼，周谷城先生在〈序〉中說：

> 當前，民國圖書成了學術文化界迫切需要而又最難尋的書籍。全國祇有少數大城市和幾所主要大學藏書較多，但也缺乏完整性與系統性。而且紙張變質，有的字跡模糊不可卒讀。十年動亂，人為損壞更加嚴重。因損失較多，有些書籍已成

❹ 同註❷，頁 94。

❺ 同前註。

❻ 同前註。

❼ 周谷城〈序〉，頁 5。

> 為孤本。在流通中，祇能作為內部參考而不對外開放。同時由於古籍的影印本與文獻複制本的出現，竟形成了民國圖書比明清古本、甚至宋元古本更難看到的奇特現象。面對現狀，解決這個問題的最好辦法，便是編輯出版民國叢書。❽

從上述的引文中，我們可以了解到編纂民國時期叢書對於大陸地區具有迫切性的需求，而造成此種現象的原因有二，一是藏書流通，一是人為損害。

1.藏書流通

在藏書流通方面，首先是藏書單位不多、館藏不足的問題。民國時期的書籍四處流散，零星收藏於各公私立圖書館外，往往只有規模較大的少數幾個公立圖書館（例如北京圖書館、上海圖書館）所擁有的民國時期書籍館藏較豐富；而且大陸早期對於部分民國出版品視為內部參考資料，禁止對外開放。各地藏書單位館藏的不足，再加上資料開放對象的限制，這些都造成讀者使用上的不便。故編輯出一套彙集各類著作的民國叢書，放置在各圖書館中提供讀者利用，是解決相關書籍藏書單位不多及各圖書館館藏量不足的最佳方式。

其次，是書籍保存程度的問題。民國時期因為政治不安定，物資艱難，書籍能印製成冊已經很不容易，所以對於紙質並不會太過要求，當時大多使用新聞紙印刷，有的甚至使用草紙。這類紙張品質不佳，容易腐壞、脆散，不耐久置，再加上鼠蟻、蠹蟲的侵蝕，

---

❽ 周谷城〈序〉，頁4。

加速了書籍的殘缺和毀壞。

2.人為損害

在人為損害方面，周氏提到的「十年動亂」，即大陸地區發生於一九六六至一九七六年間的文化大革命。這十年間對於歷史文物、傳統文化摧毀和破壞之深，難以估計，在典籍方面也造成了重大的損失。大陸地區近年來編輯叢書風氣盛行，或可視為挽救過去的一種積極方式。

周谷城先生的這段序言，大抵說明了為何時間距離現在較近的民國時期，其文獻反而較清代以前更為難得的原因。除了上述問題外，藏書家和學界都有「貴古」的傾向，也是原因之一。藏書家往往致力於蒐羅善本古籍，對於晚近出版的書籍不甚重視。至於學界之貴古，以國學研究為例，往往致力於古人思想之探討，即使有涉及今人之處，也只把焦點集中於少數大家如胡適（1891－1962）、顧頡剛（1893－1980）等人身上，忽略掉其他學術成就值得注意的學者。

其實，編輯一套專門收錄民國時期出版品的叢書，不僅是因應大陸地區的需求，這同樣也是臺灣學界的期盼。主要是因為民國時期的臺灣正受日本統治，漢文著作禁止在臺流通，所以大陸當時的出版品不易在臺流傳。其後雖然光復，不久即因國民黨遷臺，實施全面戒嚴，對大陸出版品同樣也是管制嚴格，所以民國時期書籍在臺灣，大抵是長期處於流通不廣的情況。如今雖然「解嚴」，閱讀或購買大陸書籍相當容易，但早期民國圖書有的在臺灣已屬罕見，有的只藏在大陸各圖書館而從未傳入臺灣，因此彙編成叢書出版，不失為促進早期圖書在臺流通的一個好方法。以經學研究為例，

《易》學方面如薛學潛的《易與物質波量子力學》和《超相對論：易學科學講》；《春秋》學方面如毛起《春秋總論初稿》；《尚書》學方面如成滌軒《尚書與古代政治》；《詩經》學方面如童士愷《毛詩植物名考》。❾這些都是在臺灣不容易看到的著作，而這類難得的文獻往往藏在大陸某個圖書館中，如果能將它們彙為一編，提供更多人參考，對兩岸學術研究將有直接的助益。

㈢編輯人員

《民國叢書》設有編輯委員會及編輯小組。編輯委員會主編為周谷城，編委則包括：王元化、王邦佐、王明根、田汝康、朱伯康、伍蠡甫、李龍牧、吳文祺、林國華、周谷城、胡道靜、莊錫昌、桂世祚、徐鵬、葉孝信、湯綱、蔡尚思、蔣孔陽、嚴北溟、羅竹風、譚其驤、顧廷龍二十二人。編輯小組組長為王明根、劉華庭，組員則包括：王明根、吳瑞武、沈豐蕤、徐力勵、陳煜儀、孫正明、傅德華、焦宗德、楊康年、蔡幼紋、劉華庭、劉鴻慶、謝耀樺、闞武君、羅偉國十五人。由此編委名單來看，皆屬一時之選，如王元化、胡道靜、蔡尚思、顧廷龍等，皆係當代著名學者；而編輯小組中，如王明根曾編撰有《文史工具書的源流和使用》、《第

---

❾ 以上各書原出版社為：薛學潛《易與物質波量子力學》（上海：中國科學公司，1937 年）；薛學潛《超相對論：易學科學講》（出版社不詳，1946 年）；毛起《春秋總論初稿》（杭州：貞社，1935 年）；成滌軒《尚書與古代政治》（上海：正中書局，1946 年）；童士愷《毛詩植物名考》（上海：公平書局，1924 年）。

一次國共合作與大革命論著目錄索引》⑩等書，對於文史資料和工具書的編纂都頗具經驗。《民國叢書》便是在這群編委、編輯小組的長期合作下，得以持續不斷的編印出來，造福學界。

三、編輯體例

各編第一冊前都冠有〈凡例〉，內容包括「收錄時限與範圍」、「編輯宗旨與重點」、「編排分類與出版」三點，以下分別討論之。

㈠收錄年限與範圍

〈凡例〉第一條「收錄時限與範圍」云：

> 本叢書收錄中華民國時期在我國境內出版的中文圖書；酌情選收同時期在海外出版的中文著作。⑪

簡短的兩句話卻交待了幾個重點：

1.「收錄時間」為「中華民國時期」，但由於臺灣地區至今仍奉中華民國為國號，故又云「在我國境內出版」，可知是指國民黨遷臺以前、存在於大陸的「中華民國」。但是這樣的說法未免過於拗口，編者還不如在「中華民國時期」下加註西元年份「1912－

---

⑩ 王明根、吳浩坤、柏明撰：《文史工具書的源流和使用》（上海：上海人民出版社，1980 年）；王明根等編：《第一次國共合作與大革命論著目錄索引》（上海：出版者不詳，1984 年）。

⑪ 〈凡例〉，頁 1。

1949」，較為簡明易懂。

2.「收錄地區」除當時的大陸外，也兼收在海外地區出版的著作。例如陳嘉庚《南僑回憶錄》一書（收入第3編第23冊），原為南洋印刷社於一九四六年出版，出版地即是在海外地區之新加坡。不過，整套《民國叢書》實際上選書是以在中國境內的出版品為主，在海外出版之著作可謂少見的特例。

3.「收錄類型」為「中文圖書」或「中文著作」，即以中文撰寫者才選入，用外國語文（如英語、日語等）寫作者不在選書之列。另外要注意的是，翻譯類著作⑫雖然是用中文撰寫，也不在收書範圍之內。

㈡編輯宗旨與重點

本《叢書》是以「保存文獻、提供資料」作為編輯宗旨。就保存文獻而言，彙集千種書籍於一編的形式，比單行本更容易被保存下來；就提供資料而言，綜輯哲學、文學、藝術、文化等十餘類學門著作於一編，提供了研究民國時期學術資料上的極大便利。

民國時期的出版品具有其時代特殊性，正如同《民國時期總書目·出版說明》中所說：

> 1911 年到 1949 年是我國社會發生深刻變革的歷史時期，許

---

⑫ 翻譯類書籍指外國人以外語寫作、由本國人翻譯為中文之書籍，雖內容文字屬中文，亦不在《民國叢書》收入範圍之列。《民國叢書》只收楊鎮華《翻譯研究》、黃嘉德《翻譯論集》、張其春《翻譯之藝術》等翻譯理論方面的書三種而已。

> 多圖書表達了不同的觀點乃至互相對立的立場，有革命的，進步的，也有反動的，落後的；作者的情況也很複雜。⓭

可知民國時期圖書的思想多樣、內容複雜，如果要依政治立場選書，進行取捨，恐怕會漏收很多重要著作。《民國叢書》秉持保存文獻的宗旨，在編輯上採取「兼收並蓄，多說並存」的客觀態度，沒有因為政治立場或學術觀點的不同，而故意缺收「異端作品」。例如：何應欽（1889－1987）、胡適（1891－1961）、錢穆（1895－1990）、蘇雪林（1900－1999）、陳立夫（1900－2001）、羅香林（1906－1978）、嚴耕望（1916－1996）等人，這些都是在一九四九年中華人民共和國成立後，不是隨著國民黨遷臺，就是長期旅居美國、香港等地的人士，《民國叢書》能以客觀的學術角度選入這些學者的著作，這種編輯態度是很值得肯定的。

至於編輯的重點，即本《叢書》收書的指導原則，〈凡例〉云：

> 重點選收學術性、資料性的圖書，更著重收錄各學科具有代表性、權威性的著作。適當選入某些帶有開創性的普通讀物，並兼顧實用性與可讀性。古籍、翻譯作品、文藝創作原則上不收。自然科學祇收科技史著作。⓮

由上文可以整理出幾個選書特點。

⓭ 見北京圖書館編：《民國時期總書目》（北京：書目文獻出版社，1986年8月－1995年11月），每冊頁首的〈出版說明〉。

⓮ 〈凡例〉，頁1。

第一，入選的書籍偏重在⑴學術性、資料性；⑵代表性、權威性；⑶開創性普通讀物；⑷實用性、可讀性。

第二，「古籍、翻譯作品、文藝創作」類的著作不在收錄之列。之所以不收這三類著作的原因，或許是因為數量過多或其他因素，由於〈凡例〉沒有再作進一步說明，所以無從得知。

第三，自然科學類祇收「科技史」著作。但是像盧于道《科學概論》（第 4 編第 88 冊），是導讀性書籍，算不算是「史」？值得商榷。

㈢編排分類與出版

首先，〈凡例〉云：

> 本叢書以編為單位，分編出版。每編為一百冊精裝本，約含三百種圖書。各編所收書目，或含十一大類，或選其中若干類，不等。每一編首冊冠以序言、凡例、本編收書總目以及編委會名單。⓯

上述引文指出本《叢書》編排要點有：⑴編輯單位；⑵書目類別；⑶首冊附錄；⑷影印底本；⑸各書體例。以下分別說明。

1.編輯單位

《民國叢書》是以「編」為單位，一編即為一套，共出版五編。每一編的編輯方式大抵一致。另外，五編各有不同的書皮顏色，例如第一編為藍色、第二編為紅色、第三編為綠色等，以示區

⓯ 〈凡例〉，頁 2。

別。

每一編都是一百冊，但由於每冊內包含的書籍數量不等，少者只有某書的三分之一，多者一冊內收書達六種，視原書篇幅之大小作冊數之調整，所以各編收書數量就不一定。根據實際清點後得知，第一編收書二百五十九種，第二編收書二百一十五種，第三編收書二百一十七種，第四編收書二百三十二種，第五編收書二百零二種。五編之中，第一編收書最多，第五編收書最少。〈凡例〉所言「約含三百種圖書」的說法不但過於含混籠統，而且與實際情形並不相符。尤其稱「三百種」，五編中只有第一編收書較多，其他四編都不足兩百五十之數，故知〈凡例〉所說並不正確。

2.書目類別

因為《民國叢書》選收並非古籍，所以不用傳統的經、史、子、集四部分類法，改採中國圖書館圖書分類法，並依實際收書內容分為十一大類，依序是：⑴哲學、宗教類；⑵社會科學總論類；⑶政治、法律、軍事類；⑷經濟類；⑸文化、教育、體育類；⑹語言、文字類；⑺文學類；⑻美學、藝術類；⑼歷史、地理類；⑽科學技術史類；⑾綜合類。

經過實際檢閱，茲統計各編所收各類書目如下：

	第一編	第二編	第三編	第四編	第五編
1.哲學、宗教類	36	39	22	32	35
2.社會科學總論類	19	17	24	17	16
3.政治、法律、軍事類	20	23	18	20	20
4.經濟類	16	14	11	13	10

5.文化、教育、體育類	27	26	25	26	20
6.語言、文字類	20	12	14	11	4
7.文學類	24	10	16	21	18
8.美學、藝術類	26	13	6	8	6
9.歷史、地理類	50	37	48	56	56
10.科學技術史類	6	4	4	9	4
11.綜合類	15	21	29	19	13
合計（種）	259	215	217	232	202
總計（種）	1126				

透過上面的統計，可以說明幾個問題。首先，〈凡例〉稱「各編所收書目，或含十一大類，或選其中若干類，不等」，但是從上表可以明白看到五編所收書目都包含了十一類，並沒有「選其中若干類」的情況，可知〈凡例〉所述並不正確。

其次，綜合五編來看，十一個類別中以「歷史地理類」收書最多，然後是「哲學宗教類」。歷史地理類收書最多，或許是因為主事者為歷史學者，對於歷史類書籍較重視的緣故。

3.首冊附錄

〈凡例〉言「每一編首冊冠以序言、凡例、本編收書總目以及編委會名單」，故知各編的第一冊在前面都會附有編委會名單、序、凡例、總目四者。「編委會名單」包括編輯委員會與編輯小組成員之姓名；「序」為主編周谷城先生所撰寫，說明本《叢書》之編輯緣起、收書方式等等；「凡例」簡明地交待收錄時限與範圍、編輯宗旨與重點、編排分類與出版等要點；「總目」則是列出該編每冊所收各書之書名及作者。

4.影印底本

〈凡例〉中只說底本是「選用民國時期出版的最佳本」，卻沒有進一步對「最佳本」作出適當的解釋，所以我們只能根據具體的收書情況來作推測，其選擇版本方式有二：

(1)無後續增訂者，用第一次印行本。

(2)有後續增訂者，用增訂後之新本；但一九四九年十月後增訂者不採用。

民國時期的學者著述，常常有增訂、修改的情形，所以有時同作者同書名，內容卻有新、舊的差異。《民國叢書》選擇的方式，就是以增訂與否作區別，若無新增訂之本，則選用第一次印行本；若某書曾經作者續補、增訂，則選擇在一九一二至一九四九年間曾經所出版的增訂本。

5.各書體例

(1)排版

首先，《民國叢書》收入諸書，原來的開數大小不一，所以在〈凡例〉中規定了：

> 本叢書為三十二開本。凡原書大於三十二開本的，予以縮印，以資統一。原書為十六開本以及不能縮印的，集中作為叢書的最後一編，冊數不限。⑯

故為求整套叢書規模的統一，將《民國叢書》的各冊開數訂為三十二開本，原書超過三十二開的就加以縮印。至於原為十六開本以及

⑯ 〈凡例〉，頁2。

不能縮印的書，則預計作為本《叢書》的最後一編（即第十編）集中出版。但所謂「不能縮印」的書籍有哪些？由於目前僅出到第五編，或許要等到數年或十餘年後看到完整的第十編時，才能知道。

其次，《民國叢書》根據原書排版方式影印，或作橫式，或作直式，並沒有再作任何的改動。

⑵出版項

《民國叢書》每冊所收書籍數量不一定。所收各書在最前面新加上一頁「封面」，列出書目、作者，在「封面」的背頁標示出此書依據某出版社某年所出版本影印。例如第一編第一冊第一本書為艾思奇《大眾哲學》，標明「本書據讀書出版社 1938 年版影印」。這就是〈凡例〉中所說：「每種書均附書名扉頁，並著錄原出版者及出版年月。」不過實際上只有著錄出版「年」，沒有「月」。

除了上述五點外，〈凡例〉在最後還提到：「本叢書視不同情況，可抽印部分單行本，單獨發行，以利讀者。」《民國叢書》內的一千一百二十六種書籍，目前已有多少種被上海書店另外獨立出版成單行本？暫不可知。不過從部分單行本來看，這類單行本會在封面處加印「《民國叢書》選印」字樣，書背頁則有「編印說明」，寫著：

> 復旦大學、上海書店為保存史料、搶救文獻，決定從民國時期出版的約 10 萬種圖書中，選擇數千種輯為《民國叢書》。為便利讀者選購，又從中選擇若干種作為單行本發行。為尊

重歷史，重印時悉依原貌不作刪改，希讀者鑒察。⓱

為尊重書籍原貌而不作任何刪改，是正確的編輯態度。但既然改作單行本印行，目的在使書籍獨立出版以利讀者使用，何不在書前或書末加上較為詳細的「編輯說明」，介紹該書作者、版本、內容梗概等，如此更能嘉惠讀者。此外，既是選印自《民國叢書》，應該要註明該書原收入《民國叢書》的哪一編哪一冊內，日後上海書店若再印製其他單行本時，可以考慮加註原屬叢書編號的說明，以利讀者參考。

四、《民國叢書》的學術價值

《民國叢書》的編印是近年學界和出版業的一項盛事，除了受到各界關注外，在出版後並獲得不少肯定和讚揚。這一方面表示了叢書編輯出版的重要性，同時也凸顯出民國時期的學術成就正被推廣和受到重視。

㈠保存文獻

叢書編輯的首要價值，都是在「保存文獻」。傳統藏書的觀念是越古越舊的典籍才有收藏、保存的價值，所以造成「貴古賤今」的情況。民國時期的出版品，一方面因為時代不遠，較不受到收藏

⓱ 本段引文錄自傅勤家：《中國道教史》（上海：上海書店，1990 年 10 月），為《民國叢書》選印本之一。凡上海書店自《民國叢書》中抽出另外發版之單行本，應都有加上選印字樣暨編印說明。

者的重視；一方面因為國家內憂外患、社會動盪，所以散佚的情形頗為嚴重。後來大陸地區又歷經了文化大革命的十年浩劫，書籍亡佚程度更加嚴重。而《民國叢書》的編輯，將此時期的書籍彙為叢書形式出版，有利於書籍的保存。

另外，部分書籍原本流通不廣，原印行的出版社今日也已不復存在，隨著作者逝世，書籍再版再刷的可能性較低，這些書籍便容易在流通不廣、數量不多、後繼無人等情況下，日漸亡佚。歷史上不少典籍都是因為沒有及時重視與妥善保存，以致散佚不復再現。因此，《民國叢書》的編印，具有積極保存文獻的學術價值。

㈡促進流通

民國時期典籍在各公私立圖書館的館藏不平均，且在大陸往往只有少數圖書館收藏的較多。整體而言，民國書籍流通不廣，藉由彙為叢書的方式，可以讓更多人閱讀到某一本、或是某一類的民國書籍。

至於《民國叢書》流通的情形，或許可以引用下面這段文字來作參考：

> 迄今為止，第一編售出近 700 部，第二編售出約 650 部，第三編售出約 470 部，第四編售出約 360 部。[18]

---

[18] 引文見羅偉國：〈《民國叢書》出版近況〉，《古籍整理出版情況簡報》1997 年第 8 期（總第 321 期），頁 30－31。要補充說明的是，文中所謂「迄今為止」，絕非指本文刊載的 1997 年，因為：第一，文中只提到周谷城先生住院事，但其後周先生逝世（1996 年 11 月 10 日），卻未提

像《民國叢書》這樣數量的大規模出版品，購買者通常是研究機構或圖書館而非個人，所以這些銷售數字應可透露出藏有《民國叢書》的單位數目。而《民國叢書》能被眾多的圖書館收藏，使得被收入的群書，能夠有更多機會被閱讀、利用。故《民國叢書》的刊印，得以積極促進此時期文獻流通，造福廣大的讀者，是其學術貢獻之一。

㈢便於研究

《民國叢書》雖然只收了一部分民國時期所出版的書籍，但是所選一千一百二十六種，不少屬於當時某學科或某學者的重要學術著作，可以反映出學術發展方向。

例如姚名達（1904－1942）是近代知名的目錄學專家，他在目錄學方面主要有《中國目錄學史》、《中國目錄學年表》和《目錄學》三部專著，《民國叢書》將三書皆予收入[19]，提供後人研究姚氏目錄學思想上的便利。

另外，綜合各《叢書》所收諸書，凡某學者其著作被收入數種，大抵皆為當時著名之士，可以看出民國時期重要學者或具代表

及；第二，文中說到「現在，《民國叢書》第五編已經開機印刷，1997年可望出齊」，而實際上《民國叢書》第五編是在 1996 年出版。據上述推測，本文完稿時間至少在 1996 年以前。

[19] 《中國目錄學史》、《中國目錄學年表》、《目錄學》三書皆收在《民國叢書》第一編第三十七冊。

性人物。例如馮友蘭著作被收入七種[20]，梁啟超八種[21]，胡適九種[22]，梁漱溟九種[23]，上述皆為對近代學術有一定影響力的學者，《民國叢書》編入了這些學者的數部著作，亦可提供研究民國學術發展趨向者參考。

綜上可知，《民國叢書》將民國時期的書籍彙為叢書形式出版，對於此階段學術研究風氣的推廣，有相當的助益。

五、《民國叢書》的編輯缺點

《民國叢書》雖然目前只出版到第五編，餘下的五編還在編輯之中，但從現已出版的五編裏，可以發現一些缺失。檢討這些問題的目的，除了提醒使用者注意外，希望也能作為後續編輯工作進行時的參考。

---

[20] 即《中國哲學史》、《新理學》、《新事論》、《新世訓》、《新原人》、《新原道》、《新知言》，共七種。

[21] 即《清代學術概論》、《佛學研究十八篇》、《中國歷史研究法》、《中國歷史研究法補編》、《李鴻章》、《墨子學案》、《先秦政治思想史》、《梁任公近著第一輯》，共八種。

[22] 即《中國哲學史大綱（卷上）》、《白話文學史（上卷）》、《胡適文存》（一、二、三集）、《胡適論學近著》（第一集）》、《胡適留學日記》、《四十自述》、《章實齋先生年譜》、《中國問題》（合著）、《張菊生先生七十生日紀念論文集》（合著），共九種。

[23] 即《中國文化要義》、《印度哲學概論》、《漱溟卅前文錄》、《漱溟卅後文錄》、《朝話》、《中國民族自救運動之最後覺悟》、《鄉村理論建設》、《梁漱溟教育論文集》、《東西文化及其哲學》，共九種。

㈠〈凡例〉疏漏過多

「凡例」是利用扼要的文字，去引導讀者掌握編輯要點，在大部頭的叢書或工具書的利用上，尤其有重要的功用。但《民國叢書》的〈凡例〉，不但內容文字過於簡單，又有所述與實際內容不相吻合之處，實在容易誤導讀者。

就內容文字過於簡單而言，〈凡例〉固然應該用簡潔扼要的方式作編輯說明，但基本要求是能夠說清楚、講明白，讓讀者一覽即知、掌握要點，而不是語焉不詳或含混其詞，讓人不知所云。像《民國叢書》在〈凡例〉中說版本的選擇是「選用民國時期出版的最佳本」，何謂「最佳本」？應予說明，讓讀者有進一步的了解。

就與實際內容不合而言，約有下面三點：⑴各編所收圖書數量，大約在兩百種左右，非〈凡例〉所謂「約含三百種」；⑵各編所收圖書種類，都包含十一類，並未缺收了某一類，非〈凡例〉所謂「或含十一大類，或選其中若干類」；⑶預計出版十編的《民國叢書》目前只出版了一半，在第五編出版後隨即編輯了一冊《目錄》，非〈凡例〉所謂「全部出齊後，編印《民國叢書》分類總書目和著者索引一冊」。[24]

綜上所述，可知本《叢書》之〈凡例〉內容疏漏頗多，希望餘下的五編在出版前能稍作修訂。

---

[24] 在〈凡例〉中並沒有提到《民國叢書》預計要出版十編，所以全部出齊就編一冊目錄的說法，很容易讓讀者誤以為只有五編就是完整的一套《民國叢書》。

㈡分類不夠準確

已出版的《民國叢書》在分類上，有同性質的書卻歸入不同類別的情形，顯示出分類標準不完全統一，所以才會造成歸類的不準確。這類情況，在《民國叢書目錄》的「分類目錄」中都進行了調整，可惜沒有將調整之處予以註明，所以讀者在利用該《目錄》檢索之餘，也要留意某書在「叢書」和「目錄」中所屬類別是否一致。

例如潘光旦《民族特性與民族衛生》（第1編第20冊），本《叢書》放在「哲學宗教類」；而呂思勉《中國民族學》（第1編第80冊）、王桐齡《中國民族史》（第1編第80冊），本《叢書》則置於「歷史地理類」。以上三種民族學著作，《民國叢書目錄》均統一改放在「社會科學總論類」下的「民族學」內。

㈢選書不夠周全

選書方面大概有幾點問題，一是選書種類不平均，二是漏選重要書籍，三是不選某些類別著作。

1.選書種類不平均

《民國叢書》選書雖多達十一類，但各類收書數量並不平均，根據統計如下：

	哲學、宗教類	社會科學總論類	政治、法律、軍事類	經濟類	文化、教育、體育類	語言、文字類	文學類	美學、藝術類	歷史、地理類	科學技術史類	綜合類	合計
五編合計數量	164	93	101	64	124	61	89	59	247	27	97	1126
占全套叢書總目百分比	14.56	8.26	8.97	5.68	11.01	5.42	7.90	5.24	21.94	2.40	8.61	100

透過上面統計可以知道，《民國叢書》收書十一類，各類數量不一。其中，歷史地理類最多，計有兩百四十七種，約占整套叢書的五分之一；其次是哲學宗教類，計有一百六十四種。收書最少的類別是科學技術史類，只有二十七種。可知《民國叢書》收書內容包涵的範圍雖然廣泛，但整體而言主要還是偏重於文史哲方面的著作。

2.漏選重要書籍㉕

《民國叢書》所收一千一百二十六部書，不少是民國時期的重要著作，但也有某學科或某學者具代表性的書籍被忽略，沒被收進

㉕ 由於《民國叢書》目前僅出版五編，還有餘下的五編仍在編輯中，我們無從得知第六至十編預計收入的書籍有哪些，是以文中所舉某學者、學科之著作收錄不全的例子，未必允當，在此謹供參考。

叢書中。

就某學者個人著作而言，例如胡毓寰（1898－1981）的著作，《民國叢書》只收錄了《孟子本義》一種（收入第5編第4冊），實際上胡毓寰以《孟子》學名家，代表作為《孟》學三書，除了《孟子本義》外，尚有《孟子事蹟考證》、《孟學大旨》，目前《民國叢書》所出版的五編中，只收了其中一種，未收入另外兩種，可謂有所遺漏。又例如姚名達（1905－1942）的著作，《民國叢書》共收六種，除目錄類專著《中國目錄學史》、《中國目錄學年表》、《目錄學》三書外，還有年譜類的《朱筠年譜》、《劉宗周年譜》、《邵念魯年譜》三書。姚氏為近代著名文獻學家，其年譜類著作除前述三種外，還有《程伊川年譜》等㉖，也應一併收入，如此才能窺見姚氏譜學的全貌。

以某學科代表著作而言，例如民國時期學者在「諸子學」的研究成果十分豐碩，以其中的道家專著為例㉗，「老子」方面有梁啟超《老子哲學》、馬其昶《老子故》、奚桐《老子集解》、陳柱《老子集訓》、蔣錫昌《老子校詁》、嚴靈峰《老子章句新編》、高亨《老子正詁》、錢基博《老子道德經解題及讀法》、王力《老

㉖ 姚名達所編年譜除四書外，還訂補胡適編的《章實齋先生年譜》，《民國叢書》雖然也收入了《章實齋年譜》一書（在第3編第76冊），但只題胡適之名，沒註明訂補者姚名達；而《民國叢書目錄》之「編著者索引」也沒將這個錯誤改正過來，所以在姚名達條下就未見此書（頁167）。

㉗ 本段文字主要參考張昭君：〈民國時期諸子學研究的轉型與發展〉，《學習與探索》2001年第5期（總第136期），頁124－125，「二、大道重光：民國時期的道家研究」。

子研究》、郎擎霄《老子學案》等，而《民國叢書》於上述諸書中只收陳柱、高亨、蔣錫昌之書。㉘「莊子」方面有馬其昶《莊子故》、支偉成《莊子校釋》、胡遠濬《莊子詮詁》、朱文熊《莊子新義》、楊明照《莊子校證》、馬敘倫《莊子義證》、葉國慶《莊子研究》、王叔岷《莊子校釋》、劉文典《莊子補正》、蔣錫昌《莊子哲學》、郎擎霄《莊子學案》、顧實《莊子天下篇講疏》等，而《民國叢書》於上述諸書中只收馬敘倫之書。㉙故知《民國叢書》所收民國時期老、莊研究之重要著作並不全面。

在主編〈序〉或〈凡例〉裏，都沒有交待選書的方式和過程，所以無法判斷這些書沒有被收入的原因，是故意不收、漏收，或因蒐集不易而缺收，無從得知。若僅就目前已出版的五編來說，確實存有失收重要著作的現象，編者在後續的選書過程中，宜多加留意或略作調整，以補前編的不足。

3.不選某些類別著作

〈凡例〉明白指出「古籍、翻譯作品、文藝創作」這些類別的著作，不在《民國叢書》的選書之列。由於〈凡例〉或主編〈序〉都沒有多作說明，所以無從得知其原因。但是不選這些類著作，正好凸顯了選書不周全的問題。以翻譯作品為例，自晚清以來西學影響中國日深，因應需求，於是翻譯外國哲學、政治、教育、科技各類書籍的作品大量出現。這類翻譯之作不僅數量很多，也產生了一

㉘ 陳柱《老子集訓》、高亨《老子正詁》、蔣錫昌《老子校詁》三書皆收入第五編第五冊。

㉙ 馬敘倫《莊子義證》收入第五編第六冊。

定的影響力，例如嚴復（1854－1921）所翻譯的赫胥黎《天演論》、孟德斯鳩《孟德斯鳩法意》等書，對於民國時期思想的發展都有直接的影響。又例如張我軍（1902－1955）翻譯日本學者所著社會學著作數十種，是社會學思想傳入中國的重要媒介，對於近代中國社會學發展有其重要的影響性。簡言之，民國時期的翻譯著作，其價值不容忽視，如能彙編這類譯作，可以藉以討論外國思想對近代中國所產生的影響，應可成為相當重要的研究課題。從這一點來看，《民國叢書》不收這類著作，十分可惜。

㈣刪去原書正文以外的版權頁、廣告

《民國叢書》所收各書，基本上只影印內容正文，正文以外的版權頁和廣告等，都加以刪去。然而，民國時期出版品的「原本」已經不容易見到，編者在影印時，除了內容正文外，其它如版權頁、廣告等附屬於書末的東西都不應該任意刪去，應該全部保留下來一併影印出版，這樣才是真正地把文獻「完整」的保存下來。清代以前刻印的傳統叢書，沒有這類的問題，因為舊籍沒有版權頁。版權頁的出現，即在幫助讀者簡明地掌握書籍編者、出版者等基本資訊，有其必要性。因此，《民國叢書》刪去原書版權頁的作法，顯然是很不正確的。尤其《民國叢書》在選書版本的交待上過於簡略（只寫據某出版單位某年版影印），又沒有適用的提要對所選之書作說明，所以版權頁的影印存真就變得更加重要了。而且版權頁上的一些「記載」，不是一般在記錄版本時會留意到的地方，但卻有其價值，例如「書價」、「版次」、「校訂者」。「書價」和「版次」能讓讀者了解出版品價格、書籍銷售程度等，可以藉此推知當時的出版市場概況。「校訂者」則是部分書籍會在版權頁上註明該書的校對人員，亦可供讀者參考。

除了版權頁外，書內所附的「廣告」或「啟事」也應該照原樣影印。因為民國時期的書籍亡佚了不少，我們或可利用這些書局刊登的售書廣告、啟事，得知該書局出版或代理經銷了哪些書籍，藉以窺探民國時期圖書出版概況。例如第一編第三冊朱謙之《一個唯情論者的宇宙觀及人生觀》，末附有一頁「上海泰東圖書局廣告」；第一編第七十冊陳鯉庭《電影軌範》，末附有「鄭用之主編《中國電影文化叢刊》總目預告」；這些都可作為參考文獻。上述只是少數被幸運保存下來的資料，因為《民國叢書》將大部分原書所附的廣告、啟事都刪去了，是相當不明智的編輯方式。例如吾人今欲研究「樸社」㉚出版概況，利用《民國時期總書目》、《民國以來出版新書總目提要初編》等工具書檢得的資料仍相當有限，這時書中所附廣告、啟事無疑便成為很重要的資料。像在《古史辨》末即附有「景山書社啟事」、「印行《辨偽叢刊》緣起」㉛，說明該社經售、編印各書的情況，很有參考價值。然而，像《民國叢書》這樣任意刪去的作法，即無法提供出版訊息這方面的材料，實

㉚ 樸社是成立於民國時期的出版單位，1923 年創辦於上海，1925 年遷至北京，1946 年結束營業。其成員都是近代著名學者，包括顧頡剛、鄭振鐸、葉聖陶、周予同、沈雁冰、胡愈之、馮友蘭等人。出版品中尤以《古史辨》、《辨偽叢刊》等書，對學術界影響最大。故知樸社成立雖然只有十餘年的時間，但有其一定的重要性，值得注意。

㉛ 「景山書社啟事」和「印行《辨偽叢刊》緣起」皆附載於《古史辨》（北平：樸社，1930 年 9 月），第 2 冊，書末。

在不適當。

㈤選書版本交待不明確

本《叢書》在各書前都會標示出所影印版本的來源，但偶有語焉不詳的情況，或缺載出版者，或漏記出版年。缺載出版者，例如第一編第十六冊李子峰編著《海底》，只說是「1940 年版」，未指明原來的出版單位。㉜漏記出版年者，例如第一編第十三冊傅勤家《中國道教史》，只說是「據商務印書館版」；第一編第六十三冊吳梅《顧曲麈談》，只說是「據商務印書館版」㉝；第二編第三冊周予同《群經概論》，只說是「據商務印書館版」。另外，也有沒有交待清楚或根本完全漏記版本的例子，例如第二編第三冊劉師培《經學教科書》，只說是「據寧武南氏校版」，既沒有註明出版時間，也容易讓人弄不明白「寧武南氏校版」是何版本？㉞至於完全漏記版本的例子，例如收在第一編第三十九冊的陳序經《文化學概觀》，依〈凡例〉的作法，編者可以據陳序經「前言」所載，可補記為「商務印書館 1946 年版」。㉟

㉜ 經查北京圖書館編：《民國時期總書目‧社會科學（總類部分）》（北京：書目文獻出版社，1995 年 6 月），頁 248，第 3158 條，載《海底》一書為「1940 年 8 月初版」，亦未記出版社，故此書出版社不詳，待考。

㉝ 按，吳梅《顧曲麈談》於 1916 年由上海商務印書館初版。

㉞ 按，所據當為 1936 年寧武南氏（桂馨）排印《劉申叔先生遺書》本。

㉟ 中央研究院圖書館線上目錄顯示則作「據 1935 年商務印書館版影印」，當為誤記。

㈥欠缺適用的提要

一部完善的叢書，應該有提要作為輔助，引導讀者對所收書籍有更具體的了解。提要的撰寫，有時不只是輔助的作用，有的甚至能視同一部學術史或人物志來看待。完善的提要可以幫助讀者了解書籍的版本、內容、價值等，而一篇完整的提要，基本上應該包括：作者生平、原書的出版項、書籍介紹等內容，以《民國叢書》為例，如果能有包含了上述幾項內容的提要可資利用，將對於讀者有下列幾點幫助。

1.作者生平方面，《民國叢書》所收諸書，多在當時具有代表性或影響力，但隨著時代變遷，這些書籍的作者漸漸被遺忘，雖然他們的著作藉由叢書的編輯而被保存下來，但缺乏適當的提要，久而久之，他們的生平就越來越不可考查，將來的研究者只能觀其書而不能知其人，殊為可惜。

2.原書出版項方面，首先應該詳細記述影印所據原書之詳細出版項，其次應詳記作者原來增補、改版的情形。《民國叢書》於各書只交待出版社和出版年，除此之外，也應註明「出版地」和「出版月份」。註明出版地的原因有三：其一，民國時期的出版機構除了少數規模較大者，例如商務印書館、中華書局外，其他多半早已消失，如果能標示出它們的出版地，有助了解其流通及影響所在。其二，民國時期因政局不安，為免戰火波及，出版單位常常遷徙各地，例如商務印書館曾自上海遷至長沙、中華書局曾自上海遷至重慶、中央研究院自上海遷至四川李莊等等，若不載明出版地，讀者將不易弄清楚當時正確的印行和流通地點。其三，某些出版單位名稱相同或相近，或今日在海峽兩地皆有同名之出版社，如「中華書局」、「商務印書館」等，應加註出版地予以區別。至於版本變動情況的記錄更是重要，例如第一編第六冊收入郭湛波先生《近五十年中國思想史》一書，版本只說是用「人文書店 1936 年版」，近年新編的《現代中國思想論著選粹》中亦收入此書㊱，將原直排繁體字改為橫排簡體字，前有趙麗霞〈重版引言〉，可知本書：「成書于 1934 年，原名為《近三十年中國思想史》，1935 年北平人文書店出版發行，後經作者修改，增加了部分章節後于 1936 年以現名再版。」（頁 2）像《民國叢書》這樣只簡單的記載出版者及出版年的方式，就絕不可能讓讀者了解到一部書的改版經過。

3.書籍介紹方面，包括當時學術背景，及該書的內容特色、學術價值等。本《叢書》所收諸書，不少都具備代表性，在當時有很大的影響力，例如一套《古史辨》（原書共七冊，收入《民國叢書》第 4 編第 65 至 71 冊），掀起一陣強烈的「疑古」風潮，振盪了當時的學術界，就很有介紹的價值。

總之，《民國叢書》沒有進一步編寫一部適用的「提要」，對於讀者可以稱得上是一大缺憾。要補充說明的是，《民國時期總書目》、《民國以來出版新書總目提要初編》㊲收書時間範圍與《民國叢書》相同，對書目撰有提要，讀者在版本、內容方面若有疑

㊱ 石峻主編的《現代中國思想論著選粹》，主要選印 20、30 年代出版、後來未見重印的中國思想家著作。其一為郭湛波《近五十年中國思想史》（濟南：山東人民出版社，1997 年 3 月）。

㊲ 楊家駱編：《民國以來出版新書總目提要初編》（臺北：中國辭典館復館籌備處印行，1971 年 1 月臺 1 版）。

問，或可加以利用，亦不無小補。㊳不過，《民國時期總書目》、《民國以來出版新書總目提要初編》兩書所附提要皆略嫌簡略，《民國叢書》主事者若有更遠大的學術擔當，應該邀集各學科專家來撰寫適用的提要，就像《四庫全書》一樣，讓提要與叢書一起受到學界重視，留傳久遠。

(七)編排上的疏失或缺點

1.《民國叢書》依照原書的樣式排印，或作橫式，或作直式，並未重新排版以作統一。傳統的叢書沒有這種問題，因為古書多是直式書寫，民國以來才有橫式排版出現。依原書樣式不重新排版，其優點在於一方面保存了原書的樣貌，一方面又節省了編輯上的麻煩（重新排版較費事）；其缺點則是較不便讀者翻閱。故如何編排才較適當仍待商榷，不過《民國叢書》在編排和目次之間，偶有不一致的情況，是應該特別指出來的。例如第一編第三十六冊共收書三種，其中唐慶增《中國經濟思想史（上卷）》、夏炎德《中國近百年經濟思想》兩書是直式排印，趙豐田《晚清五十年經濟思想史》則是橫式排印，目次排列順序為唐書、趙書、夏書，實際上應改作唐書、夏書、趙書才是；又例如第一編第六十六冊共收書七種，目次排列順序作黃懺華《美學略史》、呂澂《美學概論》、范壽康《美學概論》、陳望道《美學概論》、蔡儀《新美學》、朱光潛

㊳ 《民國叢書》所收一千一百二十六種書是否全都包含在《民國時期總書目》內，筆者並未作實際的全面性比對，只抽樣檢查了部分書籍，確實可以利用《民國時期總書目》的提要作輔助。

《談美》、呂澂《現代美學思潮》，其中呂澂《美學概論》為橫排本，其他皆為直排，而《民國叢書》目次與實際翻檢之順序不相合[39]，易造成讀者困擾。

2.每冊收書的數量不一定，少則一種，多則達三、四種，大部分一冊之中收書數種，而《民國叢書》只有在書前用簡單的目次列出該冊所收各書之書名和作者，在實際翻閱上很不方便。一方面因為有些書沒有在書耳處標示出書名，另一方面各書各有頁碼，不相連貫，不便讀者檢視。其實編者可以仿照《明代傳記叢刊》、《清代傳記叢刊》的方式，在每頁的下方空白處另外打印頁碼[40]，然後在目次註明起迄頁，這樣一來更便於讀者查閱。

3.出版時間的記錄方式有待商榷。〈凡例〉說：「無版權頁或版權頁缺失者，據序言寫作年月著錄。」這種變通的作法是否適當？值得商榷。因為序言與實際出版的時間不一定會吻合或很接近，比較合適的作法，應是利用其他工具書如《民國時期總書目》等，儘量查出正確的版權頁，若遍尋不得，才可據序言著錄出版時間，但也應特別註記出來，以便讀者查檢。

---

[39] 若從左頁翻起，順序應為：黃懺華《美學略史》、呂澂《現代美學思潮》、蔡儀《新美學》、朱光潛《談美》、范壽康《美學概論》、陳望道《美學概論》、呂澂《美學概論》。

[40] 周駿富主編《明代傳記叢刊》、《清代傳記叢刊》（皆臺北明文書局出版）的作法，是在每頁的正下方打印兩組數字，一為冊數，一為該冊總頁數，例如「010－200」，即《叢刊》第10冊第200頁。

六、《民國叢書目錄》的檢討

在第五編出版之後，為了方便讀者檢閱《民國叢書》，由王明根、焦宗德編成《民國叢書目錄》（以下簡稱《目錄》），合《民國叢書》一至五編所收之書，分別編製「分類目錄」、「書名索引」、「編著者索引」三種，頗便於學者查檢。

(一)編輯特色

1.進一步分類

〈編目說明〉說：

> 為便于讀者檢索，除收書較少的「科學技術史類」不再細分外，其他十個大類均根據具體內容并參照「中國圖書館圖書分類法」作進一步的細分。（〈編目說明·三〉）

原《民國叢書》各編只分作十一個大類，《目錄》則又依據「中國圖書館圖書分類法」[41]再加以細分如下：

原《民國叢書》大類	《目錄》分類
哲學·宗教類	哲學、思想學術史、諸子研究、宗教（4）
社會科學總論類	社會學、社會學專題研究、人口學、民族學、民俗學（5）

---

[41] 「中國圖書館圖書分類法」為大陸地區專用之圖書分類法，由中國社會科學院所創編，與臺灣地區所使用之「中國圖書分類法」（劉國鈞創立，賴永祥修訂）不相同。

政治・法律・軍事類	政治、法律、軍事、中外關係（4）
經濟類	經濟學、經濟史（2）
文化・教育・體育類	文化學、文化史、新聞學、教育學、文獻學、體育（6）
語言・文字類	語言、語法・修辭、文字・音韻・訓詁（3）
文學類	文學概論、文學史、專題研究（3）
美學・藝術類	美學、藝術論、美術、音樂、戲劇・電影（5）
歷史・地理類	歷史學、中國古代史、中國近現代史、世界史、傳記、方志、地理學、游記、考古（9）
科學技術史類	（0）
綜合類	總集、別集、書目索引（3）

十一類中，「科學技術史類」因為只有二十七本書，「收書較少」，而不再進行細分；其他十類則又再分為二至九類不等。其中，「歷史地理類」因為「收書最多」，所以細分的類別也最多（九類）。這樣的再細分，是《目錄》為了便於讀者查核所作的一種「改進」之舉。

2.類別再調整

〈編目說明〉謂：

> 《民國叢書》第一——五編各編編輯者在具體圖書應劃歸哪一類時掌握的標準不盡一致，因此，同一性質、內容的圖書在不同編中的歸類略有不同。此次編纂「分類目錄」，對此適當進行了調整。（〈編目說明・三〉）

這段話指出整套《民國叢書》在編輯上的一大缺點，就是各編間分類標準的不統一，同性質、內容的書卻在不同編有不同的類別歸屬，是很明顯的錯誤，所以《目錄》進行調整，以改正原《叢書》的訛誤。

㈡編輯缺點

1.未附版權頁

《目錄》首尾並沒有附上版權頁，不便讀者使用。雖然我們知道《民國叢書》是等五編出齊後才出版《目錄》提供讀者檢索之用，故可推知其出版時間絕不早於一九九六年（即第五編之出版時間）；另據「中央研究院圖書館線上目錄」之登錄資料，可知本《目錄》是出版於「1996 年」。但姑且不論我們可以推測或利用圖書館線上目錄檢索來找到該書的出版時間，每一本書都應該有其所屬的版權頁才是。

2.未註明調整之處

前面提到《目錄》的編輯特點之一，是對《民國叢書》的歸類作了調整，這可以算是一種改正之舉。而作過調整的部分，則應該在《目錄》中特別註明，如此一來，既可讓讀者了解原《叢書》在分類上的不精確處，亦可提高《目錄》的參考價值。但是本《目錄》卻未註明這些修正之處，殊為可惜。而且如果不是在〈編目說明〉中有提到編者作了類目的調整，讀者恐怕也不容易留心到《目錄》曾經作過這些改動。

3.未能辨明源流

《民國叢書》欠缺提要，所以未能具備辨彰學術、考鏡源流的功用，若《目錄》能將所收諸書略加考辨，則更能凸顯其輔翼叢書的價值。例如《民國叢書》收有民初學者張采田（1874－1945）的《史微》，而今人在徵引此書時，則多冠以「張爾田」，較少稱「張采田」，《目錄》不妨採用「互見」之法，在「編著者索引」中，除「張采田」外，再增加「張爾田」一條，如此既便於讀者檢索，又兼具辨明撰者姓名別號之功。

七、結　語

《民國叢書》是大陸近年來編纂出版的大型叢書之一，目前已經出版五編，計有五百冊、一千一百二十六種的書籍。在歷經十年文化大革命、書籍散佚嚴重的情況下，這套叢書的出版，使讀者得以接觸這一時期的書籍，實在是一項造福學界的大事業，值得肯定。雖然這套叢書在編輯體例、內容等方面存在著部分缺失，但不論其促進民國時期書籍的流通和保存，或有助於民國學術研究風氣的提升，皆有功於學界，故其價值終究是瑕不掩瑜的。

最後要提醒讀者的是，本《叢書》中所收入的書籍不少目前已有新的重排本或整理本，在編排或內容上自是後出轉精，勝於舊本，故應先採用新本；另一方面，也有部分書籍同樣被收入其他叢書之中，如《現代中國思想論著選粹》、《民國學術經典文庫》[42]、

---

[42] 《民國學術經典文庫》（北京：東方出版社，1996 年），與《民國叢書》相同的書如胡適《中國哲學史大綱（上卷）》、蔡元培《中國倫理學史》等。

《二十世紀國學叢書》㊸等，也可多加利用。

〔附記〕本文曾刊載於《東方人文學誌》第 2 卷第 1 期（2003 年 3 月），今收入此書，僅作少數文字上的修訂，作者謹識。

——原載《東方人文學誌》第 2 卷第 1 期（2003 年 3 月），頁 175－201。

㊸ 《二十世紀國學叢書》（上海：華東師範大學出版社），與《民國叢書》相同的書如梁啟超《中國歷史研究法》、吳梅《詞學通論》等。

四庫相關叢書的探討

劉康威*

一、前　言

清乾隆年間（1772－1782）編纂的《四庫全書》為清代最大一部叢書。根據陳垣於一九二二年所作的統計，共著錄有書三四六二種，存目則有六七九三種。❶清廷編纂這部叢書的目的，在於「所有進到各遺書，並交總裁等，同《永樂大典》內現有各種，詳加核勘，分別刊抄，擇其中罕見之書，有益於世道人心者，壽之梨棗，以廣流傳。餘則選派謄錄，彙繕成編，陳之冊府。其中有俚淺訛謬者，止存書名。彙為總目，以彰右文之盛。此採擇《四庫全書》之指也。」❷而他們處理叢書中各種書籍的方法為「四庫全書處進呈《總目》，於經、史、子、集內分析『應刻』、『應抄』及『應存』書名三項，各條俱經撰有〈提要〉，將一書原委，撮舉大凡，

---

*劉康威，東吳大學中國文學系碩士生。

❶ 陳垣：〈編纂《四庫全書》始末〉，《陳垣學術論文集》第二集（北京：中華書局，1982年2月），頁16。

❷ 《欽定四庫全書總目（整理本）》（北京：中華書局，1997年1月），卷首一，〈聖諭〉，頁2－3。

並詳著書人世次爵里，可以一覽了然。」❸有一部分書籍被認為無益世道人心，「俚淺訛謬者」，故只存其書名於《四庫全書總目》之中而不收錄其書，是為存目。另外，於《四庫全書》編纂的過程中，對被認為是「違礙悖逆」之書，則予以禁燬：全燬書二千四百餘種，抽燬書四百餘種，共約三千種，禁燬書籍總數在十萬部以上。❹

《四庫全書》纂修完成後，由於有當代與之前未及收入的書。嘉慶初年，浙江巡撫阮元（1764－1849）進四庫未收書一七五種，並為各書撰寫〈提要〉，為《四庫未收書提要》，後被其子阮福編入《揅經室外集》之中。這批書，嘉慶皇帝賜名為《宛委別藏》，此可說為續修之先聲。

清光緒十五年（1889），翰林院編修王懿榮（1845－1900）上〈《四庫全書》懇恩特飭續修疏〉❺，建議「重新開館，續纂前書。」此後，光緒三十四年（1908）章梫、喻長霖、孫雄等人也皆有續修之議。民國八年（1919）葉恭綽等赴歐考察回國，動議影印《四庫全書》。而金梁以為「書不易續，目則易修」，建議將「二百年來新出書籍，……始存其目，以待後來。」但兩者皆因為時局動亂而未能完成。一九二〇年北洋政府與上海商務印書館商議，擬以文津閣本《四庫全書》影印，但是因印行經費龐大，北洋政府籌

---

❸ 同前註，頁3。

❹ 見〈《四庫禁燬書叢刊》編纂緣起〉，頁 2。《四庫禁燬書叢刊》經部，第 1 冊（北京：北京出版社，2000 年 1 月）。

❺ 〔清〕王懿榮撰，呂偉達主編：《王懿榮集》（濟南：齊魯書社，1999 年 3 月），頁 29－31。

措困難，而宣告中止。一九二四年，上海商務印書館提出影印文淵閣《四庫全書》的計畫，並擬以銷售盈餘，「請海內通人，選擇四庫存目及未收書，刊為續編」。❻邵瑞彭、黃文弼、李盛鐸、倫明❼等人，群起響應。此計畫有人阻擾，亦未實現。一九二五年上海商務印書館準備以文津閣本《四庫全書》影印，但因國內形勢不安，終未實現。❽一九二八年，東方文化事業總委員會所屬的北平人文科學研究所，擬用日本退還的部分庚子賠款，將續修《四庫全書》之事列為計畫，並開始購求古書。由於當時日本侵略中國，續修之事終未完成❾，但從一九三一年七月到一九四五年七月，北平地區學者們撰寫的《續修四庫全書總目提要》則被保留下來。❿而

---

❻ 〈《續修四庫全書》編纂緣起〉，見《續修四庫全書》經、史、子、集四部開始冊，頁5。

❼ 如倫明〈續修四庫全書芻議〉：「有在修書前未經發見者，有在修書後未及收錄者，前者宜補，後者宜續。」《國學月刊》第1卷第4期（1927年1月）。臺北：文史哲出版社，1970年2月影印出版。頁1。

❽ 詳參李春光撰：《古籍叢書述論》（瀋陽：遼瀋書社，1991年10月），頁224。徐小燕：〈學問的淵藪——《四庫全書》系列〉，《東吳大學圖書館館訊》第19期（2004年10月），頁3。〈《續修四庫全書》編纂緣起〉，頁5－6。

❾ 詳參〈《續修四庫全書》編纂緣起〉，頁4－6。齊秀梅、韓錫鐸撰：〈續修《四庫全書》〉，收於《亘古盛舉：《古今圖書集成》與《四庫全書》》（瀋陽：遼海出版社，1997年8月），頁200－206。

❿ 1935年以後，北平人文科學研究所曾經陸續將提要稿本打印後分送日本東方文化學院京都研究所（即日本京都大學人文科學研究所的前身），在分送了10080餘種提要後就停止了。1972年，臺灣商務印書館根據此提要打印本，編印出版《續修四庫全書提要》，共20冊，僅約占原稿的3分之1。原稿現藏中國科學院圖書館，著錄書有33000餘種（種數是依羅

影印《四庫全書》之事，仍持續進行。從一九三三至一九三五年，上海商務印書館選取文淵閣本《四庫全書》中珍本二三一種，影印出版《四庫全書珍本初集》。一九六九至一九八三年，臺灣商務印書館再度影印出版《四庫全書珍本》第二集至十二集與《別輯》，共十三集。⓫另又於一九八三年至一九八六年影印《文淵閣四庫全書》，上海古籍出版社則於一九八七年據臺灣商務印書館所影印《文淵閣四庫全書》為底本，全部影印。此二事，應與後來四庫相關叢書的出版，有著直接影響作用，也與大陸亟於保存與搶救古籍文獻，以免其散失有關。⓬《續修四庫全書》、《四庫全書存目叢

琳撰寫的《續修四庫全書總目提要（稿本）》〈前言〉的說法，鮑思陶：〈無愧於前修和來哲——《續修四庫全書總目提要》印行記〉則說有32960 餘種）。中國科學院圖書館古籍組曾經點校「經部」、「史部」與部分「集部」，1993 年由北京中華書局出版《續修四庫全書總目提要（經部）》（上、下 2 冊），後點校與出版工作因故停止。1996 年由濟南齊魯書社將稿本全部影印出版，為《續修四庫全書總目提要（稿本）》，共 37 冊，另有索引 1 冊。可參考羅琳撰寫的《續修四庫全書總目提要（稿本）·前言》，《續修四庫全書總目提要（稿本）》（濟南：齊魯書社，1996 年 12 月），第 1 冊，頁 1－12，與鮑思陶：〈無愧於前修和來哲——《續修四庫全書總目提要》印行記〉，《新華文摘》1997年第 7 期，頁 210－211。

⓫ 詳參李春光撰：《古籍叢書述論》（瀋陽：遼瀋書社，1991 年 10 月），頁 224－225。徐小燕：〈學問的淵藪——《四庫全書》系列〉，《東吳大學圖書館館訊》第 19 期（2004 年 10 月），頁 3－4 轉頁 9。

⓬ 《續修四庫全書》、《四庫全書存目叢書》、《四庫未收書輯刊》、《四庫禁燬書叢刊》這四套叢書的編纂出版大率皆以「尊重歷史，保存文獻」為其宗旨。如 1992 年 12 月 23 日，大陸國務院古籍整理出版規劃小組組長匡亞明簽署〈關於編纂四庫全書存目叢書的批覆〉：「編纂出版《四庫

書》、《四庫禁燬書叢刊》、《四庫未收書輯刊》的名字都跟《四庫全書》有關，環繞著《四庫全書》而產生。四部叢書的完成，也可說是《四庫全書》續修計畫的完成，以下將略作討論。

二、《續修四庫全書》

清代乾隆年間纂修《四庫全書》，網羅了先秦至清初的重要學術著作。不過乾嘉以後，學術興盛，也產生了很多有價值的學術著作。因此，清末以來，屢有續修之議。在二十世紀末至二十一世紀初，這個計畫終於獲得實現。同時也可說為乾嘉至清末的學術成果，作了一個總結。⓭

《續修四庫全書》由《續修四庫全書》編纂委員會編，上海古

全書存目叢書》的設想很好，這對於保存和搶救文化典籍，推動學術研究，弘揚優秀傳統文化，都具有重要意義。我們同意。」、「這套書規模大，搜集、編纂之功不易，並需有相當數量的經費，希望東方文化研究會歷史文化分會能周密規劃」，「爭取早日把這套叢書編成編好出版。」〈《四庫全書存目叢書》編纂緣起〉，《四庫全書存目叢書》，《首卷》目錄索引冊，頁 15，注釋 20。另可參考〈保存古代典籍，研究傳統文化——《四庫全書存目叢書》筆談會〉，《中國圖書館學報》1995 年第 1 期（1995 年 1 月），頁 4－7。〈搶救古代典籍，弘揚優秀傳統文化——《四庫全書存目叢書》專家訪談錄〉，《北京大學學報》1997 年第 5 期（1997 年 9 月），頁 5－14。

⓭ 可參考〈《續修四庫全書》編纂緣起〉，頁 1－16。王紹曾：〈編印《四庫善本叢書》和續修《「四庫全書」芻議》，《文史哲》1993 年第 1 期（1993 年 1 月），頁 81－82。方方：〈論《續修四庫全書》〉，《文史哲》1994 年第 6 期（1994 年 11 月），頁 91－93，轉頁 99。

籍出版社出版。《續修四庫全書》從一九九五年起陸續出版，歷時八年，到二〇〇二年三月，全部出版完成。⓮《續修四庫全書》共收書五千二百一十三種，共有一千八百冊，分經、史、子、集四部。經部有二百六十冊（1－260 冊），史部有六百七十冊（261－930 冊），子部有三百七十冊（931－1300 冊），集部有五百冊（1301－1800 冊）。《續修四庫全書》封面顏色依仿《四庫全書》，經部為綠色，史部為紅色，子部為藍色，集部為（棕）灰色。

㈠編纂

《續修四庫全書》為中國大陸新聞出版署與國家古籍整理出版規劃小組批准之國家重點出版項目。一九九四年初成立了由出版界、圖書館界、學術界與投資方深圳南山區人民政府代表共同組成之《續修四庫全書》工作委員會，由中國出版工作者協會主席宋木文、副主席伍傑統籌《續修四庫全書》之編纂。《續修四庫全書》編纂委員會主要是由版本目錄學家組成，由顧廷龍與傅璇琮為主編。王世襄、任繼愈、侯仁之、徐蘋芳、張岱年、戴逸、饒宗頤、錢存訓、王振鵠等二十餘位學者為《續修四庫全書》學術顧問。根據經、史、子、集四部類，各聘請特約編委，負責選目工作。

⓮ 《續修四庫全書》第 1800 冊出版項作「2002 年 3 月」。可參考宋木文：〈論《續修四庫全書》〉，《中華讀書報》2002 年 5 月 16 日。楊雪梅：〈當代偉業，曠世盛舉——《續修四庫全書》編纂出版紀實〉，《人民日報》2002 年 5 月 10 日。而《古籍整理出版的宏偉工程——「續修四庫全書」》（內容有〈《續修四庫全書》出版說明〉、〈《續修四庫全書》凡例〉與〈《續修四庫全書》總目錄〉）亦於 2002 年 4 月出版。

《續修四庫全書》編纂工作，最先為進行普查，首先以北京圖書館（已改名為中國國家圖書館）及分館、中國科學院圖書館、北京大學圖書館、上海圖書館、天津圖書館、遼寧省圖書館、山東省圖書館、湖北省圖書館、南京圖書館、浙江圖書館、復旦大學圖書館等十一家圖書館，十二個收藏單位作為重點普查對象。根據這些收藏單位的藏書，再參考對照《中國古籍善本書目》⓯與編纂中的《中國古籍總目》，掌握各部類現存古籍的版本。由學術顧問與各部類特約編委，擬訂選目，廣泛徵求意見，再召開各部類討論會，然後才確定選目初稿，送交上海古籍出版社。在拍攝複製過程中，依版本狀況，如果不合用，隨時調整。此外，上海古籍出版社亦專門成立《續修四庫全書》編輯室，制定章程，對底本圖書借用與拍攝複製，分冊目錄與輯封皆做統一的規定。⓰

《續修四庫全書》的編纂，所訪求的圖書館、博物館、海外圖書館與私人藏書家多達一一五處，查閱圖書達一萬五千種。《續修四庫全書》出版時所收五千二百一十三種書籍則是從大陸八十二家圖書館選出的。⓱

⓯ 中國古籍善本書目編輯委員會編：《中國古籍善本書目》（上海：上海古籍出版社，1989 年 10 月）。

⓰ 詳參〈《續修四庫全書》編纂緣起〉，頁 15。楊雪梅：〈當代偉業，曠世盛舉——《續修四庫全書》編纂出版紀實〉，《人民日報》2002 年 5 月 10 日。

⓱ 詳參〈為《續修四庫全書》提供底本的圖書館名錄〉，《續修四庫全書》第 1800 冊（上海：上海古籍出版社，2002 年 3 月）書末，頁 1－4。楊雪梅：〈當代偉業，曠世盛舉——《續修四庫全書》編纂出版紀實〉，《人民日報》2002 年 5 月 10 日。

㈡體例

1.收錄年限與範圍

⑴收錄年限

《續修四庫全書》收錄「包括《四庫全書》以外的現存中國古籍，即補輯乾隆以前有價值的而為《四庫全書》所未收的著述，以及系統輯集乾隆以後至民國元年（1912）前各類有代表性的著作，共收書五千餘種。」⑱〈《續修四庫全書》凡例〉第一條為：

> 本書主要收錄清修《四庫全書》以後迄於清末的學術著述，收錄下限以成書年代計，大體止於民國元年（1912），冀為中國傳統學術最後二百年之發展理清脈絡。⑲

《續修四庫全書》收錄書籍的年限主要為清乾隆間纂修《四庫全書》以後到清末，下限為民國元年（1912），收錄此時期的重要的學術著作，可說為繼《四庫全書》之後的學術發展作一總結。

⑵收錄範圍

《續修四庫全書》收錄書籍的範圍，〈《續修四庫全書》凡例〉第二條為：

> 本書收錄範圍包括以下方面：㈠《四庫全書》失收（遺漏、摒

⑱　〈《續修四庫全書》編纂緣起〉，頁1。倫明：〈續修四庫全書芻議〉亦說：「有在修書前未經發見者，有在修書後未及收錄者，前者宜補，後者宜續。」《國學月刊》第1卷第4期（1927年1月），頁1。

⑲　〈《續修四庫全書》凡例〉，頁1。

棄、禁燬）而確有學術價值者⓴；㈡《四庫全書》列入「存目」而確有學術價值者㉑；㈢《四庫全書》已收而版本殘劣，有善本足可替代者㉒；㈣《四庫全書》未及收入的乾嘉以來著述之重要者；㈤《四庫全書》所不收的戲曲、小說，取其有重要文學價值者㉓；㈥新從域外訪回之漢籍而合於本書選錄條件者㉔；㈦新出土的簡帛類古籍而卷帙成編者。㉕

⓴ 失收如〔宋〕黃度撰，〔清〕陳金鑑輯：《宋黃宣獻公周禮說》，《續修四庫全書》第 78 冊，經部·禮類。〔宋〕劉克撰：《詩說》，《續修四庫全書》第 57 冊，經部·詩類。禁燬如〔明〕何喬遠撰：《名山藏》，《續修四庫全書》第 425 冊－427 冊。

㉑ 如〔清〕王夫之撰：《尚書引義》，《續修四庫全書》第 43 冊，經部·書類。〔清〕王夫之撰：《春秋家說》，《續修四庫全書》第 139 冊，經部·春秋類。〔明〕鄭曉撰：《今言》，《續修四庫全書》第 425 冊，史部·雜史類。

㉒ 如〔宋〕陳大猷撰：《書集傳》十二卷，《或問》二卷，《續修四庫全書》第 42 冊，經部·書類。《欽定四庫全書總目（整理本）》卷十一，經部十一，書類一，頁 148，〈《尚書集傳或問》二卷〉提要云：「今《集傳》已佚，存者此兩卷。」〈提要〉所言不確。北京圖書館藏有元刊本陳大猷《書集傳》十二卷，《或問》二卷。《續修四庫全書》即據此本影印。

㉓ 戲曲如《古今雜劇》，《續修四庫全書》第 1760 冊，集部·戲劇類。〔明〕徐渭撰：《四聲猿》，《續修四庫全書》第 1766 冊，集部·戲劇類。小說如〔明〕洪楩輯：《清平山堂話本》，《續修四庫全書》第 1784 冊，集部·小說類。〔明〕馮夢龍輯：《古今小說》，《續修四庫全書》第 1784 冊，集部·小說類。〔明〕羅貫中撰：《三國志通俗演義》，《續修四庫全書》第 1789 冊－1791 冊，集部·小說類。

㉔ 如〔南朝梁〕顧野王撰：《玉篇》（殘卷），《續修四庫全書》第 228 冊，經部，小學類。〔南朝梁〕丘明傳譜：《碣石調幽蘭》，《續修四庫

在此七項之中，第四項是全書重點。㉖

2.收錄標準

《續修四庫全書》對收錄書籍的標準為注重學術性，〈《續修四庫全書》凡例〉第三條為：

> 本書注重學術，凡屬一般性資料，如曆書、家譜、登科錄、鄉試錄、會試錄、縉紳錄之類，概不輯錄。兵書、志書及醫藥、方劑之書，遴選從嚴。佛教典籍僅取中土著述之精者。敦煌遺書之零篇斷簡，凡未能成編者，悉從省略。㉗

〈《續修四庫全書》凡例〉第四條為：

> 本書於現存古籍，本博覽約取、去粗取精原則，首取其學術價值，次取其版本價值。入選各書皆選擇善本作影印底本。㉘

說明其收錄標準為，⑴注重學術性，不收錄一般性的資料。⑵對一些特定的資料則從嚴挑選。⑶敦煌遺書等出土文獻，凡未能成編者，亦不收錄。又於收錄的古籍，「首取其學術價值，次取其版本

全書》第 1092 冊，子部・藝術類。〔隋〕杜臺卿撰：《玉燭寶典》，《續修四庫全書》第 885 冊，史部・時令類。

㉕ 如《儀禮（武威漢簡殘編）》，《續修四庫全書》第 85 冊，經部・禮類。《老子（馬王堆帛書老子）》，《續修四庫全書》第 954 冊，子部・道家類。

㉖ 〈《續修四庫全書》凡例〉，頁 1。

㉗ 同前註。

㉘ 〈《續修四庫全書》凡例〉，頁 2。

價值。入選各書皆選擇善本作影印底本。」

至於對叢書、全集等著作收錄的標準，〈《續修四庫全書》凡例〉第六條為：

> 本書不收跨部類之叢書，凡同一部類之書彙刻、彙印為叢編者，俱按子目編入所屬部類。獨家撰述之全集，凡未以全集編入集部者，其子目諸書亦得入選所屬部類。總集所含子目之書不再單列。㉙

3.分類、編排與目錄、索引

(1)分類

《續修四庫全書》的分類，〈《續修四庫全書》凡例〉第五條為：

> 本書體例大抵仿照《四庫全書》，以經、史、子、集四部分類編錄。凡部類分合有所增損時，則參考《中國古籍善本書目》、《中國古籍總目》處理。㉚

《續修四庫全書》分類依《四庫全書》，分為經、史、子、集四部，部下則為各類，但於類下不再分子目。㉛其類別稍有調整者，

㉙ 同前註。

㉚ 同前註。

㉛ 《四庫全書》分經、史、子、集四部，經部分十類，史部分十五類，子部分十四類，集部分五類，計有四十四類。類下或再分子目，計有六十六子目。詳參《四庫全書》〈凡例〉第二條，《欽定四庫全書總目（整理本）》，卷首三，〈凡例〉，頁 31。詳參劉師兆祐：《中國目錄學》（臺北：五南圖書出版公司，2003 年 3 月），頁 277－282。

如於史部別立金石類㉜，子部則取消《四庫全書》原有的釋家類，別立宗教類㉝，增立西學譯著類。㉞集部則將《四庫全書》原有的詞曲類，分為詞類㉟、曲類㊱，並增立戲劇類㊲與小說類。㊳

金石類，《四庫全書總目·史部》〈目錄類小序〉說：

> 金石之文，隋唐《志》附「小學」，《宋志》乃附「目錄」。今用《宋志》之例，并列此門，而別為子目，不使與經籍相淆焉。㊴

金石類著作，於《隋書·經籍志》、《舊唐書·經籍志》、《新唐書·藝文志》皆附於小學類，到了《宋史·藝文志》才附於目錄類。《四庫全書》用《宋史·藝文志》之例，於目錄類下，別立一子目。〈目錄類·金石之屬〉後〈案語〉說：

> 今以集錄古刻條列名目者，從《宋志》入目錄。其《博古圖》之類，因器具而及款識者，別入譜錄。石鼓文音釋之

㉜ 《四庫全書》於史部·目錄類下分為經籍之屬與金石之屬兩個子目。《續修四庫全書》則別立金石類。金石類，《續修四庫全書》第 886－913 冊。

㉝ 《續修四庫全書》第 1274－1296 冊。

㉞ 《續修四庫全書》第 1297－1300 冊。

㉟ 《續修四庫全書》第 1719－1737 冊。

㊱ 《續修四庫全書》第 1738－1759 冊。

㊲ 《續修四庫全書》第 1760－1782 冊。

㊳ 《續修四庫全書》第 1783－1800 冊。

㊴ 《欽定四庫全書總目（整理本）》，卷八十五，史部四十一，〈目錄類一〉，頁 1128。

類，從《隋志》別入小學，《蘭亭考》、《石經考》之類，但徵故實，非考文字，則仍隸此門，俾從類焉。㊵

可知《四庫全書》將金石類著作，依其性質，分別納入三類。「集錄古刻條列名目者」入目錄類。「因器具而及款識者」入譜錄類。「石鼓文音釋之類」入小學類。今《續修四庫全書》將其調整，別立金石類，專門收錄金石類著作。

宗教類大體上是收錄佛教、道教及其他宗教（回教、天主教、摩尼教、景教）的著作。㊶

西學譯著類共收錄十八種西學譯著著作。㊷晚清時期西學在中

㊵ 《欽定四庫全書總目（整理本）》，卷八十六，史部四十二，〈目錄類二〉，頁 1151。

㊶ 佛教，第 1274－1290 冊，佛教著作如〔後秦〕釋僧肇撰，〔宋〕釋淨源集解：《肇論中吳集解》，《續修四庫全書》第 1274 冊，子部·宗教類。〔南朝梁〕釋慧皎撰：《高僧傳》，《續修四庫全書》第 1281 冊，子部·宗教類。〔唐〕釋道宣撰：《續高僧傳》，《續修四庫全書》第 1281－1282 冊，子部·宗教類。道教，第 1290－1295 冊，道教著作如〔南朝梁〕陶弘景撰：《養性延命錄》，《續修四庫全書》第 1292 冊，子部·宗教類。〔唐〕王懸河輯：《三洞珠囊》與〔唐〕王松年撰：《仙苑編珠》，《續修四庫全書》第 1293 冊，子部·宗教類。其他宗教，第 1295－1296 冊，收錄有〔清〕劉智撰：《天方典禮擇要解》（第 1295 冊）與《天方性理》、《天方至聖實錄》，屬回教。〔意〕利瑪竇撰：《天主實義》與〔德〕湯若望撰：《主制羣徵》、〔比〕南懷仁撰：《教要序論》，屬天主教。《摩尼光佛教法儀略》，屬摩尼教。〔唐〕釋景淨譯：《大秦景教三威蒙度讚》與其撰：《景教流行中國碑頌》，屬景教。（第 1296 冊）

㊷ 此 18 種為⑴〔英〕赫胥黎撰，嚴復譯：《天演論》。⑵〔英〕穆勒撰，嚴復譯：《名學》。⑶〔英〕馬懇西著，〔英〕李提摩太譯，〔清〕蔡爾

國的傳播為繼明末清初時西學輸入之後的又一次風潮，而晚清時期西學翻譯著作大量的產生，對當時中國的社會也有很大的影響。㊸《續修四庫全書》因而增立西學譯著類，收錄這些重要的西學翻譯著作。

詞類與曲類，以詞類專門收錄詞類著作，曲類專門收錄曲類著作。

戲劇類與小說類㊹，〈凡例〉收錄範圍第二條第五項：「《四

康述：《泰西新史攬要》。(4)〔英〕李提摩太撰：《列國變通興盛記》。(5)〔英〕傅蘭雅譯，應祖錫述：《佐治芻言》。(6)〔英〕斯密亞丹撰，嚴復譯：《原富》。(7)〔英〕斯賓塞爾撰，嚴復譯：《群學肄言》。(8)〔英〕穆勒撰，嚴復譯：《羣己權界論》(9)〔法〕孟德斯鳩撰，嚴復譯：《法意》(10)〔美〕惠頓撰，〔美〕丁韙良譯：《萬國公法》。(11)〔美〕歐潑登撰，〔美〕林樂知，〔清〕瞿昂來同譯：《列國陸軍制》。(12)〔美〕丁韙良撰：《西學考略》。(13)〔英〕甄克思撰，嚴復譯：《社會通詮》。(14)不著撰譯人：《格致總學啟蒙》。(15)〔西洋〕歐幾里得撰，〔意〕利瑪竇譯，〔明〕徐光啟筆受。〔英〕偉烈亞力續譯，〔清〕李善蘭筆受：《幾何原本》。(16)〔英〕侯失勒撰，〔英〕偉烈亞力譯，〔清〕李善蘭刪述，〔清〕徐建寅續述：《談天》。(17)〔美〕赫士編譯，〔清〕周文源述：《天文揭要》。(18)〔美〕阿發滿撰，〔英〕傅蘭雅譯，趙元益述：《冶金錄》。

㊸ 可詳參熊月之：《西學東漸與晚清社會》（上海：上海古籍出版社，1994年8月）一書。

㊹ 《續修四庫全書》繼承傳統以來及《四庫全書》之分類，子部有「小說家」類。而認為屬於文學的「小說」，則於集部另立「小說」類以收錄。大陸學者將一家之學的小說家與文學作品的小說作為區分之分類觀念，可參見李萬健：〈四部法「小說家」類淺論〉，《文獻》2002 年第 1 期（2002 年 1 月），頁 170－178。依此分類觀念區分，以志怪小說為例，收錄於集部·小說類的，如《虞初志》、《虞初新志》、《虞初續志》

庫全書》所不收的戲曲、小說，取其有重要文學價值者」，因而增立戲劇類與小說類以專門收錄這些著作。

(2)各書的編排

《續修四庫全書》各書的編排，〈《續修四庫全書》凡例〉第七條為：

> 本書各部類之編次，以作者時代先後為序。各朝作者之先後，以生卒及科第年代為準。凡無生卒及科第年代可考者，參照前代書目通則酌處。朝代更替時期人物，則依循成說而定。

如《續修四庫全書》第一冊，經部·易類所收：(1)廖名春釋文：《馬王堆帛書周易經傳釋文》。(2)〔宋〕王應麟輯〔清〕丁杰後定，〔清〕張惠言訂正：《周易鄭注》，〔清〕臧庸輯：《敘錄》。(3)〔魏〕王弼注：敦煌《周易》殘卷。(4)題〔後魏〕關朗

（《續修四庫全書》第 1783 冊）等，而同屬志怪小說的《夷堅志》、《湖海新聞夷堅續志》等卻收錄於《續修四庫全書》（第 1264－1266 冊）子部·小說家類中。此可顯示現代「小說」觀念與傳統四部分類法「小說家」的衝突，雖欲於傳統分類法下加以區分，卻越加的膠轕不清。將《續修四庫全書》集部·小說類與《中國古籍善本書目》子部·小說類大致對照。知《續修四庫全書》是將《中國古籍善本書目》中子部·小說類中之雜事、異聞、瑣語、諧謔等作品歸子部小說家類；短篇、長篇則歸集部小說類。按：《中國古籍善本書目》尚將上述諸作品同屬於子部·小說家類而未分；天津圖書館編：《稿本中國古籍善本書目書名索引》（濟南：齊魯書社，2003 年 4 月），中冊，《稿本中國古籍善本書目》則將雜事、異聞、瑣語、諧謔歸子部·小說家類。短篇、長篇歸集部·小說類（下冊），則其亦無一統一的標準。

撰，〔唐〕趙蕤注：《關氏易傳》。(5)〔唐〕陸德明撰：《周易經典釋文》殘卷。(6)〔唐〕孔穎達撰：《周易正義》。(7)〔魏〕王弼注，〔晉〕韓康伯注，〔唐〕孔穎達疏：《周易注疏》。(8)〔宋〕朱長文撰：《易經解》。(9)〔宋〕龔原撰：《周易新講義》。依時代先後排列，另外，後人所輯前人書，如《周易鄭注》，《欽定四庫全書總目（整理本）》卷一，經部一，易類一，頁五，《周易鄭康成注》一卷〔宋〕王應麟編〈提要〉後的〈按語〉云：「謹按：前代遺書後人重編，如有增益，則從重編之時代，《曾子》、《子思子》之類是也。如全輯舊文，則仍從原書之時代。故此書雖宋人所輯，而列於漢代之次。後皆仿此。」又如後人假託作者的書，如《關氏易傳》，《欽定四庫全書總目（整理本）》卷一，經部一，易類一，頁四，《子夏易傳》十一卷〈提要〉後的〈按語〉云：「又案：託名之書，有知其贋作之人者，有不知贋作之人者，不能一一歸其時代，故《漢書・藝文志》仍從其所託之時代為次。今亦悉從其例。」

(3)目錄

《續修四庫全書》每冊前均有目錄，記該冊所收書的書名、卷數、朝代、作者及頁次。〈《續修四庫全書》凡例〉第十條為：

> 本書每一分冊有分冊目錄。經、史、子、集各部出齊後，分別編製各部書名、著者總目索引，以便查檢。㊺

總目錄方面，上海古籍出版社已於二〇〇二年四月出版《古籍整理

㊺ 〈《續修四庫全書》凡例〉，頁3。

出版的宏偉工程——「續修四庫全書」》一書，內容有〈《續修四庫全書》出版說明〉、〈《續修四庫全書》凡例〉與〈《續修四庫全書》總目錄〉。而由《續修四庫全書》編纂委員會，復旦大學圖書館古籍部編輯，上海古籍出版社二〇〇三年五月出版的《續修四庫全書總目錄·索引》，內容包括《續修四庫全書總目錄》與《續修四庫全書索引》，可供閱讀者檢索使用。

⑷索引

《續修四庫全書總目錄·索引》編有〈續修四庫全書書名索引〉、〈續修四庫全書著者索引〉，採用四角號碼檢字法編製而成。

①檢索書名

檢索書名時，書名後為其書所屬的冊數，如：

00104 主

22~~制羣徵　　第 1296 冊

30~~客圖（附圖考）　　第 1694 冊

表示《主制羣徵》在《續修四庫全書》第一九九六冊。《主客圖》在第一六九四冊。

②檢索著者

檢索著者時，著者後為其著作所屬的冊數，如：

00211 鹿

80~~善繼　　第 163 冊，第 1373 冊

02127 端

00~~方　　第 904 冊(2)，第 905 冊，第 1089－1090 冊

表示鹿善繼的著作在《續修四庫全書》第 163 冊與第 1373 冊。端

方的著作在第 904 冊，第 905 冊，第 1089－1090 冊。括號內的數字，為表示作者在此冊裡著作的部數。第 904 冊(2)表示在第 904 冊，端方的著作有 2 部。

〈續修四庫全書書名索引〉、〈續修四庫全書著者索引〉在書名、作者後只有冊數，某輯某冊。應該是《續修四庫全書》雖亦分經、史、子、集四部，但其冊數是連續的，故只要標示冊數就可以。還有其他三部叢書都有標示其書開始的頁數，只有〈續修四庫全書名索引〉、〈續修四庫全書著者索引〉沒有標示。

〈續修四庫全書書名索引〉、〈續修四庫全書著者索引〉，只用四角號碼檢字法編排，不像其他三部叢書另外編有筆畫檢字與四角號碼對照表。不能用四角號碼檢字法以外的方法檢索，是其使用上限制與不方便之處。

⑸提要[46]

〈《續修四庫全書》凡例〉第八條說：

> 本書遵循《四庫全書》成例，為入選各書一一撰寫提要。各書提要及各部類小序總彙為《續修四庫全書總目提要》一書，另冊出版發行。其編撰細則詳見該書卷首。[47]

由上〈凡例〉可知《續修四庫全書》計畫依《四庫全書》的體例，不但每書有〈提要〉，而且每部類還有〈小序〉，以達到接續《四

---

[46] 《續修四庫全書總目提要》雖目前尚未見成書，但其為《續修四庫全書》體例規畫之一，故仍列入體例項之中。

[47] 〈《續修四庫全書》凡例〉，頁 2。

庫全書》的功用。《續修四庫全書總目提要》目前未見成書，應該仍在編寫當中。《續修四庫全書總目提要》如成書，對《續修四庫全書》所收每書，乃至於整個學術界，都是一大貢獻。

4.書名頁

《續修四庫全書》於所收每書前皆有書名頁，並說明其所據以影印的版本。〈《續修四庫全書》凡例〉第九條為：

> 本書在所收各書之前，悉冠以書牌，說明所據底本刊刻年代、版框原有規格及底本現今藏所。[48]

書名頁記有書名、朝代、作者、藏所、版本、原書版框規格，如：《周易鄭注》十二卷（在第1冊，經部·易類）：「《周易鄭注》〔宋〕王應麟輯，〔清〕丁杰後定，〔清〕張惠言訂正，《敘錄》〔清〕臧庸輯。據復旦大學圖書館藏清嘉慶二十四年蕭山陳氏湖海樓刻湖海樓叢書本影印。原書版框高一七六毫米，寬二七〇毫米」。

《續修四庫全書》書名頁多記錄原書版框規格，是其他三套叢書所沒有的。《續修四庫全書》、《四庫全書存目叢書》、《四庫禁燬書叢刊》、《四庫未收書輯刊》所收各書皆是用影印的方式，原書版式不一，因此多用縮印，以盡量統一版型。因此《續修四庫全書》紀錄原書版框規格，有助於了解原書的版本形式。[49]

另外，《續修四庫全書》書名頁只記書名、朝代、作者，沒有

---

[48] 〈《續修四庫全書》凡例〉，頁2。

[49] 在《續修四庫全書》之前，《四部叢刊》已用此方法。

記卷數。每書前的目錄才有完整記錄書名、卷數、朝代、作者，此為其不方便之處。

三、《四庫全書存目叢書》

《四庫全書》纂修時，認為價值不高的著作，不收錄在《四庫全書》裡，只保存〈提要〉於《四庫全書總目》裡，此稱為存目。《四庫全書》的存目有六七九三種。對於存目書籍，有些學者受到《四庫全書總目》評價與存目書籍多偽冒庸劣說法的影響，認為纂修《四庫全書》時屏棄的著作，價值不高。[50]然而大多數學者還是認為清廷，以至於四庫館臣的價值標準，並不是絕對的。存目書籍不全是偽冒庸劣，還是很多有價值的。[51]杜澤遜認為列入存目的原因為：㈠限制規模。㈡貴遠賤近。㈢揚漢抑宋。㈣壓制民族思想。㈤維護封建倫理道德。㈥避免重複。㈦尊官書而抑私撰。㈧原本殘缺或漫漶過甚，無法校寫。㈨著作水平庸劣或偽妄之書。[52]杜澤遜

[50] 可參考黃愛平：〈從「四庫全書」到「四庫全書存目叢書」〉，王俊義、黃愛平著：《清代學術文化史論》（臺北：文津出版社，1999 年 11 月），頁 414－417。

[51] 同前註，頁 417－422。另可參見杜澤遜：〈《四庫存目》諸書的價值及其流傳與輯印〉，《中國文哲研究通訊》第 6 卷第 2 期（1996 年 6 月），頁 121－139。

[52] 同前註，頁 121－139。杜氏文又題為〈輯印「四庫全書存目叢書」之價值及現狀〉，刊於《北京大學學報》（哲學社會科學版），1996 年第 5 期（1996 年 9 月），頁 86－94。與題為〈「四庫存目」書探討〉，《北京大學學報》（哲學社會科學版），1997 年第 5 期（1997 年 9 月），頁

指出的原因，先不管其對錯問題。存目裡確有少數如第九項所說的著作水平庸劣或偽妄之書。但是其他八項卻都不是以書籍本身的價值為標準，而是意識型態或現實上與技術層面的問題。因此，四庫全書存目書籍大部分，還是有其價值的。

《四庫全書存目叢書》，《四庫全書存目叢書》編纂委員會編，大陸版由濟南齊魯書社出版，臺灣由臺南縣莊嚴文化事業公司出大陸外版（限中國大陸外發行），從一九九五年九月起陸續出版，到一九九七年十月全部出版完成，共收書四五〇八種，分經、史、子、集四部。經部七三四種，二二〇冊，史部一〇八六種，二九二冊，子部一二五三種，二六一冊，集部一四三五種，四二六冊。另有目錄索引一冊，合為一千二百冊。

㈠編纂

一九九二年十二月，中國東方文化研究會歷史文化分會約請部分學者，擬訂了編纂出版《四庫全書存目叢書》的實施方案，在中國東方文化研究會與北京大學支持下，報請國務院古籍整理出版規劃小組批准，列為國家重點古籍整理出版項目。一九九三年一月，成立《四庫全書存目叢書》編纂出版工作委員會，由中國東方文化研究會歷史文化分會會長、北京大學教授劉俊文為主任，開始調查編目、規劃體例、募集資金等籌備工作。一九九四年五月，由中國大陸五十餘所大學與研究機構及臺灣、日本、美國等地一百餘位文

48－56。此文於列入存目的原因九條後，增加〈《四庫存目書》檢閱隨記〉。

史學者與古籍專家組成《四庫全書存目叢書》編纂委員會，並由中國東方文化研究會會長，北京大學教授季羨林為總編纂，北京大學教授劉俊文、北京中華書局編審張忱石為副總編纂，周一良、任繼愈、胡道靜、周紹良、張岱年、侯仁之、程千帆、王紹曾、冀淑英、黃永年、劉乃和、朱天俊、張岱年、楊向奎、啟功、楊明照、傅振倫、張豈之、王鍾翰、戴逸、李學勤、來新夏、饒宗頤、湯一介等學者為學術顧問，海內外學者共一百餘人參與編纂，並開始遴選版本、拍攝複製、編輯加工等編纂工作。一九九五年九月，組成以濟南齊魯書社為主的大陸版《四庫全書存目叢書》出版委員會與以臺灣臺南縣莊嚴文化事業公司為主的大陸外版《四庫全書存目叢書》出版委員會，開始採購材料、終審發稿、印刷裝訂等出版工作。[53]

《四庫全書存目叢書》編纂以「尊重歷史，保存文獻」為宗旨，確定了兩項基本原則：⑴不加選汰，盡數收集，目的是搶救盡可能多的古籍。⑵不加修飾，原版影印，目的是提供最可信賴的版本。具體工作步驟有五項：⑴訪書編目。以《中國叢書綜錄》[54]與《中國古籍善本書目》、《中國地方志聯合目錄》、《中國圖書聯合目錄》等近百種藏書目錄為根據，對全世界二百餘家圖書館、博物館、大專院校所藏四庫存目書進行大規模的查訪，在此基礎上編定工作目錄。⑵選本剔除重複。在編定工作目錄的基礎上，核查存

---

[53] 〈《四庫全書存目叢書》編纂緣起〉，頁 11。

[54] 上海圖書館編：《中國叢書綜錄》3 冊（上海：上海古籍出版社，1982 年 12 月）。

目書各書之間以及存目書與《四庫全書》著錄書之間有無內容完全相同者，有則剔除，以免重複。(3)拍攝複製。凡已確定版本之存目書，即編為拍攝目錄，請原藏所協助拍攝微卷。微卷拿到後，還要進行鑑別，確認是所需要的存目書與所指定的版本。(4)纂修成稿。凡經鑑別，確認拍攝無誤者，即以微卷還原件為基礎，進行書稿纂修工作。纂修工作首先是將微卷還原件按成書規格縮印。再對縮印件進行初審。然後加工，加工包括拼貼與描潤。再進行二審，覆檢加工有無錯誤，如無誤則編製書名頁。再進行三審，將存目書的內容、作者、版本，對照〈提要〉，一一核查，確定是存目書而又完整無誤者，方可定稿。(5)裒集出版。凡經審定的書稿，即按《四庫全書總目》的部類、順序依次裒集成冊，送交出版社終審，發交印刷廠影印，並派專人檢查毛本，監督裝訂成書。[55]

《四庫全書存目叢書》從一九九二年十二月開始，到一九九七

---

[55] 〈《四庫全書存目叢書》編纂緣起〉，頁 11－13。並可詳參羅琳：〈《四庫全書存目叢書》的徵訪及其著錄〉與張建輝：〈編印《四庫全書存目叢書》側記〉，皆收於《兩岸四庫學：第一屆中國文獻學研討會論文集》（臺北：臺灣學生書局，1998 年 9 月），頁 189－204，頁 205－215。黃愛平：〈從《四庫全書》到《四庫全書存目叢書》〉收於王俊義、黃愛平著：《清代學術文化史論》，頁 401－424。季羨林、任繼愈、劉俊文：〈《四庫全書存目叢書》編纂緣起〉，《文史哲》1997 年第 4 期（1997 年.7 月），頁 3－9。杜澤遜：〈《四庫存目》諸書的價值及其流傳與輯印〉，《中國文哲研究通訊》第 6 卷第 2 期（1996 年 6 月），頁 121－139。杜澤遜：〈輯印《四庫全書存目叢書》之價值及現狀〉，《北京大學學報》（哲學社會科學版）1996 年第 5 期（1996 年 9 月），頁 86－94。與〈《四庫全書存目叢書》成書始末〉，《文史哲》1998 年第 3 期（1998 年 5 月），頁 70－73。

年十月全部編纂出版完成，歷時五年。《四庫全書存目叢書》共收錄散藏於中國大陸及海外一一六家圖書館、博物館與私人藏書家之四庫存目書四千五百零八種。[56]

《四庫全書存目叢書》的編纂，因考慮到子部需求量較大，所以先編纂子部，再來是史部、經部、集部。《四庫全書存目叢書》並於所收每書後，附以影印的《四庫全書總目》（清武英殿本）原書〈提要〉。

㈡體例

1.收錄範圍

《四庫全書存目叢書》的收錄範圍，〈《四庫全書存目叢書》編纂凡例〉第一條為：

> 本叢書以尊重歷史、保存文獻為宗旨，網羅《四庫全書總目》所載存目書之現存者四千五百零八種，影印行世。[57]

《四庫全書存目叢書》的收錄範圍為《四庫全書總目》所紀載的存目書，收錄現存者四千五百零八種。

2.收錄標準

《四庫全書存目叢書》的收錄標準，對底本的標準要求，〈《四庫全書存目叢書》編纂凡例〉第三條為：

> 各書底本一般採用選擇舊刻舊鈔、完好無缺者；確係精心籌

[56] 〈《四庫全書存目叢書》編纂緣起〉，頁13－14。

[57] 〈《四庫全書存目叢書》編纂凡例〉，頁1。

> 校、後出轉精之本，亦酌予選用。[58]

對存目之書、存目與著錄之書間互有重複，與叢書子目收錄的標準，〈《四庫全書存目叢書》編纂凡例〉第四條為：

> 凡存目之書有重複者，則只收其一，如葉燮《原詩》既見別集類《已畦文集》，又見詩文評類，今只收其一。凡存目之書與《四庫全書》著錄書相重複者，則不再收錄。如《鄭開陽雜著》已收入《四庫全書》地理類，其子目《日本圖纂》等十種又分別見於存目，今不再收入。凡存目之叢書，其子目已散見各類者，即《提要》所云「離析其書，各著於錄」，一般不再收入，如子部雜家類《監（應為鹽）邑志林》、《津逮秘書》等；其子目未盡散入各類者，則酌收叢書，而不收子目。[59]

如四庫館臣所見不是足本，或僅見詩集未見文集，僅見初編未見續編者，《四庫全書存目叢書》皆完全收錄，〈《四庫全書存目叢書》編纂凡例〉第五條為：

> 凡四庫館臣所見非足本，或僅見詩集未見文集，僅見初編未見續編者，今全收之，庶免割裂之病。如清杜詔《雲川閣詩》十四卷《詞》六卷，四庫館臣所見本僅存詩卷三至卷十

[58] 同前註。

[59] 同前註。

二，今訪得清雍正刻本，詩詞俱全，一併收錄。⑥⓪

如底本缺卷者，均尋訪他本配補，並予注明；如有缺葉，則於欄外加注「原缺第幾葉」，〈《四庫全書存目叢書》編纂凡例〉第六條為：

凡底本缺卷者，均尋訪他本配補，並予注明；缺葉者，於欄外加注「原缺第幾葉」。⑥①

如書籍版刻漫漶、文字模糊者，不描修。底本有墨污、水漬等則斟酌予以描潤，〈《四庫全書存目叢書》編纂凡例〉第七條為：

凡版刻漫漶、文字模糊者，概不描修。底本墨污、水漬等酌予描潤。⑥②

3.分類、編排與目錄、索引

(1)分類與編排

《四庫全書存目叢書》的分類，依《四庫全書》分經、史、子、集四部，部下分類，但類下不再分目。各書的編排，〈《四庫全書存目叢書》編纂凡例〉第二條為：

各書排列先後一仍《四庫全書總目》之舊。⑥③

---

⑥⓪ 同前註，頁1－2。

⑥① 同前註，頁2。

⑥② 同前註，頁2。

⑥③ 同前註，頁1。

《四庫全書存目叢書》的分類與所收各書的編排，皆依《四庫全書總目》之舊。

⑵目錄

〈《四庫全書存目叢書》編纂凡例〉在第八條中說：

> 各書之前加書名葉，各冊之前加本冊目次，卷首列總目錄，均記書名、卷數、著者、朝代、版本、藏家，以清眉目。[64]

每冊前目錄與《四庫全書存目叢書》《首卷》目錄索引冊的總目錄，均記有書名、卷數、朝代、作者、藏所、版本等。

⑶索引

〈《四庫全書存目叢書》編纂凡例〉第九條為：

> 卷首總目之後，另編書名、著者索引，以便檢索。[65]

《四庫全書存目叢書》《首卷》目錄索引冊，編有四角號碼書名索引、著者索引，並有筆畫檢字與四角號碼對照表。

①檢索書名

檢索書名時，書名後的文字與數字表示其在經、史、子、集四部中的冊數與開始的頁碼，如：留青日札　子 105/148
表示《留青日札》在子部第 105 冊，第 148 頁開始。

②檢索著者

檢索著者時，姓名後的文字與數字表示其在經、史、子、集四

---

[64] 同前註，頁 2。

[65] 同前註。

部中的冊數與開始的頁碼，如：姜宸英　史 227/703
　　　　　　　　　　　　　　　　　集 261/573

表示姜宸英的著作分別在史部第 227 冊，第 703 頁開始，與集部第 261 冊，第 573 頁開始。

筆畫檢字與四角號碼對照表使讀者用不同方法也能夠檢索。

4.書名頁

〈《四庫全書存目叢書》編纂凡例〉第八條為：

> 各書之前加書名葉，各冊之前加本冊目次，卷首列總目錄，均記書名、卷數、著者、朝代、版本、藏家，以清眉目；各書之末附清武英殿本四庫提要，用備參考。[66]

《四庫全書存目叢書》於所收每書前皆有書名頁，並說明其所據以影印的版本。書名頁記有書名、卷數、朝代、作者、藏所、版本與附《四庫全書總目》著錄原書提要。如：《孔子家語》八卷（在子部第 1 冊，儒家類）：「《孔子家語》八卷〔明〕何孟春註。中國歷史博物館藏明正德十六年刻本。附《四庫全書總目·孔子家語註八卷》提要」。

5.附以提要（四庫全書總目）

〈《四庫全書存目叢書》編纂凡例〉在第八條中說：

> 各書之末附載清武英殿本四庫提要，用備參考。[67]

---

[66] 同前註。

[67] 同前註。

《四庫全書存目叢書》於所收每書之末，附以影印的清武英殿本《四庫全書總目》該書的〈提要〉。

6.《四庫全書存目叢書補編》

《四庫全書存目叢書》未能收入的書，將續輯《四庫全書存目叢書補編》[68]，〈《四庫全書存目叢書》編纂凡例〉第十條為：

> 正編未能收入之書，將續輯「補編」。[69]

一九九八年十月由中國東方文化研究會歷史文化分會推動，北京愛如生文化交流公司投資，組成《四庫全書存目叢書補編》編纂委員會，以季羨林為總編纂，編纂歷時二年，由濟南齊魯書社於二〇〇一年九月出版。《四庫全書存目叢書補編》共收書二一九種，九十九冊。《目錄索引》一冊，內有〈《四庫全書存目叢書補編》編纂

---

[68] 〈《四庫全書存目叢書》編纂緣起〉，頁 15，注釋 21 說：「此次輯印《四庫全書存目叢書》，已訪得之存目書尚有百餘種未能收錄，其中一部分為國內個別圖書館藏品，一部分為臺灣地區和日本、歐美等國圖書館藏品。未能收錄多出於客觀因素，如國內個別圖書館因遷建新館暫時未能提供拍攝，臺灣及外國某些圖書館因另有考慮暫時未能提供拍攝等。」另外，張建輝：〈編印《四庫全書存目叢書》側記〉還指出：「《四庫全書存目叢書》採用的『官助民辦』的操作模式，這一模式的核心是以商業化為主體進行運作。《四庫全書存目叢書》的成功，正是商業與學術較好結合的產物，但這兩者的結合又注定會有矛盾的地方。迫於快速運轉的商業考慮，致使調查編目倉促，有少量傳世之『存目書』未能收入《四庫全書（存目）叢書》，中國大陸以外收藏的孤本『存目書』也只複製到一小部分，正擬出《四庫全書存目叢書補編》，以彌補這一缺憾」，收於《兩岸四庫學：第一屆中國文獻學研討會論文集》，頁 215。

[69] 〈《四庫全書存目叢書》編纂凡例〉，頁 2。

委員會〉名單、〈編輯例言〉、〈《四庫全書存目叢書補編》總目錄〉、〈《四庫全書存目叢書補編》分類目錄〉、〈《四庫全書存目叢書補編》書名著者索引〉，有〈筆畫檢字與四角號碼對照表〉、〈書名著者索引〉。

《四庫全書存目叢書補編》收錄《四庫全書存目叢書》已查訪而未收入的存目書。其收錄不少中國大陸以外的海外收藏的版本，如臺灣漢學研究中心與日本內閣文庫的藏本。[70]臺灣漢學研究中心藏本如〔明〕方獻夫撰：《古文周易傳義約說》十二卷。〔明〕朱升撰：《書經旁注》六卷。〔明〕劉斯源輯：《大學古今本通考》十二卷。不著撰者：《吐魯番侵略哈密始末》一卷附趙全讞牘一卷。〔明〕湛若水撰：《遵道錄》十卷。〔明〕郁濬撰：《石品》二卷。〔明〕湯顯祖訂：《茶經》三卷。〔清〕黃以陞撰：《史說萱蘇》一卷。〔明〕王恕輯，沈詔增刪：《石鐘山集》九卷。〔明〕宋諾撰：《宋金齋文集》四卷等等。[71]日本內閣文庫藏本如〔明〕喻均、劉元卿撰：《江右名賢編》二卷。〔明〕曹金撰：《開封府志》三十四卷。〔明〕方大鎮撰：《荷新韻》二卷《荷新義》六卷。〔明〕李承芳撰：《東嶠先生集》十五卷。〔明〕顧磐撰：《海涯文集》十卷附錄一卷。〔明〕梅鼎祚撰：《梅禹金詩

---

[70] 《四庫全書存目叢書補編》（濟南：齊魯書社，2001 年 9 月），〈編輯例言〉說：「大多屬稀見的珍本秘笈，其中近三成是久違的海外藏品，彌足珍貴。」

[71] 《四庫全書存目叢書補編》（臺灣漢學研究中心藏本），第 89 冊、第 92—93 冊、第 95－97 冊。

草》等等。[72]這些多為罕為人知，具有文獻價值的藏本。海外藏本的交流，使藏於臺灣、日本等地的文獻，可以被更廣泛的利用，從而促進文化的交流。

另外，在《四庫全書存目叢書補編》第五十八冊至第七十二冊，共十五冊，收錄了〔明〕解縉，姚廣孝等編：《永樂大典》二萬二千八百七十七卷（存七百四十二卷）《目錄》六十卷。[73]

四、《四庫禁燬書叢刊》

在《四庫全書》纂修時，清廷也對某些書籍進行禁燬。被認為對統治者有狂悖違礙內容的，如紀錄晚明史事；民族思想；語涉異族的；清代先世臣服於明代的記載等等，皆在禁燬之列。禁燬的情形，經部書通常是受到作者牽連，而史部與集部最多，是禁燬的重點。[74]《四庫禁燬書叢刊》的編輯，保存延續了這些因為當時政治因素，而遭到禁燬的書籍。田款、魏書菊曾撰文指出《四庫禁燬書叢刊》的特點有原始性、豐富性、珍稀性等。[75]

---

[72] 《四庫全書存目叢書補編》（日本內閣文庫藏本），第 74—76 冊。梅鼎祚，目錄誤為「方鼎祚」，書名頁不誤。

[73] 類書叢編影印明鈔本。

[74] 詳參田款、魏書菊：〈存史與證史——「四庫禁燬書叢刊」及其文獻價值〉，《歷史教學》，2002 年第 4 期（2002 年 4 月），頁 57。

[75] 詳參田款、魏書菊：〈存史與證史——「四庫禁燬書叢刊」及其文獻價值〉，《歷史教學》，2002 年第 4 期（2002 年 4 月），頁 57。此部分三點與〈《四庫禁燬書叢刊》編纂後記〉，頁 1—2，《索引冊》相同。不過，〈《四庫禁燬書叢刊》編纂後記〉多了第四點「作者的民族性」。

《四庫禁燬書叢刊》，《四庫禁燬書叢刊》編纂委員會編，北京出版社二〇〇〇年一月出版，收書六三四種，經部十六種；十冊，史部一五七種，七十五冊；子部五十九種，三十八冊；集部四〇二種，一八七冊，共三百一十冊；另有索引一冊。

(一)編纂

一九九三年北京大學、清華大學、中國社會科學院等單位的幾位圖書館工作者、學者提出編纂及出版現存禁燬書的構想。北京圖書館（已改名為中國國家圖書館）、中國科學院圖書館、上海圖書館的一些工作者、學者響應參加。通過各種管道徹底調查，總計約有一千五百種禁燬書存世。圖書館工作者、學者邀約中央民族大學與中國社會科學院歷史研究所的文史學者組成《四庫禁燬書叢刊》編纂委員會，由清史學者，中央民族大學歷史系教授王鍾翰為主編；中國社會科學院歷史研究所何齡修研究員與陳祖武研究員為副主編。並聘請蔡美彪、陳捷先、程千帆、戴逸、鄧廣銘、杜克、傅璇琮、楊向奎、傅振倫、顧廷龍、何茲全、侯仁之、季羨林、冀淑英、李學勤、劉湘生、羅繼祖、啟功、饒宗頤、任繼愈、史樹青、陶信成、王紹曾、王世襄、徐蘋芳、楊明照、楊向奎、陰法魯、張岱年、張政烺、周紹良、周一良、朱家溍、朱述新等三十三位學者為學術顧問。

《四庫禁燬書叢刊》經報請中國大陸全國高等學校古籍整理研究工作委員會批准立項，於一九九六年十二月開始編纂工作，歷時三年，於一九九九年十一月完成編纂，二〇〇〇年一月出版。《四庫禁燬書叢刊》原計畫出版十期三百冊，現在共完成三百一十冊，索引一冊，共三百一十一冊。[76]

(二)體例

1.收錄範圍

《四庫禁燬書叢刊》收錄範圍，〈《四庫禁燬書叢刊》編纂凡例〉第一條為：

> 本叢刊收錄清修《四庫全書》所禁燬之圖書。以姚覲元編《清代禁燬書目》、孫殿起輯《清代禁書知見錄》、陳乃乾《索引式的禁書總錄》和雷夢辰輯《清代各省禁書彙考》所著錄之圖書為選收範圍。[77]

《四庫禁燬書叢刊》以姚覲元編《清代禁燬書目》、孫殿起輯《清

---

[76] 詳參〈《四庫禁燬書叢刊》編纂緣起〉，頁 3－4。〈《四庫禁燬書叢刊》編纂後記〉，頁 1，《索引冊》。丘東江：〈文字獄·禁書·〔四庫禁燬書叢刊〕〉，《圖書與資訊學刊》第 26 期（1998 年 8 月），頁 28－35。此由王鍾翰主編，共 310 冊，收書 634 種的叢書，為《四庫禁燬書叢刊》一期編纂工程，一期編纂工程於 1999 年 11 月完成後。接著，《四庫禁燬書叢刊》二期工程也亦啟動。《北京晚報》2000 年 12 月 27 日，羅琳、馮瑛冰：〈《四庫禁燬書叢刊》二期工程啟動〉：「宏大的中國傳統文化建設工程《四庫禁燬書叢刊》，近日開始第二期編纂工作，預定到 2001 年底完成。」「近一年來，編纂人員又陸續從公藏、私藏、臺灣和海外徵集到 200 餘種珍本秘籍，決定啟動二期工程，爭取在明年底由北京出版社影印出版。」，《圖書館理論與實踐》2001 年第 1 期（2001 年 2 月），頁 42。

[77] 〈《四庫禁燬書叢刊》編纂凡例〉，頁 1，《四庫禁燬書叢刊》經部第一冊。

代禁書知見錄》、陳乃乾《索引式的禁書總目》、雷夢辰輯《清代各省禁書彙考》等所著錄書為收錄範圍。[78]

2.收錄標準

《四庫禁燬書叢刊》收錄標準，版本方面以刻本、活字本、鈔本為主，石印本、鉛印本、影印原刻本酌情收錄，點校本則不予收錄。〈《四庫禁燬書叢刊》編纂凡例〉第二條：

> 本叢書所收錄之禁燬書以刻本、活字本、鈔本為主，石印本、鉛印本、影印原刻本酌情收錄，點校本不予收錄。[79]

版本完整性方面，以完整圖書為主，現存僅有殘本者，視為完整圖書收錄。存於叢書中的禁燬書，亦收錄。〈《四庫禁燬書叢刊》編纂凡例〉第三條：

> 本叢刊以完整圖書為收錄對象。如現存僅有殘本，應視為完整圖書予以收錄。存于叢書中的禁燬書，亦應收入本叢刊之內。[80]

3.分類、編排與目錄、索引

---

[78] 〈《四庫禁燬書叢刊》編纂緣起〉，頁 4。〈《四庫禁燬書叢刊》編纂凡例〉，頁 1。〈《四庫禁燬書叢刊》編纂緣起〉，頁 4 說：「它不是清代所有禁書的總匯，不收錄乾隆以後的各種禁燬小說、戲曲。這樣就可以避免重複（小說、戲曲另有專業單位編印出版），有利於四庫禁燬書編纂工作的集中。」

[79] 〈《四庫禁燬書叢刊》編纂凡例〉，頁 1。

[80] 同前註。

⑴分類與編排

《四庫禁燬書叢刊》的分類與編排，〈《四庫禁燬書叢刊》編纂凡例〉第五條為：

> 本叢刊每期內按《四庫全書》體例，依經、史、子、集四部排列。四部之下不再分類，擬酌按舊例編次，每部下單獨排列序號，如：1、2、3……等。[81]

《四庫禁燬書叢刊》的分類，按照《四庫全書》體例，依《四庫全書》體例，分經、史、子、集四部，部下不再分類[82]，每部下各別排列序號，如：經部第 1 冊、第 2 冊……第 10 冊，史部第 1 冊、第 2 冊……第 75 冊，子部第 1 冊、第 2 冊……第 38 冊，集部第 1 冊、第 2 冊……第 187 冊。

⑵目錄

〈《四庫禁燬書叢刊》編纂凡例〉第八條為：

> 本叢刊每冊之前均列本冊目錄，每種禁燬圖書之前均另頁按

---

[81] 同前註。

[82] 〈《四庫禁燬書叢刊》〉編纂後記〉，頁 7 說：「依據《編輯凡例》，《四庫禁燬書叢刊》分經、史、子、集四部編排，但只分到部，各部獨立成冊，排出各部序號，部下不再分類。這種方法不如《四庫全書》等分部集中，部類判然。但這是適應禁燬書的具體情況採取的辦法。禁燬書只有一些雜亂的目錄，有些書名甚至是不完整的，我們僅憑這些材料不能預先進行確切的分類，然後按圖索驥。禁燬書庋藏分散，尚費資搜集、徵集，我們也不能等候徵稿完備再動手編輯。因此，我們只能徵稿、付印同時進行，最後利用索引去解決全書翻檢的困難。」說明了《四庫禁燬書叢刊》只分四部，部下不再分類之原因，是為了適應禁燬書實際情況的做法。

> 國家標準著錄本書詳細情況。[83]

《四庫禁燬書叢刊》每冊前有目錄，記所收書的書名、卷數、朝代、作者、版本及頁次。

〈《四庫禁燬書叢刊》編纂凡例〉第九條為：

> 本叢刊全部出齊之後，編纂總目錄與總索引一冊，俾便于讀者檢用。[84]

《四庫禁燬書叢刊·索引》冊，編有總目錄，記經、史、子、集四部每冊所收書的書名、卷數、朝代、作者、版本及頁次。《四庫禁燬書叢刊》依經、史、子、集四部分類，四部之下不再分類，故另編有分類目錄。[85]

分類目錄分經、史、子、集四部各類所收書的書名、卷數、朝代、作者、在經、史、子、集四部的第幾冊與開始的頁碼，如經部·易類：

翁山易外七十一卷

（清）屈大均撰

經5－1

即〔清〕屈大均撰的《翁山易外》七十一卷，收於《四庫禁燬書叢

---

[83] 〈《四庫禁燬書叢刊》編纂凡例〉，頁1。

[84] 〈《四庫禁燬書叢刊》編纂凡例〉，頁2。

[85] 其分類為經部：易類、四書類、群經總義類、小學類。史部：編年類、紀事本末、雜史類、詔令奏議類、傳記類、政書類、地理類、史評類。子部：儒家類、兵家類、醫家類、天文類、術數類、藝術類、雜家類、類書類、釋家。集部：總集類、別集類、詩文評類、詞類。

刊》經部第5冊，頁1開始。

⑶索引

〈《四庫禁燬書叢刊》編纂凡例〉第九條為：

> 本叢刊全部出齊之後，編纂總目錄與總索引一冊，俾便于讀者檢用。

《四庫禁燬書叢刊》《索引》冊，編有四角號碼書名索引、著者索引，並有筆畫檢字與四角號碼對照表、拼音檢字與四角號碼對照表。

①檢索書名

檢索書名時，書名後的文字與數字表示其在經、史、子、集四部中的冊數與開始的頁碼，如：廣輿記　史18－1

表示《廣輿記》在史部第18冊，第1頁開始。

②檢索著者

檢索著者時，姓名後的文字與數字表示其在經、史、子、集四部中的冊數與開始的頁碼，如：酈露　集10－559

表示酈露著作在集部第10冊，第559頁開始。

《四庫禁燬書叢刊》與《四庫全書存目叢書》、《四庫未收書輯刊》的索引相比較，《四庫禁燬書叢刊》除了有筆畫檢字與四角號碼對照表，還有拼音檢字與四角號碼對照表，又提供給讀者一種不同的方法檢索。這些對照表與書名、人名索引配合使用，更增加了方便性。

4.書名頁

《四庫禁燬書叢刊》於所收每書前皆有書名頁，並說明其所據以影印的版本。書名頁記有書名、卷數、朝代、作者、版本、藏所。如：《四書朱子異同條辨》四十卷（在經部第2－4冊）：「《四書朱子異同條辨》四十卷〔清〕李沛霖、李禎撰。清康熙近譬堂刻本。中國科學院圖書館藏」。

五、《四庫未收書輯刊》

《四庫未收書輯刊》，《四庫未收書輯刊》編纂委員會編，北京出版社二〇〇〇年一月出版。收書一五〇八種，分十輯，每輯三十冊，共三百冊，另有《首卷》目錄索引一冊。

㈠編纂

《四庫未收書輯刊》編纂開始於一九九五年，是以《四庫未收書分類目錄》[86]所著錄書為範圍，並剔除《續修四庫全書》、《四

---

[86] 從 1928 年 1 月開始，東方文化事業總委員會所屬的北平人文科學研究所分四部搜求要撰寫《續修四庫全書總目提要》的著錄書目，至 1931 年 6 月結束。書目共著錄古籍 27000 餘種，即《四庫未收書分類目錄》。《四庫未收書分類目錄》擬目者，經部為柯劭忞、江瀚、尚秉和、胡玉縉、徐審義、姜忠奎、王照、楊策等；史部為王樹枏、王式通、奉寬、傅增湘、葉啟勳、賈恩紱、謝國楨、戴錫章、湯中、羅振玉等；子部為倫明、劉培極、江庸、胡敦復、馮承鈞、周叔迦等；集部為夏孫桐、楊鍾羲、章華、何振岱、王重民、向達、孫楷第、梁鴻志等 32 位學者。詳參鮑思陶：〈無愧於前修和來哲——《續修四庫全書總目提要》印行記〉，《新華文摘》1997 年第 7 期，頁 210－211。《四庫未收書輯刊》，《首卷》目錄索引冊，〈《四庫未收書分類目錄》擬目者〉，頁 1。羅琳撰寫的《續修四庫全書總目提要（稿本）》〈前言〉，《續修四庫全書總目提要（稿本）》（濟南：齊魯書社，1996 年 12 月），第 1 冊，頁 5－6。

庫全書存目叢書》、《四庫禁燬書叢刊》已收錄之書，以避免重複。[87]《四庫未收書輯刊》編纂委員會，傅振倫為榮譽主編，羅琳為主編，並為《四庫未收書輯刊》工作委員會主任。《四庫未收書輯刊》學術顧問為季羨林、顧廷龍、王鍾翰、張岱年、周一良、侯仁之、楊明照、楊向奎、羅繼祖、蕭璋、謝興堯、劉乃和、冀淑英、何茲全、王紹曾、黃永年、蔡美彪、孫欽善、倪其心、昌彼得、吳哲夫等二十一位學者。特邀顧問為徐引篪、李廷傑、張玉範、陳杏珍、王世偉、宮愛東、王效良、金沛霖、曾繁仁、孔方恩、陽海清、潘寅生、王運堂、金恩輝、賈寶琦、李廣山、何齡修、胡昭曦、周彥文、陳仕華等二十位學者。其中昌彼得、吳哲夫、周彥文、陳仕華等為臺灣學者，為兩岸學術交流的佳話。

《四庫未收書輯刊》編纂工作步驟有六項，⑴首先建立《四庫未收書輯刊》數據庫。⑵對同書異名進行標注。⑶再建立《四庫全書存目叢書》、《四庫禁燬書叢刊》與《續修四庫全書》數據庫，並與《四庫未收書分類目錄》核對，剔除《四庫未收書分類目錄》中與其重複部分。⑷在全國範圍內徵訪善本。⑸選擇底本，配補殘卷缺葉。⑹拍攝、還原、拼接書稿。[88]《四庫未收書輯刊》的編纂工作歷時兩年，於一九九七年十二月完成編纂。

---

[87] 《四庫未收書輯刊》〈凡例〉第二條說：「本叢書所收之書不與《四庫全書存目叢書》、《四庫禁燬書叢刊》、《續修四庫全書》所收之書重複。」見《四庫未收書輯刊》，《首卷》目錄索引冊，〈凡例〉，頁1。

[88] 《四庫未收書輯刊》〈前言〉，《四庫未收書輯刊》，《首卷》目錄索引冊，〈前言〉，頁14－15。

㈡體例

1.收錄範圍

《四庫未收書輯刊》以《四庫未收書分類目錄》中所著錄的書為收錄範圍。《四庫未收書輯刊》〈凡例〉第一條為：

> 本叢書所收之書以本世紀二十年代末三十餘位國學大師編訂的《四庫未收書分類目錄》中開列之書為主，酌收本叢書顧問、編委擬添之書。[89]

2.收錄標準

《四庫未收書輯刊》的收錄標準，其所收之書不與《四庫全書存目叢書》、《四庫禁燬書叢刊》、《續修四庫全書》所收之書重複。《四庫未收書輯刊》〈凡例〉第二條為：

> 本叢書所收之書不與《四庫全書存目叢書》、《四庫禁燬書叢刊》、《續修四庫全書》所收之書重複。[90]

所收版本盡量依《四庫未收書分類目錄》著錄的版本徵訪。《四庫未收書輯刊》〈凡例〉第五條為：

> 本叢書所收之書的版本均盡力遵《四庫未收書分類目錄》著錄之版本徵訪。[91]

---

[89] 《四庫未收書輯刊》〈凡例〉，頁1。

[90] 同前註。

[91] 同前註，頁2。

3.目錄及索引

(1)目錄

《四庫未收書輯刊》〈凡例〉第六條為：

> 本叢書所收每種書前均加書名頁，其中著錄書名、卷數、作者、版本；各冊之前均加本冊目錄頁。[92]

《四庫未收書輯刊》每冊前有目錄，記該冊所收書的書名、卷數、朝代、作者及頁次。

每輯第一冊前有該輯總目錄記該輯每冊所收書的書名、卷數、朝代、作者及頁次。《四庫未收書輯刊》〈凡例〉第三條為：

> 本叢書共收錄典籍近兩千種[93]，分十輯精裝影印出版，每輯三十冊，共三百冊；每輯據所收部類按經、史、子、集排序，每輯第一冊附此輯總目錄。[94]

《四庫未收書輯刊》《首卷》目錄索引冊，編有分輯目錄、分類表、分類目錄。分輯目錄為第一輯到第十輯總目錄，記每輯各冊所收書的書名、卷數、朝代、作者及頁次。《四庫未收書輯刊》每輯據所收部類，大致上依經、史、子、集排序，但並無經、史、子、集的標目，故另編有分類表與分類目錄，其分類則一仍《四庫未收書分類目錄》之舊。[95]分類目錄記經、史、子、集四部各類所收書

---

[92] 同前註。

[93] 實際數量為 1508 種。

[94] 《四庫未收書輯刊》〈凡例〉，頁 1。

[95] 其分類為經部：易類、書類、詩類、禮類、樂類、春秋類、孝經類、四書

的書名、卷數、朝代、作者、版本、在第幾輯，第幾冊與開始的頁碼，如子部・雜家類：

翼教叢編六卷

〔清〕蘇輿輯

清光緒二十四年刻本

……………………………9 輯 15－229

⑵索引

《四庫未收書輯刊》〈凡例〉第四條為：

> 本叢書另附「目錄索引」一冊，包括分類目錄、書名索引、作者索引。其中分類目錄的類目設置一仍《四庫未收書分類目錄》之舊，並將十輯之目錄總排序。[96]

《四庫未收書輯刊》《首卷》目錄索引冊，編有書名四角號碼索引、著者四角號碼索引，並有索引字頭筆畫檢字與四角號碼對照表。

①檢索書名

檢索書名時，書名後的文字與數字表示其所在的輯數、冊數、

類、小學類、群經總義類。史部：正史類、編年類、紀事本末類、別史類、雜史類、史鈔類、史表類、外國史類、傳記類、地理類、時令類、詔令奏議類、職官類、政書類、目錄類、金石類、史評類。子部：儒家類、兵家類、法家類、農家類、醫家類、天文算法類、術數類、藝術類、釋家類、道家類、雜家類、說叢類、譜錄類、類書類。集部：楚辭類、別集類、總集類、詞曲類、集評類。

[96] 《四庫未收書輯刊》〈凡例〉，頁 1－2。

開始的頁碼。如：高奇往事　10 輯 11－243
表示《高奇往事》在第 10 輯，第 11 冊，從第 243 頁開始。

②檢索著者

檢索著者時，姓名後的文字與數字表示其著作所在的輯數、冊數、開始的頁碼。如：方宗誠　2 輯 5－101
表示方宗誠著作在第 2 輯，第 5 冊，從第 101 頁開始。

另編有索引字頭筆畫檢字與四角號碼對照表，能使讀者用不同方法也能夠檢索。

3.書名頁

《四庫未收書輯刊》〈凡例〉第六條為：

> 本叢書所收每種書前均加書名頁，其中著錄書名、卷數、作者、版本；各冊之前均加本冊目錄頁。

《四庫未收書輯刊》於所收每書前皆有書名頁，並說明其所據以影印的版本。書名頁記有書名、卷數、朝代、作者、版本。如：《孔易》七卷（在第 1 輯，第 1 冊）：「《孔易》七卷〔清〕孫承澤撰。清康熙六年孫氏家塾刻本」。《四庫未收書輯刊》書名頁沒有註明藏所，其他三部叢書書名頁則多有註明藏所。《四庫未收書輯刊》沒有註明所收各書的藏所，使讀者無法得知書籍的收藏情況，此為其缺點。

六、編纂上的缺點

㈠收書重複問題

關於收書重複情形，其重複種數如下：

《四庫全書存目叢書》與《續修四庫全書》的重複

經部重複一百六十五種。

史部重複二百三十二種。

子部重複二百九十種。

集部重複一百一十四種。

《四庫全書存目叢書》、《四庫禁燬書叢刊》的重複，共約三十種。《續修四庫全書》與《四庫禁燬書叢刊》的重複，共約一百種。[97]其中以《續修四庫全書》重複最多。〈《續修四庫全書》凡例〉第二條一、二項說明其收錄範圍有：

> 《四庫全書》失收（遺漏、摒棄、禁燬）而確有學術價值者。
>
> 《四庫全書》列入「存目」而確有學術價值者。

因此，《續修四庫全書》收書有與《四庫全書存目叢書》、《四庫禁燬書叢刊》重複者。而《續修四庫全書》與《四庫全書存目叢書》重複尤其多，總數達八〇一種。《續修四庫全書》說是為了保持其學術系統性、完整性，〈《續修四庫全書》編纂緣起〉說：

---

[97] 以上種數統計見羅琳於東吳大學中文系「『文獻學』與『四庫』系列叢書」（講演大綱），2001年3月21日。

> 我們今天完全可以對現存存目的書作實事求是的評估，選擇一部分仍有價值的著作編入續修之中，以見出中國學術發展的整體面貌。這也是《續修四庫全書》保持學術系統性、完整性所不可或缺的。[98]

雖說是如此，但是重複太多，亦是缺點。

《四庫全書存目叢書》與《四庫禁燬書叢刊》的重複，有時確是難以避免。[99]然而為了維護本身學術體系的完整性，《四庫禁燬書叢刊》的編纂者們亦已意識到此問題，而有其因應方法。[100]

---

[98] 〈《續修四庫全書》編纂緣起〉，頁 13。

[99] 〈《四庫禁燬書叢刊》編纂後記〉，頁 2：「《四庫禁燬書叢刊》收書，依據的是各種四庫禁燬書目的著錄。但其中有部份抽毀書經抽燬後又列入《四庫全書存目》，極個別的甚至收入《四庫全書》。因此，這裡有一個明確的界限：《四庫全書存目叢書》應收入經過抽燬的本子，而本《叢刊》應收入未經抽燬的本子。我們是注意掌握這個原則的。」頁 3：「本《叢刊》只收禁燬書，但有時候也會出現需要靈活掌握的情況，不免會產生與《存目叢書》的一些重複。」

[100] 〈《四庫禁燬書叢刊》編纂後記〉頁 3—4 說：「本《叢刊》起步較《存目叢書》為晚，因此，交叉重複的問題應由我們主動注意。我們一開始就重視這一點。在我們的思想上，對待這個問題是兩個原則的統一：既要編好《四庫禁燬書叢刊》，又要盡可能減少重複出版。因此，我們必須根據情況採取不同的處理辦法。」避免重複的方法如〈《四庫禁燬書叢刊》編纂後記〉，頁 3 說：「如陳繼儒《眉公十種藏書》包括陳繼儒著作十種，《存目叢書》收入其中七種，本《叢刊》因十種著作各有獨立性，為避免重複，只收錄《白石樵真稿》、《白石樵真稿尺牘》、《眉公詩抄》三種。這是最好的。」又頁 4 說：「《四庫全書總目提要》著作並已收入《存目叢書》，又缺乏具有顯著差異的禁燬前原本的書，為避免重複，本《叢刊》不再收錄，如談遷《棗林雜俎》、曹于汴《仰節堂集》、蔡士順

而《四庫未收書輯刊》為了避免重複，其〈凡例〉第二條即表示：

> 本叢書所收之書不與《四庫全書存目叢書》、《四庫禁燬書叢刊》、《續修四庫全書》所收之書重複。[101]

故《四庫未收書輯刊》重複情形少有。

下面列表以示《續修四庫全書》、《四庫全書存目叢書》、《四庫禁燬書叢刊》之間重複的情形。舉例為凸顯問題，多選擇部頭較大的書。其他的書重複者亦多有，限於篇幅，茲不一一列舉。表中各書所列版本，一依其所屬叢書書名頁的著錄為準，文字上雖或有出入，若可知為同樣版本者，於書名旁作☆記號標示，不同版本則不標示。

1.因為維護本身的學術體系而重複

(1)《續修四庫全書》與《四庫全書存目叢書》的重複舉例：

《同時尚論錄》等。四庫禁燬書李贄《李氏文集》，與存目《李溫陵集》，卷數相同，雖異名而實為同書，所以《李氏文集》也不再收錄。」不得已而必須重複時，處理方法如頁3所說：「但陳第《一齋集》包括其著作十一種，《存目叢書》收錄四種（按：實為三種，《兩粵遊草》、《寄心集》、《五嶽遊草》），其中《五岳（嶽）游（遊）草》七卷，本《叢刊》以《一齋集》為禁燬書，十一種全，其中《五岳（嶽）游（遊）草》僅一卷（按：實為七卷），為保持資料的完整性，將全書十一種全部收錄。」

[101] 〈四庫未收書輯刊·凡例〉，《四庫未收書輯刊》第1冊（北京：北京出版社，2000年1月），頁1。

書名、撰者 ╲ 叢書名	《續修四庫全書》	《四庫全書存目叢書》
☆《天下郡國利病書》不分卷 〔清〕顧炎武撰	據《四部叢刊》影印稿本影印[102]	涵芬樓輯《四部叢刊三編》影印手稿本[103]
☆《新編事文類聚翰墨全書》一百三十四卷 〔宋〕劉應李撰	據北京圖書館藏明初刻本影印[104]	北京圖書館藏明初刻本[105]

(2)《續修四庫全書》與《四庫禁燬書叢刊》的重複舉例：

書名、撰者 ╲ 叢書名	《續修四庫全書》	《四庫禁燬書叢刊》
☆《名山藏》一百九卷 〔明〕何喬遠撰	據明崇禎刻本影印[106]	明崇禎刻本 北京大學圖書館藏[107]
☆《八編類纂》二百八十五卷 〔明〕陳仁錫輯	據北京大學圖書館藏明天啟刻本影印[108]	明天啟刻本 北京大學圖書館[109]

---

[102] 《續修四庫全書》第 595－597 冊，史部·地理類。四套叢書每 1 冊的頁數平均約為 800 頁。

[103] 《四庫全書存目叢書》史部第 171－172 冊，地理類。

[104] 《續修四庫全書》第 1219－1221 冊，子部·類書類。

[105] 《四庫全書存目叢書》子部第 169－170 冊，類書類。

[106] 《續修四庫全書》第 425－427 冊，史部·雜史類。

[107] 《四庫禁燬書叢刊》史部第 46－48 冊。

[108] 《續修四庫全書》第 1240－1246 冊，子部·類書類。

[109] 《四庫禁燬書叢刊》子部第 2－8 冊。

☆《皇明經世文編》五百四卷《補遺》四卷〔明〕陳子龍等輯	據明崇禎平露堂刻本影印⑩	影印明崇禎雲間平露堂刻本⑪

(3)《四庫全書存目叢書》與《四庫禁燬書叢刊》重複舉例：

叢書名 書名、撰者	《四庫全書存目叢書》	《四庫禁燬書叢刊》
☆《弇州史料前集》三十卷〔明〕王世貞撰董復表輯（《四庫全書存目叢書》）《弇州史料前集》三十卷，後集七十卷（《四庫禁燬書叢刊》）	中國人民大學圖書館藏明萬曆四十二年刻本⑫	明萬曆四十二年刻本 北京大學圖書館藏⑬
☆《廣輿記》二十四卷〔明〕陸應陽輯〔清〕蔡方炳增輯	湖南圖書館藏清康熙五十六年聚錦堂刻本⑭	清康熙刻本 山東圖書館藏⑮

---

⑩ 《續修四庫全書》第1655－1662冊，集部·總集類。

⑪ 《四庫禁燬書叢刊》集部第22－29冊。

⑫ 《四庫全書存目叢書》史部第112冊，傳記類。

⑬ 《四庫禁燬書叢刊》史部第48－50冊。

⑭ 《四庫全書存目叢書》史部第173冊，地理類。

⑮ 《四庫禁燬書叢刊》史部第18冊。

☆《一齋集》[116] 三十五卷(存三十三卷) 〔明〕陳第撰 (《四庫禁燬書叢刊》) 《兩粵遊草》一卷、《寄心集》六卷、《五嶽遊草》七卷(《四庫全書存目叢書》)	福建省圖書館藏明萬曆會山樓刻《一齋集》本[117]	明萬曆會山樓刻本 天津圖書館藏[118]

因為維護本身的學術體系而重複，其原因已在上文敘述過，此類重複甚多，是主要且較普遍的現象。

2.**因為誤收而重複**

還有因為誤收而重複的，其原因詳下㈢誤收書籍問題的說明，如：

---

[116] 《四庫禁燬書叢刊》集部第 57 冊。〈《四庫禁燬書叢刊》編纂後記〉，頁 3 說：「但陳第《一齋集》包括其著作十一種，《存目叢書》收錄四種（按：實為三種，《兩粵遊草》、《寄心集》、《五嶽遊草》），其中《五岳（嶽）游（遊）草》七卷，本《叢刊》以《一齋集》為禁燬書，十一種全，其中《五岳（嶽）游（遊）草》僅一卷（按：實為七卷），為保持資料的完整性，將全書十一種全部收錄。」按：《一齋集》內十一種著作為⑴《伏羲圖贊》，《雜卦傳古音考》附。⑵《尚書疏衍》。⑶《毛詩古音攷》，《讀詩拙言》附。⑷屈宋古音義。⑸松軒講義。⑹書札燼存。⑺謬言。⑻意言。⑼寄心集。⑽五嶽遊草。⑾兩粵遊草。

[117] 《四庫全書存目叢書》集部第 178 冊，別集類。

[118] 《四庫禁燬書叢刊》集部第 57 冊。

書名、撰者 \ 叢書名	《四庫全書存目叢書》	《四庫禁燬書叢刊》
☆《續（重）刻楊復所先生家藏文集》八卷〔明〕楊起元撰。[119]	天津圖書館藏明楊見晙等刻本。[120]	明崇禎楊見晙等刻本。中國科學院圖書館藏。[121]
《西湖覽勝詩志》八卷〔清〕夏基輯。	上海圖書館藏清順治十二年刻本。[122]	清乾隆三十七年刻本。遼寧省圖書館藏。[123]

因為誤收而重複，此屬於個別現象，然亦存在，故特列出。

然而，如一書有不同的版本或內容有較大的差異，雖屬重複收錄，然可以提供比較研究的材料，如〔清〕李清撰：《三垣筆記》，《四庫禁燬書叢刊》所收《三垣筆記》八卷，為影印中國科學院圖書館藏清鈔本。《續修四庫全書》所收《三垣筆記》三卷，補遺三卷，附識三卷，附識補遺一卷，為影印民國六年（1917）劉氏刻嘉業堂叢書本。〔明〕李盤等撰：《金湯借箸》，《四庫全書存目叢書》所收《金湯借箸》十三卷（書名頁題〔明〕周鑑輯著，李長科（李盤原名）校訂），為影印清華大學圖書館藏吳壽格鈔本。《四庫禁燬書叢刊》所收《金湯借箸十二籌》十二卷，為影印中國科學院自然科學史所圖書館藏明崇禎刻本。[124]

---

[119] 《四庫全書存目叢書》書名頁作「《續刻楊復所先生家藏文集》」，《四庫禁燬書叢刊》則作「《重刻楊復所先生家藏文集》」。

[120] 《四庫全書存目叢書》集部第167冊，別集類。

[121] 《四庫禁燬書叢刊》集部第63冊。

[122] 《四庫全書存目叢書》史部第243冊，地理類。

[123] 《四庫禁燬書叢刊》史部第41冊。

[124] 詳參〈《四庫禁燬書叢刊》編纂後記〉，頁3。

㈡收錄書籍問題

《馬王堆帛書周易經傳釋文》

如《續修四庫全書》第一冊，經部·易類，第一種為《馬王堆帛書周易經傳釋文》，廖名春釋文。袁菲〈評《續修四庫全書》（第一卷）〉認為收此《釋文》為不妥的作法：

> 馬王堆出土的《帛書周易》是重要的出土文獻，內容與傳世之本不同，選入《續修四庫全書》理所應當。但最好的方式是收原書的影印件，如帛書老子的形式。如果原件破碎，也應加以綴合。綴合仍不行，那麼最好的方法是出摹本，如中華書局《孫臏兵法校理》附錄的形式。只要能出《釋文》，那麼摹本一定能辦。現在既無影印件，又無摹本，單單出個《釋文》，嚴格地說那不過是《帛書周易》研究成果的一種形式，離《帛書周易》原貌有一定距離。……同時，收當代學術研究成果，也不符合《續修四庫全書凡例》第一條的規定：「本書主要收錄清修《四庫全書》以後迄於清末的學術著述，收錄下限以成書年代計，大體止於民國元年。」根據傳統公認的作法，活著的人的著述不宜收入，因為對這些著述進行評定還為時過早。廖先生的《釋文》是不是能經得住歷史考驗，恐怕還要讓歷史來說話。所以《續修四庫全書》收入這個《釋文》是欠妥的。[125]

---

[125] 袁菲：〈評《續修四庫全書》（第一卷）〉，《北京大學學報》（哲學社會科學版）1996 年第 5 期（1996 年 9 月），頁 121。

因此，出土文獻的收錄，為收入影印件，後再附以《釋文》的方式為妥，如《續修四庫全書》第八十五冊，經部·禮類收錄《儀禮（武威漢簡殘編），附《釋文》九篇》（據文物出版社 1964 年版《武威漢簡》影印）與第九五四冊，子部·道家類收錄《老子》（據 1980 年文物出版社影印馬王堆漢墓帛書本影印），帛書老子甲本、乙本影印件後，各附有《釋文》。

㈢誤收書籍問題

1.《哀江南賦注》

如《續修四庫全書》所收錄〔北周〕庾信撰，王闓運注的《哀江南賦注》。[126]《續修四庫全書》應是根據《中國古籍善本書目》集部，卷二十二，漢魏六朝別集類所著錄「王闓運的《哀江南賦注釋》一卷，稿本」來收錄的。[127]然而此《哀江南賦注》的作者與注者，其實都是王闓運。王闓運，初名開運，字壬秋，一字壬父，湖南湘潭縣人。生於清道光十二年（1832），卒於民國五年（1916），年八十五。曾自題所居為「湘綺樓」，學者稱「湘綺先生」。王闓運的《哀江南賦》為用庾信「哀江南賦」舊名創作的一篇作品[128]，

---

[126] 《續修四庫全書》1304 冊，集部·別集類。

[127] 《中國古籍善本書目》（上海：上海古籍出版社，1998 年 3 月）集部上冊，卷二十二，漢魏六朝別集類，頁 38。《續修四庫全書》據南京圖書館藏稿本影印。

[128] 〔清〕王闓運撰，馬積高主編：《湘綺樓詩文集》（長沙：岳麓書社，1996 年 9 月），〈文〉，卷一，〈賦〉，首篇即為〈哀江南賦〉，題下注云：「用庾子山舊韵」，頁 3。庾子山即庾信。其篇後記云：「昔庾子山飄泊江關，哀時多難，作賦一篇，以發牢落之思，至今盛傳於世，文詞

《注》亦是其自注。⑫⑨《續修四庫全書》沿《中國古籍善本書目》之誤，以為是王闓運注庾信〈哀江南賦〉而收錄，實為誤收。

2.《續刻楊復所先生家藏文集》、《西湖覽勝詩志》

再如《四庫全書存目叢書》所收錄〔明〕楊起元《續刻楊復所先生家藏文集》、〔清〕夏基《西湖覽勝詩志》二書。⑬⓪〈《四庫禁燬書叢刊》編纂後記〉說：

> 有些書是《存目叢書》誤收。如《四庫全書總目提要》在《存目》中著錄楊起元《楊文懿集》十二卷，《存目叢書》誤以為中國科學院圖書館藏楊起元《楊復所家藏集》八卷即

美矣。洪逆之亂，禍延七省。按其地分，皆古江南。余才愧時賢，親逐戎馬，雖無典午之達，亦免南冠之窮，多暇抽思，殷勤屯筆。乃為新製，竊用舊名。既以江南冠題，故淮北、山東皆不列入。即此數省，傳聞亦異。維桑與梓，頗述其詳，以貽哲工鑑焉。甲寅歲七月記」，頁 10。甲寅為咸豐四年（1854），王闓運因憂於太平天國之亂而作《哀江南賦》，時年二十三歲，「賦成，傳頌一時」，詳參王代功述：《湘綺府君年譜》（臺北：廣文書局，1971 年 11 月），頁 24。

⑫⑨ 《續修四庫全書》所收《哀江南賦注》稿本，篇首題「湘綺先生手注哀江南賦」，並有署名「澤闓」的題跋云：「辛亥三月，余侍湘綺丈人師坐，偶語及師作《哀江南賦》，以為事遠年湮，將無人能言其故實，因作註為請。丈人慨然謂時移世易，亦不能於□□事纖悉皆能不忘，但大要尚可追憶。余退而（此字殘，然可由文意推知為「而」字）□□之函丈，乞賜批釋。城中客擾，丈人旋還山莊。□暇（此字右上部分殘，然尚可知為「暇」字）時即批寄。今閏月十二日伯諒世大兄從山莊來，以此見還，傳語謂尒（爾）時日記不可覓呈（此字不確定，待考），就體段註釋之。聊使後之讀者，因以求其迹，未能詳也。尋註三復，怳若發蒙，將更迻寫傳刻，俾世人有考焉。因並記此，鐙下澤闓題。」

⑬⓪ 《四庫全書存目叢書》集部第 167 冊，別集類與史部第 243 冊，地理類。

是該書，加以收錄。實際上《楊復所家藏集》是全燬書，不可能入《存目》，《存目叢書》實屬誤收。又如《存目》著錄《西湖覽勝志》十四卷，《存目叢書》誤將吉林大學圖書館藏同一作者的禁燬書《西湖覽勝詩》八卷當作該書收入。[131]

由此可知《四庫全書存目叢書》中此二書為誤收。《四庫全書存目叢書》將《續刻楊復所先生家藏文集》、《西湖覽勝詩志》二書誤作為《四庫全書總目·存目》著錄之《楊文懿集》、《西湖覽勝》而收錄。《四庫禁燬書叢刊》本來就是收錄禁燬書籍，故收錄《重刻楊復所先生家藏文集》、《西湖覽勝詩志》二書。

㈣作者題名問題

1.偽書作者題名

書籍與其作者，如有疑偽，一般以「舊題」或「題」來表示。如《續修四庫全書》第一冊，經部·易類所收《關氏易傳》，作「題〔後魏〕關朗撰，〔唐〕趙蕤注。」再如《四庫全書存目叢書》史部第一一六冊史部·地理類所收《歷代地理指掌圖》不分卷，作「題〔宋〕蘇軾撰。」子部第八十三冊，雜家類所收《於陵子》一卷，作「題〔齊〕（按：指東周齊國）陳仲子撰。」《秘傳天祿閣寓言外史》八卷，作「題〔漢〕黃憲撰」等。

---

[131] 〈《四庫禁燬書叢刊》編纂後記〉，頁 3。亦可參考《欽定四庫全書總目（整理本）》，卷一百七十九，集部三十二，別集類存目六，〈《楊文懿集》十二卷〉與卷七十七，史部三十三，地理類存目六，〈《西湖覽勝》十四卷〉提要。

然而同樣情形，如《四庫全書存目叢書》經部第一冊，易類所收《關氏易傳》一卷，作「〔北魏〕關朗撰，〔唐〕趙蕤註。」《晦庵先生校正繫辭精義》二卷，作「〔宋〕呂祖謙撰。」子部第一冊，儒家類所收《忠經》一卷，作「〔漢〕馬融撰，鄭玄註。」《千秋金鑑錄》五卷，作「〔唐〕張九齡撰。」集部第二十一冊，別集類所收《宋鄭所南先生心史》二卷，作「〔宋〕鄭思肖撰」等。《四庫禁燬書叢刊》集部第三十冊所收《心史》二卷，亦作「〔宋〕鄭思肖撰。」《四庫未收書輯刊》第三輯，第一冊所收《呂子易說》二卷，《圖解》一卷，作「〔唐〕呂巖撰。」書籍與作者有疑偽時，以「題某某撰」表示為妥，直接題其名，未為適當。

2.漏題編輯者名

有些著作的編輯不是由撰者本身完成，於是便有了撰者與編輯者的分別。而《四庫禁燬書叢刊》偶有漏題編輯者的情形，《四庫禁燬書叢刊》史部第四八－五〇冊所收《弇州史料前集》三十卷，《後集》七十卷，作「〔明〕王世貞撰」，漏題輯者「董復表」。此書實為董復表彙輯[132]，故亦應題其名，而《四庫全書存目叢書》所收《弇州史料前集》三十卷，即作「〔明〕王世貞撰，董復表輯。」

又如《四庫禁燬書叢刊》集部第一五五冊所收《新安二布衣詩》八卷，作「〔明〕吳兆、程嘉燧撰。」然此書實為清人王士禛

---

[132] 可詳參武新立編著：《明清稀見史籍敘錄》（南京：江蘇古籍出版社，2000 年 1 月），頁 81－84。

編選，故應作「〔明〕吳兆、程嘉燧撰，〔清〕王士禛選。」

3.誤題撰人名

如《四庫全書存目叢書》史部，第八十九冊，傳記類，所收《掾曹名臣錄》一卷，作「〔明〕王瓊撰」。《掾曹名臣錄》的撰者，潘樹廣：〈《掾曹名臣錄》撰者考——兼談「四庫全書存目叢書」的一點失誤〉一文中考證撰者為王鴻儒，並非王瓊。關於《掾曹名臣錄》撰者的著錄，有王鴻儒、王瓊、王凝齋等。而凝齋為王鴻儒的號，所以實際上為王鴻儒與王瓊兩人，而兩人為同姓，年代又相近，故容易混淆。潘樹廣斷定此書撰者為王鴻儒，而非王瓊。其理由有二，一為據《掾曹名臣錄》卷首有所謂「王凝齋〈序〉」。王凝齋即王鴻儒，而「〈序〉中自述其編撰動機甚明」。二為〈序〉中所述與王鴻儒生平合。《四庫全書存目叢書》為依《四庫全書總目》卷六十一，史部十七，傳記類存目三的說法而致誤。[133]

又如《四庫禁燬書叢刊》史部第七十一冊所收《酌中志》二十三卷，《酌中志餘》十卷，作「〔明〕劉若愚撰輯。」《酌中志》的撰者為明代宦官劉若愚，此書主要記萬曆、天啟兩朝事。[134]而

---

[133] 詳參潘樹廣：〈「掾曹名臣錄」撰者考——兼談《四庫全書存目叢書》的一點失誤〉，《圖書館雜誌》2001 年第 2 期（2001 年 2 月），頁 56－57。

[134] 可詳參謝國楨：《增訂晚明史籍考》（上海：上海古籍出版社，1981 年 2 月），卷二，頁 107－112。與王燦熾：《燕都古籍考》（北京：京華出版社，1995 年 8 月），頁 159－164。

《酌中志餘》則不著輯者姓名[135]，其書前〈按語〉云：

> 野史氏訂定《酌中志》既竣，笥中藏有昌、啟、禎三朝所載數種，堪與《酌中志》相發明証據，因名曰：《酌中志餘》，當亦論世者所欲考核也。[136]

《酌中志》的撰者為劉若愚，而《酌中志餘》的輯者為「野史氏」，《四庫禁燬書叢刊》將二書同題為「〔明〕劉若愚撰輯」，在《酌中志餘》部分為誤題撰人。

㈤著錄誤字問題

《續修四庫全書》、《四庫全書存目叢書》等叢書的書名、作者、版本等的著錄，有少數的誤字。如《續修四庫全書》第七十九冊經部・禮類中，〔清〕方苞《周官析疑》三十六卷、《考工記析疑》四卷，書名頁版本項「據華東師範大學圖書館藏清康熙六十年陳彭年雍正九年朱軾乾隆八年周力堂等遞刻本影印」「陳彭年」為「陳鵬年」之誤。《四庫全書存目叢書》經部，第一冊易類中，有〔宋〕趙汝楳《易序叢書》十卷，「汝」誤為「如」字；又經部第八十四冊，禮類有〔明〕孫攀《古周禮釋評》六卷，「孫攀」誤為「孫明攀」。《四庫全書存目叢書補編》第七十五冊中，梅鼎祚《梅禹金詩草》二十卷，目錄誤為「方鼎祚」，書名頁則不誤。

---

[135] 可詳參謝國楨：《增訂晚明史籍考》，卷二，頁 112。與王燦熾：《燕都古籍考》，頁 336－337。

[136] 《四庫禁燬書叢刊》史部第 71 冊，頁 245。

㈥影印問題

四套叢書皆為合版影印，方式多為一頁容納所收原書二葉，一葉在上面，一葉在下面。《四庫全書存目叢書》則是「每種書第一頁的上欄不貼原書的正文，預留新做書名頁的位置。」[137]

用影印方式可保存版本原本形貌，並有助於流傳。但是古籍刊本、鈔本的版式不一，雖然盡量縮印，統一版式。但影印出來卻仍不免仍有參差不齊的情形，沒辦法做到真正徹底統一版式。甚至亦會出現如袁菲〈評《續修四庫全書》（第一卷）〉所說影印與原來底本差異的情形：

> 另外，《續修四庫全書》作為傳世大書，印刷還不夠精美。《周易正義》和《周易注疏》兩種宋本的中縫拼接普遍不齊，致使版心上文字受到嚴重破壞，尤其《周易注疏》版心下方的刻工姓名大量受到破壞，對古書愛好者來說，顯然是極大的遺憾。[138]

再來如《四庫禁燬書叢刊》集部第十一冊所收〔明〕宋存標撰《秋士偶編》一卷，附《董劉春秋雜論》一卷，為影印中國科學院圖書館藏明末刻本。書內多篇文章末後空白葉被印上前半葉的反文，此皆為影印時不慎所產生的人為疏失。

還有與人為疏失無關，但較為特殊的情形，如康有為撰《大同

---

[137] 張建輝：〈編印《四庫全書存目叢書》側記〉，頁211。

[138] 袁菲：〈評《續修四庫全書》（第一卷）〉，《北京大學學報》（哲學社會科學版）1996年第5期（1996年9月），頁122。

書》八卷：

> 本書原稿藏上海博物館、天津圖書館。原稿草書，不易閱讀。此據江蘇古籍出版社一九八五版釋文影印，並選錄原稿各卷首頁書影以存其真。[139]

原稿因不易閱讀，影印書影在前，後面是便於閱讀的釋文，此為保存版本原貌與實用閱讀並存的折衷作法。

㈦欠缺適用的提要

《續修四庫全書》遵循《四庫全書》成例，於〈《續修四庫全書》凡例〉第八條提出要撰寫《續修四庫全書總目提要》一書，另冊出版發行。提要目前應在編寫中，尚無法得見。而《四庫全書存目叢書》於每書後附以影印的清武英殿本《四庫全書總目》提要。《四庫禁燬書叢刊》、《四庫未收書輯刊》則皆無提要。《四庫全書存目叢書》雖有影印清武英殿本《四庫全書總目》提要。然而此為四庫館臣對存目諸書的評價。在現今來說，未必還適用，故應該重新編寫提要。

四套叢書規模浩大，能編纂完成，其中人力、物力的投入應甚鉅大。編寫提要亦是浩大的工程。然而完善的叢書，實應要有提要，才能使讀者知曉其中收錄每部書籍的作者生平、書籍內容及其

[139] 《續修四庫全書》第953冊，子部‧儒家類。

學術價值等，故提要的編寫實為要務。[140]

八、文獻價值

(一)保存珍貴文獻，利於學術研究

《續修四庫全書》、《四庫全書存目叢書》、《四庫禁燬書叢刊》、《四庫未收書輯刊》保存了若干珍貴稀有，文獻價值很高的書籍。而收錄範圍多而且廣，資料性強的書籍，保存了眾多文獻，對學術研究很有助益。

1.《續修四庫全書》

如宋代陳大猷著有《書集傳》十二卷與《書集傳或問》二卷。《書集傳》在清代以來罕為流傳，致纂修《四庫全書》時，四庫館臣以為《書集傳》已經亡佚。[141]《續修四庫全書》第四十二冊，經部·書類收錄了《書集傳》十二卷，《或問》二卷[142]，對陳大猷的《尚書》學研究提供了有利的材料。[143]

---

[140] 可參考方方〈論《續修四庫全書》〉，文史哲 1994 年第 6 期（1994 年 11 月），頁 91－93 轉頁 99。

[141] 《欽定四庫全書總目（整理本）》卷十一，經部十一，書類一，〈《尚書集傳或問》二卷〉提要，頁 148。〈《續修四庫全書》編纂緣起〉，頁 11。

[142] 據北京圖書館藏元刻本影印。

[143] 由於宋代有兩陳大猷，一為東陽人，紹定二年（1229）進士；一為都昌人，開慶元年（1259）進士。都昌人者，即元人陳澔（1261－1341）之父。《續修四庫全書》收錄的陳大猷《書集傳》十二卷，《或問》二卷，

再如欲研究清代乾嘉學者戴震（1723－1777）的經學。《續修四庫全書》收錄了其《尚書義考》二卷[144]、《毛鄭詩考正》四卷[145]、《考工記圖》二卷[146]、《深衣解》一卷[147]、《經考》五卷[148]、《孟子字義疏證》三卷[149]等，對欲較全面研究戴震的經學很有助益。

2.《四庫全書存目叢書》

如宋代宋慈（1186－1249）的《宋提刑洗冤集錄》五卷為現存最早的法醫檢驗專著。[150]《宋提刑洗冤集錄》一書，後世省稱為《洗冤錄》。[151]因而若干研究此書的文章，將清代《律例館校正洗冤

也有利於辨明此書作者為東陽陳大猷與其學派歸屬問題。詳參《欽定四庫全書總目（整理本）》卷十一，經部十一，書類一，〈《尚書集傳或問》二卷〉提要，頁 148。相關討論可詳參宋慈抱原著、項士元審訂：《兩浙著述考》，〈書集傳十二卷、書集傳或問二卷〉（杭州：浙江人民出版社，1985 年 3 月），頁 193。許華峰撰：〈陳大猷《書集傳》與《書集傳或問》的學派歸屬問題〉，「宋代經學國際研討會」論文（臺北：中央研究院中國文哲研究所，2002 年 11 月 20－22 日），頁 1－14。

[144] 《續修四庫全書》第 45 冊，經部·書類。

[145] 《續修四庫全書》第 63 冊，經部·詩類。

[146] 《續修四庫全書》第 85 冊，經部·禮類。

[147] 《續修四庫全書》第 107 冊，經部·禮類。

[148] 《續修四庫全書》第 172 冊，經部·群經總義類。

[149] 《續修四庫全書》第 158 冊，經部·四書類。

[150] 《四庫全書存目叢書》子部第 37 冊，法家類，據北京大學圖書館藏元刻本影印。詳參陳垣：〈洗冤錄略史〉，收於《陳垣早年文集》（臺北：中央研究院中國文哲研究所，1992 年 7 月），頁 225－237。

[151] 李裕民：《四庫提要訂誤》（北京：書目文獻出版社，1990 年 10 月），頁 106。云：「按：此書宋慈原序稱《洗冤集錄》，自收入《永樂大典》後，始省稱為《洗冤錄》。」

錄》誤以為是此書。[152]《四庫全書存目叢書》收錄《宋提刑洗冤集錄》，可以為宋慈與《宋提刑洗冤集錄》的研究，澄清失誤，亦提供了最直接的材料。

3.《四庫禁燬書叢刊》

如清代屈大均（1630－1696）的《翁山易外》，通行本為七十一卷。而臺灣的國家圖書館藏有舊鈔本，為六卷本，四冊。《四庫禁燬書叢刊》收錄據北京圖書館藏清鈔本影印的七十一卷本。[153]《四庫禁燬書叢刊》所收此本，可與鮮少受到注意的六卷本作比較，增加考辨的空間。另外，由於大陸學者歐初、王貴忱主編的《屈大均全集》[154]在點校上有不少錯誤。因此，《四庫禁燬書叢刊》所收的《翁山易外》也可作為校正《屈大均全集》裡的《翁山易外》[155]點校錯誤的依據。[156]

4.《四庫未收書輯刊》

如清代揚州高郵學者孫喬年（？－1765），其事蹟與著作罕為人知。《四庫未收書輯刊》收錄其《尚書古文證疑》四卷[157]、《禹

---

[152] 詳參管成學：〈論宋慈與《洗冤集錄》研究中的失誤及原因〉，《文獻》1987年第1期（1987年1月），頁207－221。

[153] 《四庫禁燬書叢刊》經部，第5冊。

[154] 歐初、王貴忱主編：《屈大均全集》（北京：人民文學出版社，1996年），共8冊。

[155] 為彭伊洛、傅靜庵點校，在第5冊。

[156] 可詳參何淑蘋撰：《屈大均《翁山易外》研究》（臺北：東吳大學中國文學研究所碩士論文，2004年7月），孫劍秋指導。

[157] 《四庫未收書輯刊》第3輯，第5冊。

貢釋詁》一卷，附文集摘刻一卷[158]、《七經讀法》七卷。[159]蔣秋華〈孫喬年對《古文尚書》的考辨〉[160]一文研究孫喬年的《尚書》學，即主要根據《四庫未收書輯刊》收錄的這三部書。

又如揚州寶應學者劉寶楠（1791－1855）之父劉履恂，為乾隆年間（1736－1795）的舉人，與劉台拱（1751－1805）是從父兄弟[161]，有《秋槎雜記》一書。劉寶楠〈《秋槎雜記》書後〉云：

> 先君著《秋槎雜記》內外篇，內篇說經，外篇雜論、傳記、詩文，合為一卷。道光元年刊行[162]，時儀徵阮相國總督兩廣，刺取是書內篇刊入《皇清經解》而刪其外篇，是卷即依《經解》本也。[163]

劉履恂《秋槎雜記》原分為內外篇，內篇為說經之作，外篇則為雜論、傳記、詩文之作，合為一卷。阮元（1764－1849）將內篇刊入

---

[158] 《四庫未收書輯刊》第 4 輯，第 3 冊。

[159] 《四庫未收書輯刊》第 3 輯，第 10 冊。

[160] 祁龍威、林師慶彰主編：《清代揚州學術研究》（臺北：臺灣學生書局，2001 年 4 月），頁 351－371。

[161] 張舜徽：《清代揚州學記》（上海：上海人民出版社，1962 年 10 月），頁 43。

[162] 道光元年（1821）刊本，黃裳：《清代版刻一隅》（濟南：齊魯書社，1992 年 1 月），頁 328。記有：「道光元年興讓堂刻本。山陽汪廷珍序。後附《義迹山房詩稿》、《行略》。刊刻精謹。卷尾有子寶樹跋，《行略》屬『子寶樹寶楙寶楠謹述』。」

[163] 〔清〕劉寶楠：〈《秋槎雜記》書後〉，〔清〕劉履恂撰：《秋槎雜記》，《四庫未收書輯刊》第 4 輯第 9 冊，頁 544。

《皇清經解》[164]而刪去外篇。劉寶楠於道光十九年（1839）刊《秋槎雜記》一卷[165]，亦是依《皇清經解》本，只有說經之作，《四庫未收書輯刊》即據此影印。劉寶楠〈《秋槎雜記》書後〉云：

> 其中囊橐條末云：「橐無底，無證。」刊行後，復得手稿別本，引《老子》書證橐無底。[166]先兄幼度、松渠嘗欲更正，以已刊行，未果。今先兄皆下世，爰取原刻，抽更一簡，以字數行款參錯，因刪去楊君大承注，以強合之，以畢先兄未竟之志。楊君大承，今更名亮，原刻用舊名。今訑訑條下，亦剜改今名。先君諱下一字，《皇清經解》誤書作徇。先兄嘗致書同年官粵中者，請其更正，亦未果。因並記之。[167]

由此可知道光十九年（1839）刊本有數處更定，與《皇清經解》本並不完全相同。《四庫未收書輯刊》收錄此本，提供了可比較的新

---

[164] 《皇清經解》從道光五年（1825）開始刊刻，到道光九年（1829）完成，歷時五年。可參考陳祖武：〈阮元與《皇清經解》〉，國立中山大學清代學術研究中心編：《清代學術論叢》第二輯（臺北：文津出版社，2001年11月），頁181－192。與湯志鈞：《近代經學與政治》（北京：中華書局，1989年8月），〈附錄〉：〈近代經學年表〉道光五年乙酉（1825年）條，頁367。劉履恂：《秋槎雜記》收錄於《皇清經解》（臺北：藝文印書館，出版年月不詳），卷一千三百二十二，第19冊。

[165] 清道光十九年世德堂刻本。

[166] 《四庫未收書輯刊》第4輯第9冊，《秋槎雜記》葉六下至葉七下，頁529云：「《老子》『天地之道，其猶橐籥乎！』籥無底，橐籥並言，橐無底，亦是也。」《皇清經解》本《秋槎雜記》，頁14403則云：「橐無底，無證。」

[167] 《四庫未收書輯刊》第4輯第9冊，《秋槎雜記》，頁544。

材料。

㈡促進文獻流通

《續修四庫全書》、《四庫全書存目叢書》、《四庫禁燬書叢刊》、《四庫未收書輯刊》環繞著《四庫全書》而產生，並形成一個完整的系統。[168]四套叢書之間與《四庫全書》配合使用，將可擴大學術研究的範圍。圖書館與研究機構如能購此四套叢書，亦可以充實館藏。四套叢書收錄的書籍，如不計重複，達一萬一千八百六十三種，數量實為可觀。《續修四庫全書》、《四庫全書存目叢書》、《四庫禁燬書叢刊》、《四庫未收書輯刊》將大陸各圖書館館藏重要珍貴古籍，通過影印，化身千萬。而影印亦能保存版本的原貌，在文獻的流通上有很大的貢獻。

九、結　語

本文主要探討《續修四庫全書》、《四庫全書存目叢書》、《四庫禁燬書叢刊》、《四庫未收書輯刊》的編纂與體例，至於編纂上的缺點有收書重複問題、收錄書籍問題、誤收書籍問題、作者題名問題、著錄誤字問題、影印問題、欠缺適用的提要等。文獻價值則有保存文獻，利於學術研究與文獻流通等。

另外，羅琳以《四庫全書存目叢書》為例指出「由於《四庫全書存目叢書》的編纂不單純是一個學術活動，在很大程度上變成了

[168] 可參考〈《四庫禁燬書叢刊》編纂緣起〉，頁3。

一個商業活動，商業運作的時間性極大的限制了《四庫全書存目叢書》編纂中所應有的學術研究。」[169]張建輝也說：「《四庫全書存目叢書》採用的『官助民辦』的操作模式，這一模式的核心是以商業化為主體進行運作。《四庫全書存目叢書》的成功，正是商業與學術較好結合的產物，但這兩者的結合又注定會有矛盾的地方。迫於快速運轉的商業考慮，致使調查編目倉促，有少量傳世之『存目書』未能收入《四庫全書（存目）叢書》，中國大陸以外收藏的孤本『存目書』也只複製到一小部分，正擬出《四庫全書存目叢書補編》，以彌補這一缺憾。」[170]商業與學術結合，有利也有弊。由於商業快速的要求，致使有部分書未能收入《四庫全書存目叢書》。現已出版《四庫全書存目叢書補編》彌補，本文三、《四庫全書存目叢書》已有敘述。

再以售價方面為例，《續修四庫全書》的售價為人民幣 380,000 元。[171]《四庫全書存目叢書》的售價約為人民幣 702,453.8 元。[172]《四庫未收書輯刊》、《四庫禁燬書叢刊》售價皆為人民幣

[169] 羅琳：〈《四庫全書存目叢書》的徵訪及其著錄〉，收於《兩岸四庫學——第一屆中國文獻學學術研討會論文集》（臺北：臺灣學生書局，1998年5月），頁192－193。

[170] 張建輝：〈編印《四庫全書存目叢書》側記〉，收於《兩岸四庫學：第一屆中國文獻學研討會論文集》，頁206、頁215。

[171] 1元人民幣兌換新臺幣約為4.17元，故得售價約為新臺幣1584600元。

[172] 《四庫全書存目叢書》目錄索引冊定價美元 60 元。子部定價美元 18400 元。史部定價美元 20650 元。經部定價美元 15600 元。集部定價美元 30230 元。總價為美元 84940 元。1 美元兌換人民幣約為 8.27 元，故得售價約為人民幣 702453.8 元。1 美元兌換新臺幣約為 34.51 元，故得售價約為新臺幣 2931179.4 元。

180,000 元。[173]其售價頗為昂貴，對於消費者來說將是很大的負擔。就中國大陸方面來說，以《四庫禁燬書叢刊》的銷售為例。《中華讀書報》一九九八年十一月十八日記者江舒遠的一則報導，「〈《四庫禁燬書叢刊》價值巨大，前景艱難〉」即說：

> 然而，遺憾的是，這樣一部皇皇巨著的市場前景卻不容樂觀。三百套的印數，目前海內外售出不到五十套。首先，十八萬元的定價令許多圖書館望而卻步。目前國內僅有上海圖書館、中國社科院圖書館等少數館所問津，已擁有「四庫」、「存目」、「續修」的北京大學圖書館雖很想擁有一部《叢刊》，苦於經費拮据，只好作罷。其負責人認為同「存目」、「續修」先前每冊兩三百元的售價相比，每冊六百元的《叢刊》縱使打了七折仍然太貴。[174]

顯示因為售價過於昂貴，連中國大陸的圖書館欲購求收藏都受到影響，因此限制了叢書的流通性。

---

[173] 1 元人民幣兌換新臺幣約為 4.17 元，故得售價約為新臺幣 750600 元。

[174] 《中華讀書報》，1998 年 11 月 18 日。

試評《中國叢書綜錄》

俞海藍

一二〇二年（宋寧宗嘉泰二年），《儒學警悟》編輯完成，這是我國歷史上的第一部叢書。

一七九九年（清仁宗嘉慶四年），《匯刻書目》編輯刊行，這是我國歷史上的第一部叢書目錄。

一九五九年，新中國建國的第十個年頭，《中國叢書綜錄》編輯出版，它給我國七百五十多年來的叢書和一百六十年來的叢書目錄結了一筆清帳。

一

《中國叢書綜錄》具有四個特色：完備、確實、細緻和成書迅速。

說它完備，第一、表現在材料的收集上；第二、表現在編排的方法上。

先說材料的收集。從《匯刻書目》到《叢書大辭典》，或則根據一家收藏，或則根據目錄抄集，它們沒有也不可能反映我國歷代出版的叢書的全部面貌。它們不僅在數量上收得比較少，而且由於存在存佚不分、異名重出等等情況，收集的實際數字常常低於表面統計數字。《中國叢書綜錄》在新中國十年來圖書館事業取得巨大發展的基礎上，收錄全國四十一個主要圖書館收藏的古籍叢書二七九七種，這一數字超過了以往所有的叢書目錄，而且沒有佚書和異名重出混淆其間，這就基本上完備地反映了我國歷代出版的叢書全貌。

次說編排的方法。從《匯刻書目》到《叢書大辭典》，或則只有總目，或則僅具索引，有此無彼，不能兼顧。其中只有《叢書大辭典》採用總目、子目書名，著者三者混合編排的方法。但是，對於作用最大的子目分類目錄，仍付闕如。《中國叢書綜錄》分別編輯了總目、子目分類目錄、子目書名索引和著者索引三個部分，合成為一個互相聯繫的統一體，這就完全克服了過去存在的缺憾，完備地提供了從各個角度檢索叢書內容的可能性。

說它確實，第一、表現在它所收錄的每一部叢書都有著落上；第二、表現在它所收錄的每一部叢書的每一條子目也都有著落上。

目錄只是目錄，它能夠幫助利用圖書，但是不能代替圖書本身。如果存佚不分，目錄上找得到而實際上找不到，那是只能悅目不能充飢的。《中國叢書綜錄》附有收藏情況表，它所收錄的全部叢書，不管怎樣珍貴罕見，至少可以在一個公共圖書館內找到，這就確實地反映了每一種叢書的著落。

另有一種情況，叢書是存在的，子目卻並不存在。或則由於原來就有目無書，或則由於版本不同，此多彼少。《中國叢書綜錄》據實際存在的圖書情況著錄，分清了有和無，分清了多和少，這就使每一部叢書的每一條子目也都有了確實的著落。

說它細緻，第一、表現在著錄上；第二、表現在分類上。

不同的叢書之間，不同的子目之間，同一叢書或同一子目的不同版本之間，情況是錯綜複雜、變化多端的。或則同書異名；或則同名異書；或則種數有出入；或則卷數有多少；或則同一著作而題不同作者；或則同一作者而題不同署名；或則多出注解；或則少了校勘。諸如此類，採用粗線條的辦法來個大統一，或者採用完全客觀主義的辦法一律照原書著錄，都不能真正解決問題。《中國叢書綜錄》在對待這些變化及其關係上，既尊重客觀存在，如實地反映了原書的差異；又發揮編者的主動，儘量地揭示它們之間的實際聯繫。存異求同，工作的細緻是非常顯著的。

這種細緻的精神，也同樣地貫串在全部分類上。同一圖書，由於足本或節選而造成內容上質的差異，則各視其性質分別歸入兩類；由於注釋、校勘等加工整理的不同而造成內容上量的差異，則作為同書異種，分入一類而相次平列；如僅僅限於書名、卷數、作者題署等形式上的不同而並無內容差異，則作為同種異本，列為一種而統屬多條。諸如此類，辨析異同，澄清混亂，對於幫助人們使用圖書是十分有益的。

說它迅速，那是表現在編輯時間上。規模這樣巨大的工作，不到三年就全部完成，這一速度是我國目錄學史上從未有過的新紀錄。

完備、確實、細緻、迅速，四個特色，是建國十年來圖書館事業大發展的偉大成果的反映，是群眾路線和社會主義大協作的反映，是一九五八年以來在我國出現的社會主義大躍進的反映。沒有偉大的時代所給予的這些條件，要具備這些特色，即使是其中之一，也是不可能的。

二

《中國叢書綜錄》將在那些方面發揮作用？筆者認為主要有四。

首先，它為擴大古籍圖書的流通和利用提供了很大的方便。

數量很大的一部分古籍，都只有叢書本而沒有單行本，沒有一定的工具，利用起來是相當困難的。隨便舉個例，關於荔枝栽培，你可以從叢書裡找到十種以上的專書，但是你也許找不到一種單行本。關於歷代農民起義，關於祖國的醫藥學，關於古典戲曲，關於花卉園藝，如果你不看一看叢書裡面所包含的資料，你絕不會想到它們原來是這麼豐富！至於一般的哲學、社會科學、歷史、地理、語言文字學、文學、藝術和科學技術的資料，可以說是面既廣，量又多。有了《中國叢書綜錄》，可以按圖索驥，利用這大量的古典著作就很方便了。

其次，它為全面整理我國古典文獻做好了很大一部分基礎工作。

我國古典文獻的內容之豐富、數量之巨大和歷史之悠久，都是世界上少見的，這是一份極可寶貴的民族文化遺產。批判地繼承這份遺產，取其精華，去其糟粕，古為今用，推陳出新，加以發揚和光大，這對於建設我國社會主義新文化具有很重大的意義。而要這樣做，摸家底、結清帳的工作是必不可少的。我國全部古籍的種數究竟有多少？過去沒有辦法回答正確的數字，曾有人估計為十萬種左右。現在，《中國叢書綜錄》得出了叢書裡面所包含的古籍總數為三萬八千八百九十一種，結合各種情況估計和推斷，這一數字，可能已經超過我國全部古籍種數的一半以上。加上早已出版的《中國地方志綜錄》，對這個巨大的古籍之海，可以說：底，已經摸清了一半，帳，已經結清了一半。如果再有一部《中國古籍綜錄》，那就可以徹底搞清楚了。

其三，它為科學研究工作提供了豐富的材料和許多新的線索。

《中國叢書綜錄》的分類工作，是截至目前為止我國古籍分類工作上規模最大的一次，超越了以往的任何一部古籍書目。比之著名的《四庫全書總目提要》，無論是在種數之多方面，還是在類目之細方面，都大大地超過了，這無疑將為科學研究帶來很大的方便。特別值得指出的是，有相當數量的一部分古典著作，其中包括某些極有價值的著作，還是第一次在分類目錄上得到反映，這將為科學研究提供新的線索。

其四，它在發展、豐富目錄學的內容和方法方面提供了許多可以參考的經驗。

在總目和子目分類目錄的著錄和編排上，《中國叢書綜錄》都做了不少大膽的嘗試和創造，力圖更加準確更加合理地反映不同圖書的實際情況。像前面提到過的存異求同的著錄方法，就比較妥善地解決了目錄學上一個存在已久的複雜問題。又如分類上對同書異種、同種異本的區別和處理，也是富有獨創性的。應該指出，這些嘗試和創造並不都是完美和成熟的，其中包括著失敗的經驗在內。但是從其主要方面說來，它的確發展和豐富了具有悠久歷史傳統的我國古籍目錄學的內容和方法，為進一步提高目錄學水平提供了許多經驗。

三

《中國叢書綜錄》的成就是肯定的，但是有許多問題仍然值得進一步探討。在這裡，提出三點不成熟的意見借供商榷。

第一、在取材上，是否還可以調整一下，補充一些，刪掉一些。

像這樣一部大型目錄，要求它一無遺漏，是不符合客觀實際的。遺漏了，發現了，進行補充、增訂，這是意中之事，這裡不準備多談。可以商榷的是取材的標準。據編例，有兩類叢書沒有收入《中國叢書綜錄》，第一類是「釋藏」，準備「另出專目」；第二類是屬於「新學」的叢書，如《富強叢書》等，準備「按其性質，收入另編」。對於前者，從內容說，非常專門，從數量說，非常龐大，「另出專目」確是較好的辦法。對於後者，「按其性質，收入另編」，筆者覺得是不大容易處理的，如果使這類所謂「新學」的叢書自成一編，既無必要，也少可能。如果拿它和「五四」以後的叢書如《大學叢書》、《中國文化史叢書》等放到一起，那麼，按其性質倒是於古籍為近，於《大學叢書》等為遠，反不如收入現在這一編內，使之成為全部古籍叢書的總匯，倒似乎更合適一些。因為在一般的概念上，《富強叢書》之類是包括在古籍範圍內而不是包括在現代著作範圍內的。

至於可以刪去的，是指一小部分不夠格的「叢書」，例如《沈氏群峰集》，實際上只是兩種著作在出版時偶然合訂在一起；又如《陳氏毛詩五種》，實際上並不存在這樣的書名。諸如此類，收入了，反而使得叢書的界限混亂，似乎是可以刪掉的。

第二、在分類體系上，是否還不夠充分體現時代精神。

四部分類法是我國古籍分類史上比較完整、成熟的分類法，但它畢竟是封建時代的產物。儘管它在類目區分及組織上有很多值得今天參考和利用之處，但不可能要求它的體系適合於今天，不可能要求它體現今天的時代精神。有的同志認為給封建時代的圖書分類，只有用封建時代的分類法最最合適，筆者不大同意這種說法。誠然，不應該簡單地搬用新書分類法去分古籍，但這絕不是說，舊的陣地應該永遠保持。事實上，這人類知識的發展，前代的不能包括後代的東西，後代的卻總是可以包括前代的東西，不過或則放在批判的地位或則放在發揚的地位而已。《中國叢書綜錄》原有的四部分類作了很多調整和改進，使它比原來要合理，這仍然值得讚揚。但如果從更高的水平來要求，則它的思想體系顯然還不能充分地體現今天的時代精神。

第三、在著錄方法上，是否還應該更加明快一些。

細緻和繁瑣常常容易發生聯繫，但這並不是必然的有機聯繫，因而應該區別對待，而且儘可能區別對待。細緻是好的，繁瑣卻不好。《中國叢書綜錄》辨析異同，細緻入微，這是很大的優點；但在表現這些異同的形式上，特別是在表現作者題名異同的形式上，卻存在一定程度的繁瑣傾向。作為一部工具書，編輯體例應該力求明快，使人一目了然，編例當然不可少，但最好是使人不查編例也很容易理解和掌握，如果查看了編例還不大容易一下子明白，那就不夠理想了。《中國叢書綜錄》在這方面似乎還可做更大的努力。

我們的時代是一個偉大的時代，各個行業，各條戰線，都出現了東風盛吹、百花齊放的大好形勢。《中國叢書綜錄》，正是圖書館事業和目錄學園地中被這陣東風吹放的花朵之一。人們期待，而且事實也將必然如此，繼之而來，將有更多的、更好的花朵不斷開放，成為花的海洋，花的天地！

——原載《圖書館》（北京）1962 年第 2 期（1962 年 6 月），頁 57－59。

《中國叢書廣錄》簡評

劉尚恒*

叢書作為我國古代典籍中的專類圖書，以其特有的匯集功能，尤其是匯集那些篇幅短小、史料價值高而從無單刻行世的筆記雜著，或者匯集過程中精擇珍善本，重加校勘的叢書，向為文人學士所器重。張之洞說：「叢書最便學者」，「欲多讀古書，非買叢書不可」（《書目答問》卷5《古今合刻叢書目》），最具代表。

叢書刊印在我國至少有千年的歷史，延至今日，方興未艾，其數量之多，以數千計；其門類之廣，則涵蓋古今一切知識學問。要想了解、掌握、利用好叢書，唯一簡便有效的方法便是通過叢書目錄這把鑰匙。自清嘉慶初顧修始編《匯刻書目初編》以來，後人續補新編迭出不窮，而一九五九年上海圖書館的《中國叢書綜錄》是公認的集大成之作。該書收叢書二七九七種。後該館又有《中國叢書綜錄補編》，收書一二六〇種，施廷鏞先生有《中國叢書目錄及子目索引匯編》，收叢書九七七種，惜均未正式出版。

一九九九年四月，湖北人民出版社出版的陽海清編撰，趙興茂，陳彰璜參編的《中國叢書廣錄》，應是學術界、圖書館界值得慶幸的大事。該書收錄一九九〇年前海內外刊印的中國古籍叢書達

*劉尚恒，天津圖書館研究館員。

三二七九種，而於《綜錄》已收者不再收入，只包括少數書名、版本、子目異於《綜錄》者。《廣錄》分上下兩巨冊，都四百五十餘萬字。上冊為《叢書分類簡目》、《叢書分類詳目》、《叢書書名索引》、《叢書編撰者、校注者、刊刻者索引》，下冊為《子目分類索引》（此索引實為目錄）、《子目書名索引》、《子目著者索引》。各索引均以四角號碼編排，另附索引字頭筆畫和漢語拼音檢字。著錄完備，且叢書下多附有按語，堪稱內容翔實，體例嚴謹，檢索稱便。

綜觀《廣錄》，我以為編者在前人，尤其在《綜錄》基礎上，既有繼承，又有發展，即所謂源於前人，高於前人者是也。

《廣錄》和《綜錄》同取叢書的廣義概念，即匯集多種叢書而冠以總名者，分為匯編（綜合性）、類編（專類）兩大部分，而內容以叢書分類目錄、子目分類目錄為主體，輔以叢書書名、子目書名、子目著者三個索引。在收錄範圍上，《廣錄》收一九九〇年前大陸，臺港乃至海外出版、收藏的中國古籍叢書，包括知見者在內，《綜錄》收一九五九年前大陸四十一家大型圖書館館藏為限；在分類體系上，二者同中有異，《廣錄》匯編下據收書實際刪去輯佚類（其實其家族類之《十笏園叢刊》，歸入輯佚類更宜），自著（獨撰）類下將宋、元分列，清代又以鴉片戰爭為限，分為前、後兩期。其類編下變化更大，如經類由四類增至十一類，小學類下析有三級細目。史類從十一類增至十四類。子類從十三類變為十四類，合併天文、算術，實增譜錄、類書兩類，醫家類下析三級細目十二個。集部由七類變成八類，通代下降為三級細目，實增楚辭、小說兩類。總的趨向是根據收書實際，儘可能向《中國古籍善本書目》靠攏。

另外一些類目名稱也略有變更。在著錄上兼錄叢書異名為《綜錄》所無。而其按語部分尤具功力，其內容包括：(1)對書名、著者、版本著錄之需作的說明文字。(2)珍、善本的版刻特點。(3)該叢書的成就、地位、作用及衍變情況。(4)重要的著錄依據。(5)編撰者生平、年里等等。有的可視作精審的提要，如《雪堂學術論著集》、《清代傳記叢刊》、《中外交通史籍叢刊》諸按語。有的可視作精粹的小論文，如《百家名書》、《說海匯編》、《茅刻兵書八種》、《楚辭研究集成》、《禪門逸書》、《中國近代史料叢刊》、《宋元方志叢刊》諸按語。這些按語，沒有堅實的學術功底，沒有對叢書的深知熟稔，是斷然寫不出來的。此外，增補《綜錄》漏著的重要叢書版本，如《百川學海》之明嘉靖十五年鄭氏宗文堂刻本，《說郛》之明抄本等。增補《綜錄》漏著的子目、加詳著錄事項、改正歸類失當等，如《綜錄》著錄清道光中陽湖張氏宛鄰書屋刻《宛鄰書屋叢書》，錄子目十種，除張琦輯著六種外，還有張紃英、張惠言、張曜孫、鄭善長輯著四種，將其歸入匯編獨撰類，《廣錄》著錄為道光十至十二年張氏宛鄰書屋刻，子目增至十三種，除上述輯著者外，還有湯修業、王曦、黃元御、孫星衍輯著，改入匯編雜纂類，稱是。

我以為這部《廣錄》的價值至少有三點：

第一，《廣錄》是部大型叢書目錄，為我們進一步提供了我國古籍叢書刊印的歷史和現實狀況，是對《綜錄》的重大補輯，二者相加共錄叢書六〇七六種，剔除少數版本、子目有異而實為同一叢書和少數未見（或亡佚）者，其數亦當在五千種上下，這基本上應是一九九〇年前海內外刊印的古籍叢書總狀況，而《廣錄》的補輯，功不可沒，以匯編雜纂類言，《廣錄》正編收叢書三二四種，補遺收二十一種，合為三四五種，其中與《綜錄》因版本、子目、書名有異而收錄者二十六種，未見者十二種，實際新收存世者為三〇七種，其他類別於此可見一斑。特別是近二十年來大陸和臺灣新編新印的大型古籍叢書，如《古逸叢書三編》、《宋元善本叢書》、《北京圖書館古籍珍本叢刊》、《近代中國史料叢刊》、《叢書集成續編》、《清代稿本百種匯編》、《中國地方志集成》、《中國方志叢書》、《清代傳記叢刊》、《明清善本小說叢刊初編》、《古本小說叢刊》、《新編中國名人年譜集成》等等，均囊括其中。

第二，《廣錄》對於了解我國古籍叢書的刊印特點、體例、衍變歷史、學術價值等理論研究，提供了翔實充分的資料依據。如《廣錄》據《千項堂書目》著錄的明司馬泰編《再續》、《三續百川學海》，再加上《綜錄》所收的《續》、《廣百川學海》，使我們清楚地知道，《百川學海》問世後，不僅以收羅宏富著稱，而且對後世的影響之大，遠遠超過《儒學警悟》，故而編者謂「從現存資料來看，《百川學海》為匯編叢書之祖」（《廣錄》上冊《百川學海》按語），這一論斷是有道理的。《儒學警悟》收書只六種，均為宋代制度及人物瑣事之作，且其子目類屬尚有異議。《廣錄》還揭示一些叢書衍變過程，如明鄭梓《明世學山》，原收書五十種，王完輯至七十四種，合為《丘陵學山》，王文祿再增至一百種，合為《百陵學山》，而《綜錄》只收後一種。明吳琯《古今逸史》原收書四十二種，吳中珩重訂增至五十五種，《綜錄》只收重訂本。這類於前代前人叢書子目或刪或增而重編成新叢書者，在古代叢書刊刻中屢見不鮮，然而它們之間的關係常令人撲朔迷離。《廣錄》揭示的《稗海》之後衍變而成的《說海匯編》、《博古存什》、《秘書五十種》，同是此類例證。

第三，《廣錄》同時是一部大型古籍目錄，為古代文化學術研究提供了廣泛而深入的資料檢索途徑。《廣錄》子目剔除重覆後有四萬餘種，這個數字是《四庫全書總目》的四倍，較之《綜錄》也多出一萬二千餘種。眾所周知，我國是世界上歷史悠久的文明古國，歷史上留下的典籍，被譽為「浩如煙海」、「汗牛充棟」，至辛亥革命止，我國現存古籍數量少者說五、六萬種，多者說二十萬種，多數學人主張為八至十二萬種，那麼《廣錄》所收佔整個存世的古代典籍三分之一到二分之一，可不謂煌煌巨哉！叢書中不僅有大部頭正經正史，而且很多野史、筆記、雜著之類的零星小作，則往往捨叢書即無求。倘若打開《廣錄》的子目著者索引，即可得某學人叢書本的個人著述目錄，而打開其子目分類目錄，即便是叢書本之專題書目了，因此，《廣錄》對於我國傳統文化學研究，對於弘揚民族文化是十分有意義的。

書目作為學人不可離的工具，編纂它屬於為他人作嫁衣裳，無力者不能為，有力者又常不屑為，而陽海清先生以三十年的圖書館行政和業務之餘的時間完成它，其堅韌不拔的毅力和精神，令人讚嘆、欽佩不已。筆者同是幹一輩子圖書館的工作者，深深懂得其間包含的艱辛，且曾撰文說過：「圖書館人要想寫一篇像樣的文章，沒有自討苦吃的精神，不拿出超過常人十倍、百倍的力量是不可能的，遑論這數百萬字的《廣錄》巨製。」

《廣錄》為個人業餘所編，因此存在某些不盡如人意或者可商討的地方，也是很自然的。這主要反映在收錄上。一是誤收，如《戰史叢書第一集》、《西學輯存六種》，儘管後者按語聲明「此號原收款目復出，姑以此換之」，而前一種則為日人及清末中國留學生所譯日、美、菲律賓人所著世界史著述，攬入傳統的中國古籍叢書均欠妥。二是對於「介於叢書與非叢書之間」，藏家、書賈自擬名（包括編者自擬名）的叢書收錄，頗有可商討之處。儘管編者反覆強調「為備檢索」的目的，也難免有失謹之嫌。我以為上述情況應慎重對待，除極少數「約定俗成」之外，大多數不宜攬入。因為任何人都可以隨意拿幾種書來起個總名，這樣豈不泛濫無歸了，失控成永遠理不清的亂麻。叢書不論從其廣義概念抑或狹義概念出發，一要考察編輯、刊印者著述原意，二要考察有無總書名（可以沒有總目）和子目書名之分。三是失考，如朱時新《新安朱氏父子集》，係據劉聲木《三續補匯刻書目》收錄，包括朱升的《朱楓林集》和其子朱同的《覆瓿集》二種，二書的版刻年代、行款、風貌相同，同為「歙邑朱府藏板」，且同出歙縣虯村黃姓刻工之手，然原書無總書名，且輯刻者朱時新、時登、時芒均為其裔孫，將先祖連稱「朱氏父子」顯失舊體統，這分明是劉聲木所擬之總書名，不應收錄。此外，於一些叢書輯撰者之生平年里不詳者，如《杉亭集》之吳烺、《枕葄齋全集》之胡嗣運，稍加考訂，即可得知：吳烺字荀叔，《儒林外史》作者吳敬梓之長子，生清康熙五十八年（1719 年）；胡嗣運字鵬南，號雲門，安徽績溪人，生清道光十五年（1835 年），卒民國四年（1915 年），這可能限於編者精力所致。

古人說，「十年磨一劍」，其霜刃可以為人削平「不平事」

了，那麼《廣錄》這把磨了三十年的劍，豈可小覷？其霜刃說它可以「迎風斷髮」，「削鐵如泥」，當也不盡是溢美之詞了。

——原載《圖書館雜誌》2000 年第 6 期（2000 年 12 月），頁 61－62 轉頁 52。

略論《中國叢書綜錄》與《中國叢書廣錄》

周延燕*

一、前　言

上海圖書館所編《中國叢書綜錄》一書❶，出版後被譽為「以確實完備、細緻、成書迅速等特點，超過了歷史上任何一部同性質的目錄書」。❷《綜錄》之廣受好評與重視，可以顯示其重要價值。然而，一書的難臻完美，實為不可避免之事，因此，其後乃有陽海清所編撰的《中國叢書綜錄補正》❸及《中國叢書廣錄》❹問

*周延燕，國立臺北大學古典文獻學研究所碩士生。

❶ 《中國叢書綜錄》第一冊於 1959 年 12 月由中華書局上海編輯所出版。第二冊於 1961 年 7 月出版。第三冊於 1962 年 12 月出版。其後由上海古籍出版社於 1986 年 2 月重印。以下簡稱《綜錄》。

❷ 闕名：〈我國歷史上規模最大收輯最廣的古籍目錄《中國叢書綜錄》全部編纂完竣〉，上海《文匯報》第 1 版，1962 年 8 月 17 日。

❸ 陽海清編撰：《中國叢書綜錄補正》（揚州：江蘇廣陵古籍刻印社，1984 年 8 月）。

世。本文擬針對《中國叢書綜錄》與《中國叢書廣錄》二書，探討其編纂緣起、內容體例以及優劣得失等，以期對這二部近代重要的叢書目錄有更深入的瞭解。

二、《綜錄》以前的中國叢書目錄簡述

中國叢書目錄的編輯，始於清嘉慶四年（1799）刊印，顧修所編的《彙刻書目》❺，從《彙刻書目》到《綜錄》之間，已有一百六十年的歷史。❻姚名達在《中國目錄學史》〈特種目錄篇·叢書目錄〉中將《彙刻書目》至民國二十五年《叢書大辭典》❼間叢書目錄的發展，分為四期敘述。❽《中國叢書綜錄》第一冊〈前言〉

---

❹ 陽海清編撰《中國叢書廣錄》（武漢：湖北人民出版社，1999 年 4 月）。以下簡稱《廣錄》。

❺ 在顧修之前，日人一色時棟曾編輯《二酉洞》一書，於日本元祿 12 年（1699）由博古堂、文會堂同刻出版（今收入《書目類編》第 99 冊，臺北：成文出版社，1978 年 7 月）。然劉寧慧教授認為：「這部目錄僅收書 39 種，是編者讀書筆記與目見的擇要記錄，內容層面不廣，而且，在凡例中，編者把這些作品稱為『類書』，顯然對中國的圖書體裁認識未清楚，再加上編輯的地方不在中國，對此地書目的編製影響有限，是以，探討中國叢書目錄的發展，顧修《彙刻書目》仍是首開風氣的作品。」（見《叢書淵源與體制形成之研究》，臺灣師範大學國文研究所博士論文，2001 年 6 月，頁 280。）故仍當以《彙刻書目》為叢書目錄的開始。

❻ 《中國叢書綜錄》出版於 1959 年 12 月至 1962 年 12 月，參見註❶。

❼ 《叢書大辭典》由楊家駱編，民國 25 年（1936）1 月，由南京辭典館出版。

❽ 見姚名達著《中國目錄學史》（長沙：商務印書館，1938 年 5 月），頁 402－403。

中也述及了在其書之前中國叢書目錄編輯的狀況。《綜錄·前言》云：

> ……顧修所輯的《彙刻書目》是第一部叢書目錄，收叢書二六〇種。此後，傅雲龍、朱學勤、朱記榮、楊守敬、李之鼎，劉聲木、孫殿起等十餘家先後為之編目，或增補前修，或別樹一幟，都是按分類排列的，其中李之鼎的《增訂叢書舉要》可說是集上述諸書之大成，收叢書一六〇五種。後來沈乾一輯《叢書書目彙編》，收叢書二〇八六種，則改分類為書名字順。這些彙刻目錄，都是列子目於叢書書名之後，還只能檢尋其收書籍的種數和所收何書，卻無從檢尋某書或某人所著書收在那種叢書之內。近代圖書館事業興起，有些圖書館針對上述缺陷，用索引之法，編製子目索引，如清華大學圖書館所輯《叢書子目書名索引》（收叢書一二七五種）、浙江圖書館所輯《叢書子目索引》（收叢書四六九種）、金陵大學圖書館所輯《叢書子目備檢：著者之部》（收叢書三六一種）等，雖便於子目的檢索，但又忽略了對叢書本身的反映，仍顧此失彼。還有人用叢書書名、子目書名、子目著者按字順混合排列的方法，編製《叢書大辭典》，絕大部份是據各家目錄彙編的，收錄復出，存佚不分，遠不能發揮正確反映圖書的作用。自《彙刻書目》以後的各種叢書目錄，都沒有子目分類的編製，並忽於版本的考覈，在檢閱時帶來很大的不便。此外，《八千卷樓書目》和《江蘇省立國學圖書館圖書總目》將各叢書的子目與單行各書一起分類編次，雖

多少起了子目分類的作用，但沒有索引，仍不便於檢尋。

我們認為：要便於使用者掌握叢書所包含的豐富資料，叢書目錄，首應力求著錄的正確和分類的恰當，並須做到下列三點：一、蒐羅完備，盡可能反映叢書的全貌；二、便於檢閱者無論從總目、分類、書名、作者等任何角度去檢尋，都可一索即得；三、反映叢書收藏的情況，以便研究者以目求書，就近取閱。可是上述的多種叢書目錄，顯然都沒有能做到這幾點。❾

正如《綜錄·前言》所述，在其之前的叢書目錄尚不能達到蒐羅完備、便於檢索、反映館藏等要求，因此仍有必要編輯一部更符合時代需求的叢書目錄。

三、《綜錄》與《廣錄》編纂的緣起與過程

㈠《綜錄》編纂的緣起與過程

有關《中國叢書綜錄》編纂的緣起，據此書主編顧廷龍的描述云：

《中國叢書綜錄》是由吾倡議編纂，亦由吾主其成。此書份量不少，而能很快出版，有幾個因素：主要為向國慶獻禮。

---

❾ 見《中國叢書綜錄》第一冊（上海：上海古籍出版社，1986 年 2 月），〈前言〉，頁 2。

> 叢書本館所藏外，北圖借了一點。謝國禎原有此意，後來未克繼續完成。編此目，我是由日本京都大學漢籍分類目錄而得到啟發。我在燕京時，為章式之先生遺書編目。一日吉川幸次郎先生來訪，贈予《日本京都東方文化學院漢籍分類目錄》，又另編一冊，有書名及子目索引。凡叢書子目，均分別各類，作者版本著錄甚詳，使用方便，余甚好之。
>
> 《綜錄》的分類為：沈文倬主經部；俞爾康主史部；王煦華、謝沛霖主子部；楊鑑、朱一冰主集部。吾以館長總其成。《綜錄》的前言是沈文倬寫的。出版後，文化局孟波局長主張要補一張工作人員的名單，要我為主編。我為免討氣，也不要爭名奪利。所幸出版後，輿論不惡。❿

由顧廷龍的敘述，可知此書編纂的主要目的是為向中共建國十周年國慶獻禮。⓫此和顧廷龍主編的另一部書目《中國古籍善本書目》的編纂乃源於周恩來病重時的指示類似，都帶有極濃厚的政治性動機。⓬然而，雖有此政治性動機，卻因此能編出二部極有價值的古

---

❿ 見沈津編著《顧廷龍年譜》（上海：上海古籍出版社，2004 年 10 月）「一九五九年，五十六歲」條中，頁 536－537。此文之末，沈津注云：「先生存筆記本影印件。」（頁 537）知這段文字錄自顧氏自記的筆記。

⓫ 另據《中國叢書總錄》第一冊，〈前言〉中亦云：「為了迎接一九五九年建國十周年紀念，承蒙有關部門的支持，我們經過一年多的努力，始完成這部《綜錄》的編務。」（見同註❾，〈前言〉頁 3）此處亦提到為了慶祝「建國十周年」之事。

⓬ 參見《中國古籍善本書目》（上海：上海古籍出版社，1989 年 10 月），經部〈前言〉。

籍研究工具書，亦令人對學術與政治間關係的微妙感到好奇。

另外，《綜錄》的編纂曾受到《東方文化學院京都研究所漢籍目錄》的啟發，此事也可為中、日文化交流史添增一些可貴的史料。

參與《綜錄》編纂的人員，雖《綜錄》書中未列出，據顧廷龍所述，計有沈文倬、俞爾康、王煦華、謝沛霖、楊鑑、朱一冰等人，而由顧廷龍總其成。因為有特定的目標，因而第一冊於一九五九年十二月由中華書局上海編輯所出版，距離開始編纂時間僅一年餘。⓭第二冊於一九六一年七月出版；第三冊於一九六二年十二月出版。全書從開始編纂到出齊，前後約四年。編輯速度如此快速的確令人稱奇，然而也留下了一些不可避免的缺誤。

㈡《廣錄》編纂的緣起與過程

有關《中國叢書廣錄》編纂的緣起，陽海清在此書的〈前言〉中云：

> 我與叢書結緣，純屬偶然。三十年前，從武漢大學中文系畢業，分配到湖北省圖書館，領導上安排我從事古籍編目。作為一個新手，陡然接觸如許浩瀚的古籍，既欣喜若狂，又難免有幾分惶恐。為了勝任工作，我不得不將大部分業餘時間搭進去，熟悉館藏、熟悉目錄、版本、文獻知識，同時廣泛尋找「拐棍」——前人編目成果。在眾多的「拐棍」中，我

⓭ 見同註❾，〈前言〉頁3。

愛上了出版未久的《中國叢書綜錄》（下簡稱《綜錄》），於參考、利用之餘，隨手記載其訛誤與缺漏。久而久之，這種搜訪和記載便成了興趣和習慣，上書店記，參觀兄弟館記，伏案讀書時記，在師友書櫥前也記，以致家中箱箱櫃櫃都裝的是有關叢書的卡片。

一九八八年起，我有幸參加《中國古籍善本書目》編輯工作，先在省內搞普查、編目，繼赴北京參與卡片匯總，使我有機會擴大視野，廣交益友，獲取更多資料。

我將搜錄到的卡片歸納為兩類：一是涉及《綜錄》所收叢書的，經過整理，匯為《中國叢書綜錄補正》（下簡稱《補正》），已於一九八四年由廣陵古籍刻印社出版；一是《綜錄》未收的，幾番篩選，便成為現在呈獻給讀者的這本《中國叢書廣錄》。

這部目錄，從著手搜集資料到最後定稿，整整弄了三十年。可以說，它耗去了我過去年華中的主要精力。[14]

由以上的陳述，可知陽氏編纂《廣錄》的起因，乃是緣於利用《綜錄》之餘，感到其書有所「訛誤與缺漏」，因而加以補正及擴編，於是編成了《中國叢書綜錄補正》與《中國叢書廣錄》二書。陽氏編纂《廣錄》前後共花費三十年，比起《綜錄》四年成事，的確漫長許多，這當因《廣錄》的編纂純粹出於個人的行為，與《綜錄》編纂具有政治目的有別。然而《廣錄》的編纂，除了陽海清之外，

[14] 見《中國叢書廣錄》，上冊，〈前言〉頁1－2。

仍有他人的協助，陽氏在《中國叢書廣錄·前言》中又云：

> 我與上海圖書館原特藏部主任趙興茂先生相識於一九七九年冬。其時中國古籍善本書目編委會組織巡迴檢查組赴各大區檢查驗收，他任中南組組長，我為組員。在工作中發現彼此都對叢書感興趣，遂常切磋。越二年，他將自己收錄的大約九百種叢書資料寄來，商定共董此役。此時我收錄已逾二千。兩相合併，重者約有七百，有百餘種為我所未收（大抵皆上圖和山東等館所藏善本），另有數十種因收錄欠當而被汰除。正當我倆頻傳書信、潛心於斯之際，他突患絕症，過二年竟遽然作古。無奈，只好由我妻陳彰璜接替，承擔編纂的輔助工作。⓯

由上所述，知陽氏編纂《廣錄》的過程中，曾一度與趙興茂合作，並從趙氏處獲得了部分資料，後因趙氏逝世，合作因而作罷。陽海清在《廣錄》上冊的〈後記〉末段亦云：

> 與我曾一度合作的趙興茂先生早已遽然作古，願本書的出版能告慰其於九泉。⓰

其懷念之情，溢於言表，可見陽氏不忘人之惠，確實可貴。

此外，陽海清之妻曾協助《廣錄》的編纂，因此《廣錄》的作者題為「陽海清編撰，陳彰璜參編」，亦順理成章。

⓯ 見同註❹，〈前言〉頁2。

⓰ 見《中國叢書廣錄》，上冊，頁1189。

四、《綜錄》與《廣錄》的內容體例

㈠《綜錄》的內容體例

有關《綜錄》一書的內容，杜澤遜在〈顧廷龍先生生平學術述略〉一文中曾有扼要的描述：

> 第一冊《總目》著錄古籍叢書 2797 種，每種叢書都注出編者、刊刻年代及刊刻人或堂號等，並羅列所有子目書名、卷數、著者，子目有單獨刊刻時間者亦注出。同時編有《全國主要圖書館收藏情況表》、《叢書書名索引》附後。藉此可查叢書版本及包括哪些子目、收藏在哪些主要圖書館等。第二冊為《子目分類目錄》，共著錄叢書子目 7 萬餘條，有同一書收入不同叢書而書名歧異者，合併計之，實著錄古書 38891 種。分經、史、子、集四部，部下分 54 類，類下分屬，屬下再分小類兩級，因而有五級類目。最低類目各書再依時代（地理類依地域）排列。各子目於書名、卷數、著者下注明叢書名。一書見多種叢書者依次羅列，同一叢書版本不一者括注之。藉此真正能達到「即類求書」之目的，對考察各科學術源流極富參考價值。第三冊為第二冊之索引，包括書名索引、著者索引。其中著者索引，於著者名下開列該著者所有著述。對僅知著者或僅知書名者，查檢極便。總之，可從書名、著者、分類等各個角度查考某一古書（或一批古書）收入那些叢書，藏於何處，版本若何。同時可查考某一

> 叢書包含那些子目，版本若何，藏於何處。所有叢書及子目均經核對原書，著錄及分類均極精確可信，非以往各家知見目錄、展轉迻錄者可比。⓱

據杜氏所述，可以對《綜錄》的內容及體例有一概要的理解。今再就體例部分進一步論之，《綜錄》第一冊在〈前言〉之後列有〈編例〉十四條，其第一條云：

> 本錄所收叢書 2797 種，均係古典文獻。其屬於「新學」的叢書，如《富強叢書》、《江南製造局譯書》等，按其性質，收入另編。「釋藏」則另輯專目。⓲

據此條可知，《綜錄》所收僅限古籍文獻，新學及釋藏則擬另編專編或專目，不予收錄。又第四條云：

> 本錄所收叢書，為北京圖書館等四十一個圖書館所收藏，除《四庫全書》、《宛委別藏》係錄自前人目錄外，餘均按原書著錄。⓳

據此條所言，可知《綜錄》部分資料，是依收藏目錄編成。

《綜錄・前言》中曾提到理想叢書目錄的條件之一是能「反映

⓱ 見杜澤遜：〈顧廷龍先生生平學術述略〉，《書目季刊》第 32 卷 3 期（1998 年 12 月），頁 9－10。

⓲ 見《中國叢書綜錄》，第 1 冊，〈編例〉，頁 4。

⓳ 見《中國叢書綜錄》，第 1 冊，〈編例〉，頁 4。

叢書收藏的情況，以便研究者以目求書，就近取閱」。[20]《綜錄》的收錄以館藏為限，應當即是這個理念的實踐，乃是著眼於實用的角度。

此外，〈編例〉第三條云：

> 《總目分類目錄》分《彙編》《類編》兩部分。《彙編》分雜纂、輯佚、郡邑、氏族、獨撰五類；《類編》分經、史、子、集四類。[21]

此處所示為《總目分類目錄》的分類方式。至於子目之分類，《綜錄》第二冊〈編例〉第一條云：

> 本冊為《中國叢書綜錄》第二冊，是根據本書第一冊《總目分類目錄》所收 2797 種叢書的子目編成的《子目分類目錄》。它以子目為單位，採用四部分類，部下又析為類、屬，其繁簡、組織和命名，以確切反映所屬圖書的性質為原則。每書著錄其名稱、著者和所屬叢書名稱等三項，以便讀者從這幾方面檢尋所需資料。[22]

《綜錄》第一冊〈總目分類目錄〉，乃是以叢書之名稱為主所作的分類目錄，每叢書之下，羅列各子目。第二冊《子目分類目錄》則是以子目為中心所編成的目錄，子目的分類採用四部分類，部之下

---

[20] 見《中國叢書綜錄》，第 1 冊，〈前言〉，頁 2。
[21] 見《中國叢書綜錄》，第 1 冊，〈編例〉，頁 4。
[22] 見《中國叢書綜錄》，第 2 冊，〈編例〉，頁 1。

又分為類，類之下又分為屬，一如上引〈編例〉所述。

《綜錄》第三冊為第二冊的索引，第三冊〈編例〉第一條云：

> 本冊為《中國叢書綜錄》第三冊，包括《子目書名索引》和《子目著者索引》，以供檢索第二冊《子目分類目錄》之用。㉓

又第二條云：

> 索引按四角號碼檢字法的順序排列。㉔

由此可知第三冊〈子目書名索引〉及〈子目著者索引〉乃是依四角號碼的順序排列。

以上所述，為《綜錄》大致的內容和體例。總而言之，《綜錄》分為三冊，第一冊為〈總目分類目錄〉，第二冊為〈子目分類目錄〉，第三冊為第二冊的索引。《綜錄》在體例上值得注意的是，未編寫提要，此點曾引起論者的批評，詳參下一節討論。

㈡《廣錄》的內容體例

有關《中國叢書廣錄》一書的內容性質，陽海清在《廣錄·前言》中曾自道：

> 名曰《廣錄》，大體上有兩層意思：其一，是編所錄乃「總聚眾書為一書」之廣義叢書，並不局限於在分類上所特指的

㉓ 見《中國叢書綜錄》，第3冊，〈編例〉，頁1。

㉔ 見《中國叢書綜錄》，第3冊，〈編例〉，頁1。

> 「舉四部之書而並括之」的狹義叢書。其二，較之《綜錄》，在收羅範圍上有所擴展，即不唯收目前實存的叢書，亦錄歷史上曾經有過而今僅「存目」之叢書；不唯收原刻本和影印本，也收近幾十年出版之整理本；不唯收大陸地區出版的，還收港、澳、臺地區乃至國外印行的；對於已匯入大叢書中的一些小叢書，其原刻本和抽印本亦予揭示。……如果說《綜錄》是一部反映大陸地區主要圖書館收藏古籍叢書的聯合目錄，那麼《廣錄》則是一部屬於知見性質的叢書目錄，二者互為補充，庶幾可對中國古籍叢書的全貌作出較為翔實、較為完整的描述。㉕

由以上所述，可知《廣錄》一書大致的內容。簡言之，《廣錄》乃是一知見目錄，和《綜錄》為收藏目錄不同。至於詳細之體例方面，陽海清在《廣錄·編例》中分：㈠關於收錄範圍、㈡關於總體結構、㈢關於著錄事項、㈣關於編排方式、㈤關於按注內容、㈥關於目次代碼、㈦關於著錄用字等七項加以敘述。在「㈠關於收錄範圍」中，陽氏云：

> 本編所收，限於中國古籍叢書。凡《中國叢書綜錄》已予揭示者不再收入，若有復出必定在書名、版本或子目多寡等方面有所不同。對於近四十年來，大陸、香港、澳門和臺灣地區影印或重新整理出版之古籍叢書，無分線裝、平裝、精裝，儘量訪求收錄。

㉕ 見陽海清編《中國叢書廣錄》，上冊，〈前言〉，頁1－2。

對於歷代書目著錄過，或許今已失傳之古籍叢書，亦酌情收錄，並在叢書名右上角冠以＊號，以助讀者進行研究或循目訪書。

對於佛學和新學叢書，限於篇幅，暫不收入。㉖

以上乃陽氏對《廣錄》收錄範圍的體例說明，由此可知，《廣錄》不再收錄與《綜錄》完全相同的叢書，以免重複。又所收不僅止於大陸地區，乃擴及港、澳及臺灣地區，這是和《綜錄》在收錄地區上的不同。另所收未局限於線裝書，凡影印或重新整理的古籍叢書也一律收入。此外，在歷代書目上被著錄而今已失傳者，也在收錄之列。這些收錄的範圍顯然和《綜錄》有很大的差異。

在「㈡關於總體結構」方面，〈編例〉提到全書共由七部分組成，前四部分匯為上冊，後三部分匯為下冊。上冊包含「叢書分類簡目」、「叢書分類詳目」、「叢書書名索引」、「叢書編撰者、校注者、刊刻者索引」等四部分。下冊包含「子目分類索引」、「子目書名索引」、「子目著者索引」等三部分。至於全書七部分中各部分所採用的分類方法，在關於「叢書分類詳目」的分類方法方面，〈編例〉云：

（此）係本書主體，相當於《中國叢書綜錄》之第一冊（《總目》）。所收款目分為彙編叢書和類編叢書兩大部分。彙編叢書細分為雜纂、地方、家族、自著四類，類編叢書細分為

㉖ 見陽海清編《中國叢書廣錄》，上冊，〈編例〉，頁3。

經部、史部、子部、集部四類，外加「補遺」。㉗

由此觀之，《廣錄·叢書分類詳目》中彙編類分為雜纂、地方、家族、自著四類，和《綜錄》分為雜纂、輯佚、郡邑、氏族、獨撰五類有同有異。另在類編叢書上，《廣錄》增「補遺」一項，也與《綜錄》不同。

在《廣錄·子目分類索引》的方法方面，陽氏云：「根據本編收錄實際情況，參照《中國叢書綜錄》和《中國古籍善本書目》製定分類表，類分序列。」㉘可知乃參照《綜錄》的分類。至於《廣錄》中第三、四、六、七等四部分之書名、著者索引都採用四角號碼序列，和《綜錄》的方法相同。

《廣錄》的體例中，最值得注意的部分乃是《廣錄》增加了「按注」。陽氏在〈編例〉第五條「關於按注內容」中云：

> 為更好地揭示某部叢書，多數款目後加有按注。按注有話則長，無話則短，需按則按，不拘一格。一般說來，對珍善本、稀見本加的按注多，對常見本、近期印本則加的按注少甚至不加。㉙

「按注」的部分為《綜錄》所無，可說是《廣錄》的特色之一。

以上約略對《綜錄》與《廣錄》的內容體例作了分析。至於兩者體例上的得失，則留待下節檢討。

㉗ 見陽海清編《中國叢書廣錄》，上冊，〈編例〉，頁3。
㉘ 見陽海清編《中國叢書廣錄》，上冊，〈編例〉，頁3。
㉙ 見陽海清編《中國叢書廣錄》，上冊，〈編例〉，頁4。

五、《綜錄》與《廣錄》的得失檢討

(一)《綜錄》的得失檢討

《中國叢書綜錄》出版以後，頗受好評，論者或譽為「探查古籍的『雷達』」㉚、「我國歷史上規模最大收輯最廣的古籍目錄」㉛、「書林之炳燭」㉜等，皆給與極高的評價。有關《綜論》具體的優點，丁曉山在〈由「目睹」和「知見」談《綜錄》、《補正》之得失〉一文中云：

> 《綜錄》的成就，是學術界有目共睹的。綜合各家所言，主要有以下幾點：甲，可靠可信。「過去愈是龐大的書目，愈是匯鈔舊目，書名、作者、篇卷等都發生錯誤，歸類正確與否，不得而知，書籍有無，也難查考。本書在四十一個圖書館中，均按原書著錄，有書才有目。又因核對原書，歸類才不致望文生義，做到真正精確可靠的地步，這是一切舊目所不能比擬的優點。」㉝乙，收羅豐富。遠遠超過以往任何一

㉚ 見棉鈴：〈探查古籍的「雷達」〉，《人民日報》第 8 版，1961 年 9 月 13 日。

㉛ 見同註❷。

㉜ 見林雨：〈書林之炳燭——介紹《中國叢書綜錄》〉，《中國社會科學》（北京）1984 年第 2 期（1984 年 3 月），頁 180。

㉝ 作者原文在此注云：「《文史工具書評介》，第 283 頁，張旭光編纂，齊魯書社，1986 年。」

> 家叢書目錄。丙，體例謹嚴。可從多種角度進行檢索。[34] 丁，分類合理。較好地反映了叢書的性質，便於使用者因類求書。[35]

丁氏提出了四項《綜錄》的優點，皆能貼切事實。另張荻在〈《中國叢書綜錄》述評〉中曾云：「《綜錄》在近三十年來為研究古籍的工作者在使用上得心應手，成為研究、整理、使用古籍不可缺少的工具書。」[36]的確反應出《綜錄》具有極高之利用價值。

然而《綜錄》的編纂，仍不可避免地存在著一些缺點，數十年來，為文補正、訂補、糾謬者，可謂不計其數。[37]例如陽海清在《中國叢書綜錄補正・前言》中云：

> 可能是因為編輯時間倉促，兼受館藏聯合目錄性質的局限，《綜錄》尚存若干美中不足之處。比如，版本著錄不全：有的叢書，在長期流傳過程中，一刻再刻，形成多種版本，而《綜錄》只「擇要著錄」，未作全面揭示。其次，異名反映欠詳：有的叢書，或因轉版、翻刻，或因封面、目錄、卷端、版心、序跋、題辭、書簽等處題名不一，或因諸家目錄

---

[34] 作者原注云：「參看〈《中國叢書綜錄》的二十五種功用〉一文，載《黑龍江圖書館》1985年第3期。」

[35] 見丁曉山：〈由「目睹」和「知見」談《綜錄》、《補正》之得失〉，《大學圖書館學報》1990年第4期（1990年8月），頁34。

[36] 見張荻：〈《中國叢書綜錄》述評〉，《四川圖書館學報》1989年第3期（1989年5月），頁73－76。

[37] 參看劉寧慧教授所著《叢書淵源與體制形成之研究》附錄〈中國古籍叢書研究論著目錄（1900－2000）〉。

> 著錄有異，或因習慣稱呼與原書所題不盡一致，形成「一書多名」或「同名異書」；《綜錄》對異名雖間有標示，但欠詳盡。復次，子目時有遺漏：尤以某些叢書係隨刻隨印，初無定數，故後世各家藏本往往有子目多寡之不同，《綜錄》所收，有時並非足帙。此外，引用之人名、書名、時代出現錯字、漏字，以及著錄不夠規範的地方亦間有所見。這些，與其成就相比，固屬是大醇小疵；卻在一定程度上削弱了準確性。㊳

此處陽氏指出《綜錄》的幾項缺失，頗得到學者的認同。㊴此外，也有不少人為文批評或訂正《綜錄》在著錄上的錯誤，例如沈治宏在〈《中國叢書綜錄》著錄圖書的若干失誤及其原因〉一文中即指出，因《綜錄》著錄《四庫全書》的子目並非根據原書，乃根據《四庫全書總目》㊵，因而滋生不少錯誤。㊶另外如張荻在〈《中

㊳ 見同註❸，〈前言〉，頁1－2。

㊴ 例如劉兆祐教授所著《中國目錄學》第三章〈第七節特種目錄〉中評論《中國叢書綜錄》的缺失，即引陽海清此說，見《中國目錄學》（臺北：五南圖書出版公司，2003年3月2版），頁396。另外，張荻〈《中國叢書綜錄》述評〉一文中論到《綜錄》的缺失，所言亦和陽氏之說大體相同。

㊵ 《綜錄》第一冊〈編例〉第四條云：「本錄所收叢書，為北京圖書館等四十一個圖書館所收藏，除《四庫全書》、《宛委別藏》係錄自前人目錄外，餘均按原書著錄。」（頁4）〈編例〉所謂《四庫全書》所據的「前人目錄」，據沈治宏此文所考，即是永瑢、紀昀等所撰的《四庫全書總目》。

國叢書綜錄》述評〉中則認為《綜錄》未編寫提要，乃「暴露出它的不足之處」。[42]

由以上所論，可知《綜錄》編成之後，評價極高，然亦有一些缺失。就整體而言，瑕不掩瑜，《綜錄》仍可說是一部廣受利用、成就極高的重要工具書。

㈡《廣錄》的得失檢討

《中國叢書廣錄》於一九九九年四月出版，至今僅五年餘，今所見對於《廣錄》的評論文章尚不多見。劉尚恒在〈《中國叢書廣錄》簡評〉一文中，對於《廣錄》的價值評云：

> 我以為這部《廣錄》的價值至少有三點：第一，《廣錄》是部大型叢書目錄，為我們進一步提供了我國古籍叢書刊印的歷史和現實狀況，是對《綜錄》的重大補輯。……第二，《廣錄》對於了解我國古籍叢書的刊印特點、體例、衍變歷史、學術價值等理論研究，提供了翔實充分的資料依據。……第三，《廣錄》同時是一部大型古籍目錄，為古代學術研究提供了廣泛而深入的資料檢索途徑。[43]

以上是劉氏對《廣錄》一書所具價值的評論，同時也可反映出《廣

---

[41] 詳見沈治宏：〈《中國叢書綜錄》著錄圖書的若干失誤及其原因〉，《四川圖書館學報》1990年第5期（1990年9月），頁29－36。

[42] 見張萩：〈《中國叢書綜錄》述評〉，頁75。

[43] 見劉尚恒：〈《中國叢書廣錄》簡評〉，《圖書館雜誌》2000年第6期（2000年6月），頁62。

錄》本身的優點。除此之外，《廣錄》的體例中比《綜錄》增加了「按注」，這不但可顯示編輯者的用心與功力，也可提供讀者瞭解各書的線索，正是《廣錄》一書體例上的特點之一，也是《綜錄》被人評為不足之處。㊹

至於《廣錄》的缺失，劉尚恒前文評云：

> 《廣錄》為個人業餘所編，因此存在某些不盡如人意或者可商討的地方，也是很自然的。這主要反映在收錄上。一是誤收，如《戰史叢書第一集》、《西學輯存六種》，儘管後者按語聲明「此號原收款目復出，姑以此換之」，而前一種則為日人及清末中國留學生所譯日、美、菲律賓人所著世界史著述，攬入傳統的中國古籍叢書均欠妥。二是對於「介於叢書與非叢書之間」，藏家、書賈自擬名（包括編者自擬名）的叢書收錄，頗有可商討之處。儘管編者反復強調「為備檢索」的目的，也難免有失謹之嫌。……三是失考，如朱時新《新安朱氏父子集》，係據劉聲木《三續補匯刻書目》收錄，包括朱升的《朱楓林集》和其子朱同的《覆瓿集》二種，二書的版刻年代、行款、風貌相同，同為「歙縣朱府藏板」，且同出歙縣虬村黃姓刻工之手，然原書無總書名，且

㊹ 何淑蘋所撰〈古籍叢書的檢索與利用〉一文中評論《廣錄》云：「本書是繼《中國叢書綜錄》後，蒐羅叢書資料最完備之目錄。其最大特色，是作者在大部分的條目下撰寫『按注』，按語內容包括館藏處的註明、著錄所據之版本、校書者姓名、版刻情形等，有別於傳統登錄式書目，具有考鏡源流之價值。」見林慶彰教授主編《學術資料的檢索與利用》（臺北：萬卷樓圖書有限公司，2003 年 3 月），頁 139。

輯刻者朱時新、時登、時芒均為其裔孫，將先祖連稱「朱氏父子」顯失舊體統，這分明是劉聲木所擬之總書名，不應收錄。㊺

劉氏評《廣錄》的三種缺失，舉證明確，使讀者對《廣錄》之缺點有具體的瞭解。

有關《廣錄》採「知見目錄」的體例，和《綜錄》採「收藏目錄」，兩者間的優劣得失，要言之，各有所重，亦互有得失，讀者若能參看二書，則當可收「合則雙美」的效果。㊻

六、結　論

《中國叢書綜錄》一書，自一九五九年十二月至一九六二年十二月全書由中華書局上海編輯所出版後，廣受讀者的重視和利用。其後曾略作修訂，再度重印㊼，流傳極廣。在兩岸信息不能相通的

㊺ 見劉尚恒：〈《中國叢書廣錄》簡評〉，頁 61－62 轉頁 52。

㊻ 丁曉山撰有〈由「目睹」和「知見」談《綜錄》、《補正》之得失〉一文，討論「目睹」和「知見」兩種不同性質目錄的得失，丁氏雖然主要在比較《中國叢書綜錄》和《中國叢書綜錄補正》二書，但是拿來放在《綜錄》、《廣錄》的比較，亦十分貼切。見註㉟。

㊼ 據陳明潔〈新版《中國叢書綜錄·編例》的某些失誤〉一文中云：「該書出版後，於 1982 年至 1983 年由上海古籍出版社又出了新版，除訂正了原版的一些錯誤以外，於《情況表》中又增補了黑龍江省圖書館、廣西壯族自治區第一和第二圖書館、青海省圖書館、寧夏回族自治區圖書館以及中央民族學院圖書館的收藏情況。」見《古籍整理出版情況簡報》第 195 期（1988 年 8 月 1 日）。

時代，臺灣地區的叢書收藏情形未能被《綜錄》收錄，自是一件令人遺憾之事。然而臺灣學者楊家駱曾於重印其早期所編纂的《叢書大辭典》時，將《綜錄》第一冊更名為《叢書總目類編》，附於《叢書大辭典》之後行世。㊽又將《綜錄》第二、三冊合稱為《叢書子目類編》單獨印行。㊾使得臺灣讀者也間接得以利用《綜錄》，亦有助於學術研究。《綜錄》本身利用價值極高，然亦不免存在一些缺點，於是有陽海清竭數十年之力，完成《中國叢書綜錄補正》及《中國叢書廣錄》二書。本文探討了《綜錄》、《廣錄》二書的編纂緣起、內容體例、優劣得失等。結論以為這是兩部值得重視的叢書目錄，兩者在體例上一為「收藏目錄」，一為「知見目錄」，各有短長，學者如欲查考、研究叢書，這兩部目錄宜相互參看，才能達到更完善的效果。

引用書目

一、專　書

1.《中國目錄學史》　姚名達著　長沙　商務印書館　1938年5月。

2.《中國目錄學》　劉兆祐著　臺北　五南圖書出版公司　2003年3月。

3.《學術資料的檢索與利用》　林慶彰主編　臺北　萬卷樓圖書公司　2003年3月。

㊽ 此書於1967年6月由臺北中國學典館復館籌備處發行。

㊾ 此書於1967年10月由臺北中國學典館復館籌備處發行。

4.《中國叢書綜錄》　上海圖書館編　上海　上海古籍出版社　1986年2月。
5.《中國叢書綜錄補正》　陽海清編撰　揚州　江蘇廣陵古籍刻印社　1984年8月。
6.《中國叢書廣錄》　陽海清編撰　武漢　湖北人民出版社　1999年4月。
7.《中國古籍善本書目》　中國古籍善本書目編輯委員會編　上海　上海古籍出版社　1989年。
8.《二酉洞》　（日）一色時楝編　臺北　成文出版社影印《書目類篇》第99冊　1978年7月。
9.《叢書大辭典》　楊家駱編　南京　南京辭典館　1936年1月。
10.《叢書大辭典》（附《叢書總目類編》）　楊家駱編　臺北　中國學典館復館籌備處　1967年6月。
11.《叢書子目類編》　臺北　中國學典復館籌備處　1967年10月。
12.《顧廷龍年譜》　沈津編著　上海　上海古籍出版社　2004年10月。

二、單篇及學位論文

1.〈探查古籍的「雷達」〉　棉鈴撰　《人民日報》第8版　1961年9月13日。
2.〈我國歷史上規模最大收輯最廣的古籍目錄《中國叢書綜錄》全部編輯完竣〉　闕名　上海《文匯報》第1版　1962年8月17日。

3.〈書林之炳燭——介紹《中國叢書綜錄》〉　林雨撰　《中國社會科學》（北京）1984 年第 2 期（總第 26 期）　1984 年 3 月。
4.〈新版《中國叢書綜錄・編例》的某些失誤〉　陳明潔撰　《古籍整理出版情況簡報》第 195 期　1988 年 8 月 1 日。
5.〈《中國叢書綜錄》述評〉　張荻撰　《四川圖書館學報》1989 年第 3 期（總第 49 期）　1989 年 5 月。
6.〈由「目睹」和「知見」談《綜錄》、《補正》之得失〉　丁曉山撰　《大學圖書館學報》　1990 年第 4 期（總第 50 期）　1990 年 8 月。
7.〈《中國叢書綜錄》著錄圖書的若干失誤及其原因〉　沈治宏撰　《四川圖書館學報》　1990 年第 5 期（總第 57 期）　1990 年 9 月。
8.〈《中國叢書廣錄》簡評〉　劉尚恒撰　《圖書館雜誌》2000 年第 6 期（總第 110 期）　2000 年 6 月。
9.〈顧廷龍先生生平學術述略〉　杜澤遜撰　《書目季刊》第 32 卷 3 期　1998 年 12 月。
10.《叢書淵源與體制形成之研究》　劉寧慧撰　臺灣師範大學國文研究所博士論文　2001 年 6 月。

附錄一

叢書總目三編（1974－2000）

呂慧茹、蔡文彥、潘麗琳*

凡　例

一、本目錄繼莊芳榮先生《叢書總目續編》，收錄 1974－2000 年間，臺灣、大陸、香港等地所出版之叢書。

二、本目錄僅錄叢書之總目，內容分為綜合性叢書和專門性叢書，專門性叢書再按經、史、子、集類分類編排。

三、凡舊有叢書之影印本不收，非中國國學者不收。

四、本目錄著錄項目依次為：編者、叢書名、出版地、出版者、冊數、出版年月。

五、編者學養有限，而資料無所不在，定有不少闕漏，尚祈博雅君子指正。

壹、綜合性叢書

屈萬里、劉兆祐主編　明清未刊稿彙編初輯

*東吳大學中國文學系碩士。

臺北　聯經出版事業公司　106 冊　1976 年

廣文編輯所編　國學珍籍彙編

臺北　廣文書局　32 冊　1977 年 1 月

慧豐學會編　漢文大系

臺北　慧豐學會　22 冊　1978 年

陳恆和輯　揚州叢刻

南京　江蘇廣陵古籍刻印社　12 冊　1980 年 3 月

臺灣商務印書館編審委員會編　四部叢刊廣編

臺北　臺灣商務印書館　50 冊　1980 年 2 月

臺灣國立中央圖書館編審委員會編　玄覽堂叢書初輯

臺北　正中書局　24 冊　1981 年 8 月

臺灣國立中央圖書館編審委員會編　玄覽堂叢書第二輯

臺北　正中書局　26 冊　1985 年 12 月

劉承幹輯　求恕齋叢書

北京　文物出版社　1984 年

上海書店編輯委員會編　四部叢刊續編

上海　上海書店　55 冊　1984 年 12 月

上海書店編輯委員會編　四部叢刊三編

上海　上海書店　85 冊　1985 年 9 月

黃永武編著　敦煌叢刊初輯

臺北　新文豐出版公司　16 冊　1985 年 6 月

黃永武主編　敦煌寶藏

臺北　新文豐出版公司　140 冊　1981 年－1986 年

中國國家圖書館編　中國國家圖書館藏敦煌遺書

南京　江蘇古藉出版社　4 冊　1999 年 2 月

任國富編　臺港海外拾萃叢書

北京　世界知識出版社　1985 年 9 月

新文豐出版公司編輯部編　叢書集成新編

臺北　新文豐出版公司　120 冊　1985 年－1986 年

王德毅主編　叢書集成續編

臺北　新文豐出版公司　280 冊　1989 年 7 月

王德毅主編　叢書集成三編

臺北　新文豐出版公司　100 冊　1997 年 3 月

趙詒琛輯　又滿樓叢書

揚州　江蘇廣陵古籍刻印社　10 冊　1986 年 7 月

羅振玉校補　雪堂叢刻

北京　北京圖書出版社　4 冊　2000 年 5 月

宋翔鳳輯著　浮谿精舍叢書

臺北　聖環圖書公司　2 冊　1998 年

北京圖書館古籍出版編輯組編　北京圖書館古籍珍本叢刊

北京　書目文獻出版社　120 冊　1989 年

民國叢書編輯委員會編　民國叢書　第一編

上海　上海書店　100 冊　1989 年 10 月

周谷城主編　民國叢書　第二編

上海　上海書店　100 冊　1990 年 12 月

周谷城主編　民國叢書　第三編

上海　上海書店　100 冊　1991 年 12 月

民國叢書編輯委員會編　民國叢書　第四編

上海　上海書店　100冊　1992年

上海書店編輯　民國叢書　第五編

上海　上海書店　100冊　1996年

吳　堅主編　中國西北文獻叢書

蘭州　蘭州古籍出版社　200冊　1990年10月

楊建新主編　中國西北文獻叢書續編

蘭州　甘肅文化出版社　62冊　1999年12月

宇　林等點校　四部精華

長沙　岳麓書社　3冊　1991年1月

北京大學圖書館藏稿本叢書編委會編輯　北京大學圖書館藏稿本叢書

天津　天津古籍出版社　24冊　1991年5月

李學穎等著　中國古代生活文化叢書

上海　上海古籍出版社　10冊　1991年12月

張岱年等著　國學叢書

瀋陽　遼寧教育出版社　22冊　1991年12月

辭書集成編委會編　辭書集成

北京　團結出版社　52冊　1993年11月

福建省文史研究館編　福建叢書

揚州　江蘇廣陵古籍刻印社　1993年11月－1997年

秘書集成編委會編纂　秘書集成

北京　團結出版社　25冊　1994年6月

北京大學圖書館古籍特藏部編輯　稿本叢書

天津　天津古籍出版社　12冊　1996年3月

史仲文主編　中華經典叢書

北京　北京出版社　16冊　1999年6月

李振宏主編　元典文化叢書　第二輯

鄭州　河南大學出版社　10冊　1998年8月

魯　迅輯錄　魯迅輯錄古籍叢編

北京　人民文學出版社　4冊　1999年7月

李　捷主編　中國歷代名著叢書

太原　山西古籍出版社　8冊　1999年9月

王　嵐等點校　書目書話叢書

北京　燕山出版社　5冊　1999年12月

謝　龍、劉新成主編　中國學術百年叢書

北京　北京出版社　8冊　1999年12月

董治安主編　兩漢全書

濟南　山東大學出版社　2冊　1999年9月

蘇天鈞主編　北京考古集成

北京　北京出版社　15冊　2000年3月

孫進已、孫　海主編　中國考古集成華北卷

鄭州　中州古籍出版社　22冊　1999年6月

四庫禁燬書叢刊編纂委員會編　四庫禁燬書叢刊

北京　北京出版社　310冊　2000年1月

齊豫生主編　四庫全書精編

北京　中國文史出版社　24冊　1999年

續修四庫全書編纂委員會編　續修四庫全書

上海　上海古籍出版社　1800冊　1995年－2002年3月

《四庫全書存目叢書》編纂委員會編　四庫全書存目叢書

濟南　齊魯書社；臺南　莊嚴文化公司　1200 冊

1995 年 9 月－1997 年 10 月

《四庫未收書輯刊》編算委員會編　四庫未收書輯刊

北京　北京出版社　301 冊　2000 年 1 月

天津圖書館編　天津圖書館孤本秘籍叢書

北京　中華全國圖書館縮微複制中心　16 冊　1999 年 12 月

故宮博物院編　故宮珍本叢刊

海口　海南出版社　731 冊　2000 年

張永桃主編　中國典籍精華叢書

北京　中國青年出版社　22 冊　2000 年 5 月

劉洪仁主編　海外藏中國珍稀書系

北京　中國戲劇出版社　12 冊　2000 年 5 月

薛正興主編　江蘇地方文獻叢書

南京　江蘇古籍出版社　20 冊　1999 年 8 月

邱久欽等編　湖北地方古籍文獻叢書

武漢　湖北人民出版社　14 冊　1999 年 9 月

東巴文化所編譯　納西東巴古籍譯注全集

昆明　雲南人民出版社　100 冊　1999 年－2000 年

貳、專門性叢書

一、經類

㈠經總

〔清〕王先謙編刊，〔民國〕王進祥重編　重編本皇清經解續編

臺北　漢京文化事業有限公司　21 冊　1980 年

邱德修編　經學叢書初編

臺北　學海出版社　12 冊　1985 年 9 月

黃　侃點校　黃侃手批白文十三經

上海　上海古籍出版社　1983 年 1 月

〔清〕孫詒讓撰，〔民國〕雪　克輯點　十三經注疏校記

濟南　齊魯書社　1983 年 9 月

吳樹平等點校　十三經全文標點本

北京　北京燕山出版社　2 冊　1991 年 12 月

李學勤主編　十三經注疏

北京　北京大學出版社　21 冊　1999 年 12 月

吳熲炎　經策通纂

天津　天津古籍出版社　80 冊　1999 年 6 月

㈡易經

嚴靈峰編輯　無求備齋易經集成

臺北　成文出版社　195 冊　1976 年

趙蘊如編次　大易類聚初集

臺北　新文豐出版公司　20 冊　1983 年 10 月

王立文等編　中國古代易學叢書

北京　中國書店　50 冊　1998 年 3 月

編者不詳　易經證釋

臺南　靝巨書局　8 冊　1988 年 11 月

㈢尚書

杜松柏編輯　尚書類聚初集

臺北　新文豐出版公司　8 冊　1984 年 10 月

顧頡剛、顧廷龍輯　尚書文字合編

上海　上海古籍出版社　4 冊　1996 年 1 月

二、史類

㈠正史

張舜徽主編　二十五史三編

長沙　岳麓書社　9 冊　1994 年 12 月

《二十五史新編》編委會　二十五史新編

上海　上海古籍出版社　15 冊　1988 年 4 月

韓泰倫主編　新二十五史

北京　中國文聯出版公司　12 冊　1999 年 2 月

楊鍾賢主編　二十四史

天津　天津古籍出版社　14 冊　1999 年 4 月

中華書局編輯部編　二十四史

北京　中華書局　63 冊　2000 年 1 月

齊豫生、夏于全主編　二十六史

延吉　延邊人民出版社　26 冊　1999 年 3 月

李學勤主編　二十六史

海口　海南出版社　6 冊　1997 年 7 月

編者不詳　中國邊疆通史叢書

鄭州　中州古籍出版社　7 冊　2000 年

㈡史料及雜史

王民信主編　宋史資料萃編第三輯

臺北　文海出版社　14 冊　1981 年 6 月

王民信主編　宋史資料萃編第四輯

臺北　文海出版社　14 冊　1981 年 10 月

廣文編譯所主編　清史集腋

臺北　廣文書局　8 冊　1972 年

沈雲龍主編　近代中國史料叢刊續編

臺北　文海出版社　1079 冊　1983 年 10 月

文海出版社主編　近代中國史料叢刊三編

臺北　文海出版社　897 冊　1992 年 2 月

編者不詳　臺灣文獻史料叢刊第一輯至第九輯

臺北　大通書局　共 195 冊　1984 年 10 月－1987 年 10 月

吳相湘主編　中國史學叢書

臺北　臺灣學生書局　32 種　1986 年

劉兆祐主編　中國史學叢書三編

臺北　臺灣學生書局　138 冊　1987 年 6 月

《中國野史集成》編委會編　四川大學圖書館編　中國野史集成

成都　巴蜀書社　51 冊　1993 年 11 月

《中國野史集成》編委會編　中國野史集成續編

成都　巴蜀書社　30 冊　2000 年 1 月

車吉心主編　中華野史

濟南　泰山出版社　16 冊　2000 年 1 月

㈢傳記

王雲五主編　新編中國名人年譜集成

臺北　臺灣商務印書館　21 輯　1978 年－1988 年

周駿富輯　清代傳記叢刊

臺北　明文書局　205 冊　1985 年 5 月－1986 年 1 月

周駿富輯　明代傳記叢刊

臺北　明文書局　163 冊　1991 年 1 月－1991 年 10 月

中國譜牒學研究會、山西社科院家譜資料研究中心、巴蜀書社聯合編纂　中華族譜集成

成都　巴蜀書社　100 冊　1995 年 12 月

馬小林、鮑國強總編　族姓史料叢編

北京　中華全國圖書館文獻縮微複制中心　5 冊　2000 年 10 月

北京圖書館編　北京圖書館藏珍本年譜叢刊

北京　北京圖書館出版社　200 冊　1999 年 4 月

北京圖書館編　北京圖書館藏家譜叢刊・閩粵僑鄉卷

北京　北京圖書館出版社　50 冊　2000 年 12 月

孔德懋主編　孔子家族叢書

瀋陽　遼海出版社　8 冊　2000 年 1 月

㈣地理

《中國方志叢書》編委會　中國方志叢書

臺北　成文出版社　675 冊　1968 年 3 月－1976 年 12 月

編者不詳　宋元地方志三十七種

臺北　國泰文化事業有限公司　12 冊　1980 年 1 月

中國地志研究會編　宋元地方志叢書

臺北　大化書局　12 冊　1980 年

中國地志研究會編　宋元地方志叢書續編

　　臺北　大化書局　2冊　1990年12月

中華書局編輯部編　宋元方志叢書

　　北京　中華書局　8冊　1990年5月

〔明〕樊深等編纂　天一閣藏明代方志選刊

　　臺北　新文豐出版公司　20冊　1985年7月

朱鼎玲、陸國強責任編輯　天一閣藏明代方志選刊續編

　　上海　上海書店　72冊　1990年12月

上海書店出版社編　中國地方志集成

　　上海　上海古籍出版社　68冊　1991年6月

上海書店出版社編　中國地方志集成·臺灣府縣志輯

　　上海　上海書店出版社　5冊　1999年7月

上海書店出版社編　中國地方志集成·福建省府縣志輯

　　上海　上海書店出版社　40冊　2000年12月

國家圖書館地方志和家譜文獻中心編　明代孤本方志選

　　北京　中華全國圖書館文獻縮微複制中心　12冊　2000年1月

書目文獻出版社編　日本藏中國罕見地方志叢刊

　　北京　書目文獻出版社　9冊　1990年－1992年

中國科學院圖書館選編　稀見中國地方志彙刊

　　北京　中國書店　50冊　1992年12月

趙所生、薛正興主編　中國歷代書院志

　　南京　江蘇教育出版社　16冊　1995年9月

李夢陽等編　白鹿洞書院古志五種

　　北京　中華書局　2冊　1995年11月

郭　強編輯　太學文獻大成

　　　北京　學苑出版社　20 冊　1996 年 12 月

㈤職官

官箴書集成編纂委員會編　官箴書集成

　　　合肥　黃山書社　10 冊　1997 年 12 月

㈥金石

許東方編　石經叢刊初編

　　　臺北　信誼書局　6 冊　1976 年 7 月

新文豐出版公司編輯部編　石刻史料新編二輯

　　　臺北　新文豐出版公司　30 冊　1977 年 12 月

新文豐出版公司編輯部編　石刻史料新編三輯

　　　臺北　新文豐出版公司　40 冊　1986 年 7 月

中國佛教協會編　房山石經

　　　北京　中國佛教圖書文物館　23 冊　1993 年 5 月－1993 年 12 月

中國東方文化研究會歷史文化分會編　歷代碑誌叢書

　　　南京　江蘇古籍出版社　25 冊　1998 年 4 月

國家圖書館善本金石組　歷代石刻史料彙編

　　　北京　北京圖書館出版社　16 冊　2000 年 8 月

趙　平編輯　中國西北地區歷代石刻匯編

　　　天津　天津古籍出版社　210 冊　2000 年 8 月

三、子部

㈠諸子類

岡田武彥、荒木見悟同編　和刻影印近世漢籍叢刊（思想編）

臺北　廣文書局　22 冊　1979 年 5 月再版

廣文書局編　中國哲學思想要籍叢編

臺北　廣文出版社　68 冊　1975 年 4 月

蔣天石主編　中國子學名著集成——宋元明清善本叢刊

臺北　中國子學名著集成編印委員會　精裝 100 冊、外索引 1 冊　1978 年 12 月

中國子學名著集成編修委員會　中國子學名著集成

臺北　中國子學名著集成編印基金會　81 冊　1978 年

中國子學名著集成編修委員會　中國子學名著集成外編

臺北　中國子學名著集成編印基金會　1978 年

楊家駱主編　新編諸子集成

臺北　世界書局　8 冊　1978 年

編者不詳　子書二十八種

臺北　廣文書局　6 冊　1979 年 5 月

嚴靈峰編輯　無求備齋韓非子集成

臺北　成文出版社　52 冊　1980 年 4 月

世界書局編　諸子集成

上海　上海書店　8 冊　1987 年

編者不詳　新編諸子集成

北京　中華書局　1990 年 8 月

編者不詳　理學叢書

北京　中華書局　1990 年 8 月

謝祥皓、劉申寧輯　孫子集成

濟南　齊魯書社　24 冊　1993 年 4 月

嚴靈峰編著　周秦漢魏諸子知見書目

臺北　正中書局　2冊　1975年

嚴靈峰編著　周秦漢魏諸子知見書目

北京　中華書局　6冊　1993年

四川大學古籍整理研究所、中華諸子寶藏編纂委員會編　諸子集成補編

成都　四川人民出版社　10冊　1997年6月

四川大學古籍整理研究所、中華諸子寶藏編纂委員會編　諸子集成續編

成都　四川人民出版社　20冊　1998年1月

四川大學古籍整理研究所、中華諸子寶藏編纂委員會編　諸子集成新編

成都　四川大學出版社　10冊　1998年2月

浙江古籍出版社編　諸子集成

杭州　浙江古籍出版社　2冊　1999年1月

管曙光主編　諸子集成

長春　長春出版社　4冊　1999年1月

㈡儒家類

嚴靈峰編輯　無求備齋荀子集成

臺北　成文出版社　49冊　1977年10月

苗楓林主編　孔子文化大全

濟南　山東友誼書社　1990年9月

㈢兵家類

中國兵書集成編委會編　中國兵書集成

北京　解放軍出版社　1978年8月－1993年5月

林伊夫、劉　慶注譯　武經七書新譯

濟南　齊魯書報社　1999年11月

袁閭琨主編　中國兵書十大名典

瀋陽　遼寧人民出版社　2000年1月

㈣醫家類

中醫藥鍼灸研究中心編　四庫全書鍼灸古書

香港　中國醫藥出版社　6冊　1977年

〔清〕陳夢雷敕纂　新校本圖書集成醫部全錄

臺北　新文豐出版公司　20冊　1979年8月

傅景華、劉暉楨、徐岩春、金立編輯　北京大學圖書館館藏善本醫書

北京　中醫古籍出版社　12冊　1987年5月

〔清〕徐大椿　徐大椿醫書全集

北京　人民衛生出版社　2冊　1988年7月

上海中醫學院中醫文獻研究所主編　歷代中醫珍本集成

上海　上海三聯書店　40冊　1990年12月

陳存仁編校　皇漢醫學叢書

上海　上海中醫學院出版社　14冊　1993年12月

朱大年等主編　歷代本草精華叢書

上海　上海中醫藥大學出版社　8冊　1994年6月

裘沛然主編　中國醫學大成三編

長沙　岳麓書社　12冊　1994年7月

高文鑄主編　華佗遺書

北京　華夏出版社　1995年1月

葉　川編　金元四大醫學家名著集成

北京　中國中醫藥出版社　1995 年 10 月

任　健主編　中國歷代名醫名方全書

北京　學苑出版社　1996 年 6 月

何清湖、周　慎、盧光明總編　中華醫書集成

北京　中醫古籍出版社　33 冊　1999 年 7 月

馬繼興、真柳誠、鄭金生選輯　日本現存中國稀覯古醫籍叢書

北京　人民衛生出版社　1999 年 10 月

黃志杰、桃昌綬、俞小平主編　中醫經典名著精譯叢書

北京　科學技術文獻出版社　1999 年－2002 年

劉炳凡、周紹明總主編　湖湘名醫典籍精華

長沙　湖南科學技術出版社　9 冊　1999 年 9 月

蘇和畢力格編譯　蒙古醫學經典叢書

呼和浩特　內蒙古人民出版社　10 冊　1999 年 5 月

曹炳章編　中國醫學大成續編

上海　上海科學技術出版社　49 冊　2000 年 12 月

㈤天文算法類

中華書局編輯部　歷代天文律曆等志彙編

北京　中華書局　10 冊　1976 年 8 月

靖玉樹編勘　中國歷代算學集成

濟南　山東人民出版社　3 冊　1994 年 3 月

劉海年、楊一凡總主編　中國珍稀法律典籍集成

北京　科學出版社　14 冊　1994 年 8 月

㈥術數類

任繼愈主編　中國科學技術典籍通彙

鄭州　河南教育出版社　50 冊　1993 年－1994 年

顧　頡主編　中國神秘文化典籍類編

重慶　重慶出版社　11 冊　1993 年－1994 年 12 月

劉永明主編　四庫未收術數類古籍大全

合肥　黃山書社　4 集　1995 年 6 月－1997 年

劉永明主編　增補四庫未收術數類古籍大全

揚州　江蘇廣陵古籍刻印社　80 冊　1997 年 6 月

鄭志斌主編、楊鍾賢點校　四庫全書術數類集成

天津　天津古籍出版社　10 冊　1999 年 1 月

新文豐編輯部編　珍本術數叢書

臺北　新文豐出版公司　72 冊　1995 年 8 月

㈦藝術類

中國書畫研究資料社編著　畫史叢書

臺北　文史哲出版社　4 冊　1974 年 3 月

楊家駱主編　畫論叢刊續輯

臺北　鼎文書局　2 冊　1975 年

編者不詳　故宮歷代法書全集

臺北　國立故宮博物院　30 冊　1979 年 4 月

中國美術全集編輯委員會編　中國美術全集·繪畫編

北京　人民美術出版社　21 冊　1984 年－1989 年

謝稚柳主編　中國歷代法書墨跡大觀

上海　上海書店　16 冊　1987 年 10 月－1996 年 10 月

鄭振鐸編　中國古代版畫叢刊

上海　上海古籍出版社　4冊　1988年8月

上海古籍出版社編　中國古代版畫叢刊二編

上海　上海古籍出版社　8冊　1994年10月

中國書法大成編委會主編　中國書法大成

北京　中國書店　8冊　1991年12月

王朝聞主編　中國民間美術全集

濟南　山東教育出版社　14冊　1993年11月

鄧　實輯　中國古代美術叢書

三河　國際文化出版社　21冊　1993年

于玉安編輯　中國歷代美術典籍匯編

天津　天津古籍出版社　24冊　1997年9月

周　倜主編　中國墨跡經典大全

北京　京華出版社　36冊　1998年12月

華夏出版社編　中國歷代名帖集成

北京　華夏出版社　1999年2月

史樹青編　中國歷史博物館藏法書大觀

上海　上海教育出版社　15冊　2000年

㈧類書類

〔日〕長澤規矩也編　和刻本類書集成

上海　上海古籍出版社　6輯　1990年7月

㈨小說家類

1.通代

遠流出版公司編輯部編　中國歷史演義全集

臺北　遠流出版公司　31 冊　1980 年 7 月

國立政治大學古典小說研究中心主編　明清善本小說叢刊初編

臺北　天一出版社　10輯　1985年5月－1985年10月

古本小說叢刊編輯委員會編　古本小說叢刊

北京　中華書局　41 輯　1987 年 6 月－1991 年 6 月

編者不詳　筆記小說大觀

臺北　新興書局　1－45 編　1987 年 6 月

歷代名家撰　筆記小說大觀

揚州　江蘇廣陵古籍刻印社　16 冊　1995 年

編者不詳　明清筆記叢書

上海　上海古籍出版社　17 種　1982 年－1993 年

劉葉秋主編　歷代筆記小說叢書

北京　文化藝術出版社　1988 年 12 月

陳慶浩、王秋桂主編　中國民間故事全集

臺北　遠流出版公司　40 冊　1989 年 6 月

古本小說集成編委員會編　古本小說集成

上海　上海古籍出版社　3 輯　1990 年

編者不詳　中國話本大系

南京　江蘇古籍出版社　32 種　1990 年－1993 年

編者不詳　四庫筆記小說叢書

上海　上海古籍出版社　1991 年 12 月

周光培編　歷代筆記小說集成

石家莊　河北教育出版社　110 冊　1994 年 4 月

侯忠義主編　中國古代珍稀本小說

瀋陽　春風文藝出版社　10 冊　1994 年 10 月

侯忠義主編　中國古代珍稀本小說續編

瀋陽　春風文藝出版社　20 冊　1997 年 3 月

董文成主編　中國近代珍稀本小說

瀋陽　春風文藝出版社　1997 年 10 月

仇春霖主編　古代中國寓言大系

太原　山西教育出版社　3 冊　1994 年 12 月

陳慶浩、王秋桂主編　思無邪匯寶

臺北　臺灣大英百科公司　1995 年 6 月－1997 年 1 月

陳慶浩、王秋桂主編　思無邪匯寶外編

臺北　臺灣大英百科公司　2 冊　1997 年

劉　可主編　中國公案小說大系

哈爾濱　黑龍江人民出版社　5 冊　1995 年 11 月

苗　深等標點　明清稀見小說叢刊

濟南　齊魯書社　1996 年 8 月

傅璇琮主編　中國古代小說珍秘本文庫

西安　三秦出版社　6 冊　1998 年 9 月

劉真倫、岳珍編著　歷代筆記小說精華

成都　四川人民出版社　4 冊　1999 年 1 月

編者不詳　筆記小說精品叢書

重慶　重慶出版社　1999 年 5 月

編者不詳　中國秘笈善本小說

北京　中國戲劇出版社　6 冊　2000 年 1 月

程毅中輯注　宋元小說話本集

濟南　齊魯書社　2000年2月

2.漢魏

陳翔華主編　三國志演義古版叢刊五種

北京　中華全國圖書館文獻縮微複制中心　8冊　1995年5月

王根林等校點　漢魏六朝筆記小說大觀

上海　上海古籍出版社　2冊　1999年12月

3.唐代

王汝濤編校　全唐小說

濟南　山東文藝出版社　4冊　1993年3月

李時人編校　全唐五代小說

西安　陝西人民出版社　5冊　1998年9月

丁如明等校點　唐五代筆記小說大觀

上海　上海古籍出版社　2冊　2000年3月

4.明代

侯忠義主編　明代小說輯刊第一輯

成都　巴蜀書社　4冊　1993年12月

侯忠義主編　明代小說輯刊第二輯

成都　巴蜀書社　4冊　1995年11月

5.清代

王孝廉主編　晚清小說大系

臺北　廣雅出版社　35冊　1984年3月

陸　林主編　清代筆記小說類編

合肥　黃山書社　1994年6月

廣文編譯所編　中國近代小說史料彙編
臺北　廣文書局　出版年不詳
王繼權等編　中國近代小說大系
南昌　百花洲文藝出版社　80 冊　1996 年
6.民國
孫安邦主編　民國筆記小說大觀　第四輯
太原　山西古籍出版社　14 冊　1999 年
臺灣作家全集編輯委員會編　臺灣作家全集（短篇小說卷）
臺北　前衛出版社　1991 年－1994 年
7.域外
林明德主編　韓國漢文小說全集
臺北　中國文化大學出版部　9 冊　1980 年 5 月
陳慶浩、王三慶主編　越南漢文小說叢刊
臺北　臺灣學生書局　7 冊　1987 年 4 月
㈩釋家類
佛教書局編輯　佛教大藏經
臺北　佛教出版社　84 冊　1978 年 3 月
大藏經刊行會編輯　大正新修大藏經
臺北　新文豐出版公司　正編 55 冊、續編 45 冊、經文 85 冊、法寶總目錄 3 冊、圖像 12 冊　1983 年 1 月－1985 年 1 月
佛光大藏經編修委員會編　佛光大藏經
高雄　佛光出版社　1983 年 8 月
藍吉富主編　大藏經補編

臺北　華宇出版社　36 冊　1984 年 10 月－1985 年 10 月

唐三藏法師玄奘等譯　新編縮本乾隆大藏經（原名：乾隆版大藏經）

臺北　新文豐出版公司　164 冊　1991 年 12 月

梁湘潤編集　現代大藏經

臺北　出版社不詳　6 冊　1995 年 12 月

趙樸初主編　永樂北藏

北京　線裝書局　200 冊　2000 年 3 月

張曼濤主編　現代佛教學術叢刊

臺北　大乘文化出版社　100 冊　1979 年 5 月

杜潔祥主編　中國佛寺史志彙刊（中國佛寺志）第一輯

臺北　明文書局　50 冊　1980 年 1 月

杜潔祥主編　中國佛寺史志彙刊（中國佛寺志）第二輯

臺北　明文書局　30 冊　1980 年 11 月

杜潔祥主編　中國佛寺史志彙刊（中國佛寺志）第三輯

臺北　丹青圖書公司　30 冊　1985 年 11 月

明復法師主編　禪門逸書初編

臺北　明文書局　10 冊　1981 年 3 月

藍吉富主編　現代佛學大系

臺北　彌勒出版社　60 冊　1982 年 7 月－1984 年 5 月

藍吉富主編　世界佛學名著譯叢

臺北　華宇出版社　100 冊　1984 年－1988 年

明復法師主編　禪門逸書續編

臺北　漢聲出版社　9 冊　1987 年 6 月

王秋桂、李豐楙主編　中國民間信仰資料彙編

臺北　臺灣學生書局　30 冊　1989 年 11 月

歐陽竟無編　藏要

上海　上海書店　10 冊　1991 年 6 月

〔梁〕慧　皎等撰　高僧傳合集

上海　上海古籍出版社　1991 年 12 月

中國佛教叢書編輯委員會編　中國佛教叢書——禪宗編

南京　江蘇古籍出版社　12 冊　1993 年 6 月

趙曉梅主編　中國密宗大典

北京　中國藏學出版社　10 冊　1993 年 8 月

林世田、申國美編　敦煌密宗文獻集成

北京　中華全國圖書館文獻縮微複制中心　3 冊　2000 年 4 月

林世田、申國美編　敦煌密宗文獻集成續編

北京　中華全國圖書館文獻縮微複制中心　2 冊　2000 年 8 月

吳立民等編　佛藏輯要

成都　巴蜀書社　41 冊　1993 年 11 月

淨　慧主編　中國燈錄全書

北京　中國藏學出版社　20 冊　1993 年 11 月

林明珂、申國美主編，河北禪學研究所編輯　中國佛學經典叢刊——禪宗寶典

北京　全國圖書館文獻縮微複制中心　1993 年 12 月

林明珂、申國美主編，河北禪學研究所編輯　中國佛學經典叢刊——禪宗寶典續編

北京　全國圖書館文獻縮微複制中心　1995年9月

徐自強主編　中國佛學文獻叢刊——中國歷代禪師傳記資料匯編

北京　全國圖書館文獻縮微複制中心　3冊　1994年12月

呂鐵鋼主編　藏密修法秘典

北京　華夏出版社　5冊　1995年1月

魯　愚等編　關帝文獻匯編

北京　國際文化出版公司　8冊　1995年8月

濮文起主編　中國歷代觀音文獻集成

北京　中華全國圖書館文獻縮微複制中心　10冊　1998年7月

凡凝居士等編　佛學辭書集成

汕頭　汕頭大學出版社　10冊　1996年2月

趙曉梅主編　中國禪宗大典

北京　國際文化出版公司　20冊　1995年2月

林世田、劉燕遠、申國美主編　敦煌禪宗文獻集成

北京　中華全國圖書館文獻縮微複制中心　3冊　1998年5月

編者不詳　禪學叢書

杭州　浙江人民出版社　1999年

柳田聖山、椎名宏雄共編　禪學典籍叢刊

京都　臨川書店　11卷　1999年6月－2001年7月

㈩道家類

嚴靈峰編輯　無求備齋莊子集成續編

臺北　藝文印書館　42冊　1974年2月

嚴靈峰編輯　無求備齋老列莊三子集成補編

臺北　成文出版社　56冊　1982年

彭文勤纂輯，賀龍驤校勘　道藏輯要

臺北　新文豐出版公司　25冊　1986年2月再版

胡道靜、陳蓮笙、陳耀庭選輯　道藏要籍選刊

上海　上海古籍出版社　10冊　1989年6月

洪丕謨編　道藏氣功要集

上海　上海書店　2冊　1991年11月

藏外道書編委會　藏外道書

成都　巴蜀書社　36冊　1992年8月－1994年12月

黃福全編著　道教科儀集成

彰化　逸群圖書公司　8冊　1996年10月

廣陵書社編　中國道教志叢刊

南京　江蘇古籍出版社　36冊　2000年4月

四、集部

㈠辭賦類

杜松柏主編　楚辭彙編

臺北　新文豐出版公司　10冊　1986年3月

馬茂元主編　楚辭研究集成

武漢　湖北人民出版社　5冊　1984年－1986年

㈡總集類

1.通代

楊家駱主編　歷代詩史長編二輯

臺北　鼎文書局　10冊　1974年2月

〔清〕陳元龍等奉敕編　御定歷代賦彙

京都　中文出版社　4冊　1974年3月

〔清〕陳元龍編　歷代賦彙

上海　上海書店；南京　江蘇古籍出版社聯合出版

1987年12月

郭預衡主編　中華名賦集成

北京　中國工人出版社　3冊　2000年1月

廣文書局編　文學叢書

臺北　廣文書局　22冊　1976年3月

嚴可均輯，史建橋點校　全上古三代秦漢三國六朝文

北京　商務印書館　1999年10月

湖北省人民政府研究室、湖北省博物館編　湖北文徵

武漢　湖北人民出版社　13冊　2000年10月

屈萬里、劉兆祐主編　明清未刊稿彙編初輯

臺北　聯經出版事業公司　106冊　1976年7月

顧廷龍主編　詩歌總集叢刊

上海　三聯書店　4冊　1988年－1989年

〔清〕溫汝能纂輯，呂永光整理　粵東詩海

廣州　中山大學出版社　3冊　1999年8月

范能船主編　桂海精華

揚州　江蘇廣陵古籍刻印社　3冊　1999年10月

中國歷代名著全譯叢書編委會　中國歷代名著全譯叢書

貴陽　貴州人民出版社　50種　1991年－1997年

王筱雲主編　中國古典文學名著分類集成

天津　百花文藝出版社　30冊　1994年12月

〔清〕張伯行重訂　唐宋八大家文鈔

北京　中華書局　6冊　1985年

郭預衡主編　唐宋八大家散文總集

石家莊　河北人民出版社　10冊　1995年11月

高海夫主編　唐宋八大家文鈔校注集評

西安　三秦出版社　9冊　1998年9月

編者不詳　唐宋八大家詩文集

天津　天津古籍出版社　4冊　1999年8月

羅書華主編　中國古代禁書文庫

北京　中國文聯出版公司　3冊　1998年

2.漢代

費鎮剛、胡雙寶、宗明華輯校　全漢賦

北京　北京大學出版社　1993年4月

3.唐代

(1)詩集

〔清〕曹　寅編　全唐詩

臺北　復興書局　8冊　1974年

〔清〕錢謙益、季振宜輯，〔民國〕屈萬里、劉兆祐主編　全唐詩稿本（明清未刊稿本第二輯）

臺北　聯經出版事業公司　71冊　1979年9月

〔清〕曹　寅主編　全唐詩

上海　上海古籍出版社　2冊　1986年10月

陳尚君輯校　全唐詩補編

北京　中華書局　3 冊　1992 年 10 月

袁閭琨主編　全唐詩廣選新注集評

瀋陽　遼寧人民出版社　10 冊　1994 年 8 月

陳伯海主編　唐詩匯評

杭州　浙江教育出版社　3 冊　1995 年 5 月

〔清〕彭定求等編　全唐詩

鄭州　中州古籍出版社　3 冊　1996 年 10 月

⑵文集

〔清〕董　誥等編　全唐文

北京　中華書局　11 冊　1983 年 11 月

〔清〕董　誥等編　全唐文（附唐文拾遺、唐文續拾、讀全唐文札記）

上海　上海古籍出版社　5 冊　1990 年 12 月

吳　鋼主編，陝西省古籍整理辦公室編　全唐文補遺

西安　三秦出版社　2 冊　1995 年 5 月

周紹良主編　全唐文新編

長春　吉林文史出版社　22 冊　2000 年 12 月

4.五代

〔清〕李調元輯，〔民國〕何光清點校　全五代詩

成都　巴蜀書社　2 冊　1992 年 4 月

5.宋代

⑴詩集

〔清〕呂之振、呂留良、呂自牧編，〔清〕管庭芳、蔣光煦補　宋

詩鈔

北京　中華書局　4冊　1986年12月

北京大學古文獻研究所編　全宋詩

北京　北京大學出版社　72冊　1991年7月－1998年12月

⑵文集

〔宋〕呂祖謙編，〔民國〕齊治平點校　宋文鑑

北京　中華書局　3冊　1992年3月

曾棗莊、劉　琳主編　全宋文

成都　巴蜀書社　50冊　1994年7月

6.遼金元代

⑴詩集

薛瑞兆、郭明志編纂　全金詩

天津　南開大學出版社　4冊　1995年11月

〔清〕顧嗣立編　元詩選

北京　中華書局　6冊　1987年10月

閻鳳梧、康金聲主編　全遼金詩

太原　山西古籍出版社　3冊　1999年12月

⑵文集

高　明總編纂　遼金元文彙

臺北　天一圖書出版社　1994年

高　明總編纂，國立編譯館主編　遼金元文彙

臺北　國立編譯館　1998年7月

陳　述輯校　全遼文

北京　中華書局　1982 年 3 月

〔清〕張金吾編纂　金文最

北京　中華書局　上、下冊　1990 年 8 月

李修生主編　全元文

南京　江蘇古籍出版社　10 冊　1997 年 11 月

李修生主編　全元文

南京　江蘇古籍出版社　5 冊　2000 年 12 月

新文豐出版公司編輯部編　元人文集珍本叢刊

臺北　新文豐出版公司　8 冊　1985 年 4 月

7.明代

⑴詩集

〔清〕朱彝尊編　明詩綜

臺北　世界書局　上、下冊　1989 年 4 月三版

全明詩編纂委員會編　全明詩

上海　上海古籍出版社　3 冊　1994 年 9 月

⑵文集

編者不詳　明代論著叢刊

臺北　偉文圖書公司　1977 年 9 月

〔清〕黃宗羲編　明文海

北京　中華書局　5 冊　1987 年 2 月

錢伯城、魏同賢、馬樟根主編　全明文

上海　上海古籍出版社　1992 年 12 月

8.清代

⑴詩集

錢仲聯編著　近代詩鈔

南京　江蘇古籍出版社　3 冊　1993 年 3 月

⑵文集

編者不詳　清代禁燬書叢刊

臺北　偉文圖書公司　1977 年 8 月

欒貴明輯　四庫輯本別集拾遺

北京　中華書局　2 冊　1983 年 10 月

譚其驤主編　清人文集地理類匯編

杭州　浙江人民出版社　7 冊　1986 年 4 月－1990 年 8 月

9.民國

高志彬主編，王國璠總輯　臺灣先賢詩文集彙刊

臺北　龍文出版社　二輯 40 冊　1992 年 3 月－1992 年 6 月

㈢別集類

1.唐代

〔唐〕李　白撰，〔清〕王　琦注　李太白全集

北京　中華書局　3 冊　1977 年 9 月

〔唐〕李　白撰，〔民國〕安　旗主編　李白全集編年注釋

成都　巴蜀書社　3 冊　1990 年 12 月

詹　鍈主編　李白全集校注匯釋集評

天津　百花文藝出版社　8 冊　1996 年 12 月

屈守元、常思春主編　韓愈全集校注

成都　四川大學出版社　5 冊　1996 年 7 月

〔唐〕柳宗元撰，〔明〕孫同峰評點　唐柳柳州全集

臺北　新文豐出版公司　1979年10月

〔唐〕柳宗元著　柳宗元集

北京　中華書局　4冊　2000年1月

2.宋代

〔宋〕歐陽修撰　歐陽修全集

臺北　河洛圖書出版社　2冊　1975年3月

〔宋〕王安石著　王安石全集

臺北　河洛圖書出版社　2冊　1974年10月

〔宋〕王安石撰，〔民國〕寧　波、劉麗華、張中良校點　王安石全集

長春　吉林人民出版社　2冊　1996年5月

〔宋〕蘇　軾撰，〔民國〕毛德富主編　蘇東坡全集

北京　北京燕山出版社　10冊　1998年10月

〔宋〕蘇　軾撰，〔民國〕傅　成、穆　儔標點　蘇軾全集

上海　上海古籍出版社　3冊　2000年5月

〔宋〕王十朋撰，梅溪集重刊委員會編　王十朋全集

上海　上海古籍出版社　1998年10月

〔宋〕陸　游撰，〔民國〕楊家駱主編　陸放翁全集

臺北　世界書局　2冊　1990年11月

〔宋〕朱　熹撰，〔民國〕郭　齊、尹　波點校　朱熹集

成都　四川教育出版社　10冊　1996年10月

〔宋〕辛棄疾撰，〔民國〕徐漢明編　辛棄疾全集

成都　四川文藝出版社　1994年8月

〔宋〕蔡　襄撰，〔民國〕陳慶元校注　蔡襄全集

福州　福建人民出版社　1999年7月

3.元代

〔元〕關漢卿撰，〔民國〕吳國欽校注　關漢卿全集

廣州　廣東高等教育出版社　1988年10月

〔元〕關漢卿，〔民國〕王學奇、吳振清、王靜竹校注　關漢卿全集校注

石家莊　河北教育出版社　1988年11月

〔元〕揭傒斯撰，〔民國〕李夢生標點　揭傒斯全集

上海　上海古籍出版社　1985年6月

4.明代

〔明〕薛　瑄撰，〔民國〕孫玄常等點校　薛瑄全集

太原　山西人民出版社　2冊　1990年8月

〔明〕王守仁撰，〔民國〕吳　光等校　王陽明全集

上海　上海古籍出版社　2冊　1992年

〔明〕王陽明撰，〔民國〕張立文整理　王陽明全集

北京　紅旗出版社　4冊　1996年11月

〔明〕湯顯祖撰，〔民國〕徐朔方箋校　湯顯祖全集

北京　北京古籍出版社　4冊　1999年1月

〔明〕馮夢龍撰，〔民國〕魏同賢主編　馮夢龍全集

南京　江蘇古籍出版社　22冊　1993年3月

〔明〕馮夢龍撰，〔民國〕魏同賢主編　馮夢龍全集

上海　上海古籍出版社　43冊　1993年6月

〔明〕劉宗周撰，〔民國〕戴璉璋、吳　光主編　劉宗周全集

臺北　中央研究院中國文哲研究所籌備處　5冊　1997

年6月

〔明〕朱之瑜著　朱舜水全集

北京　中國書店　1991年8月

〔明〕方以智撰，〔民國〕侯外廬主編　方以智全書

上海　上海古籍出版社　2冊　1988年9月

〔明〕謝　榛著，〔民國〕朱其鎧等校點　謝榛全集

濟南　齊魯書社　2000年2月

5.清代

〔清〕傅　山撰，〔民國〕劉貫文、張海瀛、尹協理主編　傅山全書

太原　山西人民出版社　7冊　1991年12月

〔清〕魏象樞撰，崔凡芝點校　寒松堂全集

太原　山西人民出版社　1992年

〔清〕魏象樞撰，〔民國〕陳金陵點校　寒松堂全集

北京　中華書局　1996年8月

〔清〕黃宗羲撰，〔民國〕沈善洪主編　黃宗羲全集

杭州　浙江古籍出版社　12冊　1992年8月

〔清〕王夫之撰，〔民國〕船山全書編輯委員會編校　船山全書

長沙　岳麓書社　16冊　1988年12月－1996年12月

〔清〕屈大均撰，〔民國〕歐　初、王貴忱主編　屈大均全集

北京　人民文學出版社　8冊　1996年12月

〔清〕蒲松齡撰，〔民國〕盛　偉編校　蒲松齡全集

上海　學林出版社　3冊　1998年12月

〔清〕李　漁撰，〔民國〕浙江古籍出版社編　李漁全集(修訂本)

杭州　浙江古籍出版社　20冊　1992年10月

〔清〕藍鼎元撰，〔民國〕蔣炳釗、王　鈿點校　鹿州全集
　　廈門　廈門大學出版社　2冊　1995年1月
〔清〕袁　枚撰，〔民國〕王英志主編　袁枚全集
　　南京　江蘇古籍出版社　8冊　1993年9月
〔清〕戴　震撰　戴東原先生全集
　　臺北　大化書局　1978年4月
〔清〕戴　震撰，〔民國〕戴震研究會、徽州師範專科學校、戴震紀念館編纂　戴震全集
　　北京　清華大學出版社　6冊　1995年4月
〔清〕戴　震撰，〔民國〕張岱年主編　戴震全書
　　合肥　黃山書社　7冊　1994年7月－1995年10月
〔清〕錢大昕撰，陳文和主編　嘉定錢大昕全集
　　南京　江蘇古籍出版社　10冊　1997年12月
〔清〕段玉裁撰　段玉裁遺書
　　臺北　大化書局　2冊　1977年5月
〔清〕章學誠撰　章學誠遺書
　　北京　文物出版社　1985年8月
〔清〕崔　述撰　崔東壁遺書
　　臺北　河洛圖書出版社　4冊　1975年9月
〔清〕崔　述撰，〔民國〕顧頡剛編訂　崔東壁遺書
　　上海　上海古籍出版社　1983年6月
〔清〕包世臣撰，〔民國〕李　星、劉長桂點校，吳孟復、梁垣祥審定　包世臣全集
　　合肥　黃山書社　1991年10月

〔清〕龔自珍撰　龔自珍全集

臺北　河洛圖書出版社　1975 年 9 月

〔清〕龔自珍著，王佩諍校　龔自珍全集

上海　上海古籍出版社　1975 年

〔清〕龔自珍撰　龔自珍全集

上海　上海古籍出版社　1999 年 6 月

〔清〕徐繼畬撰，〔民國〕白清才、劉貫文主編　徐繼畬集

太原　山西高校聯合出版社　4 冊　1995 年 7 月

〔清〕曾國藩撰　曾國藩全集

長沙　岳麓書社　30 冊　1987 年 4 月－1994 年 12 月

〔清〕曾國藩編纂，〔清〕李鴻章校勘　曾國藩全集

瀋陽　遼寧民族出版社　12 冊　1997 年 1 月

〔清〕曾國藩著，岳貴安、張　鑫主編　曾國藩全書

延吉　延邊人民出版社　20 冊　2000 年 7 月

〔清〕左宗棠撰　左宗棠全集

上海　上海書店　20 冊　1986 年 6 月

〔清〕左宗棠撰　左宗棠全集

長沙　岳麓書社　15 冊　1987 年 12 月－1996 年 7 月

〔清〕李鴻章撰，〔民國〕顧廷龍、葉亞廉主編　李鴻章全集

上海　上海人民出版社　3 冊　1985 年 6 月－1987 年

〔清〕李鴻章撰　李鴻章全集

海口　海南出版社　9 冊　1997 年 9 月

〔清〕李鴻章著，崔卓力編輯　李鴻章全集

長春　時代文藝出版社　12 冊　1998 年

〔清〕張之洞撰　張文襄公全集

北京　中國書店　4冊　1990年10月

〔清〕張之洞撰，〔民國〕苑書義、孫華峰、李秉新主編　張之洞全集

石家莊　河北人民出版社　12冊　1998年8月

〔清〕楊守敬撰，〔民國〕謝承仁主編　楊守敬集

武漢　湖北人民出版社　13冊　1988年4月

〔清〕張　謇撰，〔民國〕張謇研究中心編　張謇全集

南京　江蘇古籍出版社　7冊　1994年10月

〔清〕康有為撰，〔民國〕蔣貴麟主編　康南海先生遺著彙刊

臺北　宏業書局　22冊　1976年9月

〔清〕康有為撰，〔民國〕姜義華編校　康有為全集

上海　上海古籍出版社　1992年12月

〔清〕譚嗣同撰　譚嗣同全集

臺北　華世出版社　1977年10月

〔清〕譚嗣同撰，〔民國〕蔡尚思、方　行編　譚嗣同全集

北京　中華書局　2冊　1981年

〔清〕羅振玉撰輯　羅雪堂先生全集六編

臺北　大通書局　20冊　1976年7月

〔清〕羅振玉撰輯　羅雪堂先生全集七編

臺北　大通書局　20冊　1977年7月

〔清〕吳趼人撰，〔民國〕海　風主編　吳趼人全集

哈爾濱　北方文藝出版社　10冊　1998年2月

〔清〕李伯元撰，〔民國〕薛正興主編　李伯元全集

南京　江蘇古籍出版社　5冊　1997年12月
〔清〕章太炎撰，〔民國〕上海人民出版社編　章太炎全集
上海　上海人民出版社　6冊　1986年12月
〔清〕梁啟超撰　飲冰室全集
北京　中華書局　12冊　1989年
〔清〕梁啟超撰　梁啟超全集
北京　北京出版社　9冊　1999年7月
〔清〕王國維撰　王國維遺書
上海　上海書店　10冊　1983年9月
連　橫撰，〔民國〕臺灣省文獻委員會編　連雅堂先生全集
南投　臺灣省文獻委員會　1993年3月
〔清〕劉師培撰　劉師培全集
北京　中央中共黨校出版社　4冊　1997年6月
〔清〕劉師培撰，〔民國〕錢玄同編次，鄭裕孚編校　劉申叔遺書
臺北　華世出版社　4冊　1975年
〔清〕劉師培撰　劉申叔遺書
南京　江蘇古籍出版社　2冊　1997年3月
黃　侃撰　黃季剛先生遺書
臺北　石門圖書公司　14冊　1980年
國父全集編委會編　國父全集
臺北　近代中國出版社　12冊　1989年11月
錢　穆著，錢賓四全集編委會整理　錢賓四先生全集
臺北　聯經出版公司　54冊　1998年5月
〔清〕丁耀亢撰，李增坡主編，張清吉校點　丁耀亢全集

鄭州　中州古籍出版社　3 冊　1999 年 3 月

〔清〕王安國、王念孫、王引之撰，羅振玉輯印　高郵王氏遺書

南京　江蘇古籍出版社　2000 年 9 月

湯用彤著　湯用彤全集

石家莊　河北人民出版社　7 冊　2000 年 9 月

田　漢著，田漢全集編委會編　田漢全集

石家莊　花山文藝出版社　20 冊　2000 年 12 月

㈣詞曲類

1.詞類

⑴通代

編者不詳　詞林集珍

上海　上海古籍出版社　1985 年

雷夢水、潘　超、孫忠詮、鐘　山編　中華竹枝詞

北京　北京古籍出版社　6 冊　1997 年 12 月

⑵隋唐五代

任半塘、王昆吾編著　隋唐五代燕樂雜言歌辭集

成都　巴蜀書社　2 冊　1990 年 6 月

曹昭岷編著　全唐五代詞

北京　中華書局　2 冊　1999 年 12 月

⑶宋代

唐圭璋編　全宋詞

臺北　文光出版社　5 冊　1983 年

世界書局編輯部主編　全宋詞

臺北　世界書局　5 冊　1984 年 3 月再版

唐圭璋編，孔凡禮補輯　全宋詞

　　北京　中華書局　5冊　1999年1月

王　諍等編　全編宋詞

　　延吉　延邊人民出版社　4冊　1999年4月

⑷金元代

唐圭璋編　全金元詞

　　北京　中華書局　2冊　1979年10月

唐圭璋編　全金元詞

　　臺北　洪氏出版社　2冊　1980年11月

⑸明代

趙尊嶽輯　明詞彙刊

　　上海　上海古籍出版社　2冊　1992年7月

⑹清代

林葆恆纂　詞綜補遺

　　北京　書目文獻出版社　6冊　1992年9月

葉恭綽編　全清詞鈔

　　香港　中華書局　4冊　1975年3月

葉恭綽編　全清詞鈔

　　北京　中華書局　2冊　1982年5月

河洛圖書出版社編審　全清詞鈔

　　臺北　河洛圖書出版社　2冊　1975年9月

楊家駱主編　清詞別集百三十四種

　　臺北　鼎文書局　12冊　1976年8月

〔清〕陳乃乾輯　清名家詞

上海　上海書店　10冊　1982年12月

〔清〕丁紹儀輯　清詞綜補（附續編）

北京　中華書局　3冊　1986年2月

南京大學中國語言文學系全清詞編纂委員會編　全清詞（順康卷）

北京　中華書局　2冊　1994年7月

2.曲類

(1)通代

王秋桂主編　善本戲曲叢刊

臺北　臺灣學生書局　104冊　1984年7月

編者不詳　中國少數民族戲劇叢書

北京　中國戲劇出版社　1987年－1990年

王秋桂主編，王秋桂、庹修明計畫主持　民俗曲藝叢書

臺北　施合鄭民俗文化基金會　50冊　1993年12月－1997年9月

金沛霖主編，首都圖書館編輯　明清抄本孤本戲曲叢刊

北京　線裝書局　15冊　1996年1月

泉州地方戲曲研究社編　泉州傳統戲曲叢書

北京　中國戲劇出版社　15冊　1999年9月

(2)元代

楊家駱主編　全元雜劇外編

臺北　世界書局　8冊　1974年5月再版

徐沁君校點　新校元刊雜劇三十種

北京　中華書局　2冊　1980年12月

楊家駱主編　全元雜劇初編

臺北　世界書局　13 冊　1985 年

寧希元校點　元刊雜劇三十種新校

蘭州　蘭州大學出版社　2 冊　1988 年 4 月－1988 年 9 月

王季思主編　全元戲曲

北京　人民文學出版社　12 冊　1990 年 11 月－1999 年 2 月

張月中、王　綱主編　全元曲

鄭州　中州古籍出版社　2 冊　1996 年 9 月

徐　征主編　全元曲

石家莊　河北教育出版社　12 冊　1998 年 1 月

吳庚舜、呂薇芬主編　全元散曲廣選新注集評

瀋陽　遼寧人民出版社　2 冊　2000 年 11 月

⑶明代

楊家駱主編　全明雜劇一六八種

臺北　鼎文書局　12 冊　1979 年 6 月

編者不詳　明本潮州戲文五種

廣州　廣東人民出版社　1985 年 10 月

編者不詳　明清傳奇選刊

北京　中華書局　1988 年 11 月－2000 年 11 月

〔俄〕李福清，〔中〕李　平編　海外孤本晚明戲劇選集三種

上海　上海古籍出版社　1993 年 6 月

謝伯陽編　全明散曲

濟南　齊魯書社　5 冊　1994 年 8 月

林侑蒔編　全明傳奇

臺北　天一出版社　182 冊　1983 年

朱傳譽主編　全明傳奇續編

臺北　天一出版社　1996 年 10 月

⑷清代

凌景埏、謝伯陽編　全清散曲

濟南　齊魯書社　3 冊　1985 年 9 月

劉烈茂等整理　車王府曲本選

廣州　中山大學出版社　1990 年 11 月

㈤詩文評

1.通代

〔清〕丁福保輯　歷代詩話續編

北京　中華書局　3 冊　1983 年 8 月

〔清〕丁福保輯　歷代詩話續編

臺北　木鐸出版社　3 冊　1988 年 7 月

林　乾主編　金聖嘆評點才子全集

北京　光明日報出版社　4 冊　1997 年 8 月

2.宋代

程毅中主編　宋人詩話外編

北京　國際文化出版公司　2 冊　1996 年 3 月

吳文治主編　宋詩話全編

南京　江蘇古籍出版社　10 冊　1998 年 12 月

3.明代

吳文治主編　明詩話全編

南京　江蘇古籍出版社　10 冊　1997 年 12 月

4.清代

〔清〕王夫之等撰　清詩話

上海　上海古籍出版社　2冊　1978年

〔清〕丁仲祜編訂　清詩話

臺北　藝文印書館　2冊　1977年

〔清〕丁福保編，〔民國〕郭紹虞校　清詩話

臺北　西南書局　1979年

杜松柏主編　清詩話訪佚初編

臺北　新文豐出版公司　10冊　1987年6月

編者按：本文為 1998 年本人在東吳大學中文系碩博士班講授「叢書學研究」時，修課學生之期末報告修訂而成。原稿僅編至 1998 年，1999年至2000年部分，由本書編輯鄭誼慧學棣增補而成。

附錄二

近現代新編叢書研究論著目錄

鄭誼慧、劉康威*

編　例

一、所謂「近現代新編叢書」，指鴉片戰爭之後新編叢書。晚清之前所編纂之叢書，皆不在收錄之中。

二、本目錄收錄 2005 年前所出版之研究論著。

三、本目錄收錄專書（包括收於叢書中者）、期刊論文、論文集論文（包括自著、合著）、博碩士論文等相關著作為主。

四、各類論著著錄項目如下：

1. 專書：作者、書名、出版社、出版者、面數、出版年月。
2. 期刊論文：作者、篇名、期刊名、卷期、頁數、出版年月。
3. 論文集論文：作者、篇名、論文集名、頁數、出版地、出版年月。
4. 博碩士論文：作者、篇名、畢業所別、面數、年度、指導教授。

*鄭誼慧，東吳大學中國文學系碩士；劉康威，東吳大學中國文學系碩士生。

總　論

劉尚恒　古籍叢書概說

上海　上海古籍出版社　136 面　1989 年 12 月

李春光　古籍叢書述論

瀋陽　遼瀋書社　452 面　1991 年 10 月

莊芳榮　叢書之編刊及近二十五年來編刊情形之總結

臺北　文化大學圖書館資訊學研究所碩士論文　387 面　1974 年　楊家駱指導

劉寧慧　叢書淵源與體制形成之研究

臺北　國立臺灣師範大學國文研究所博士論文　370 面　2001 年 6 月　吳哲夫、賴明德指導

劉尚恒　建國以來我國古籍叢書的出版

圖書館工作與研究　1983 年第 1 期（總第 16 期）　頁 34－36　1983 年 2 月

王元才　近幾年編印出版的古籍叢書著錄瑣談

圖書館工作與研究　1987 年第 1 期（總第 32 期）　頁 39－42　1987 年 2 月

莊芳榮　近四十年來臺灣地區叢書編刊情形之探討

國立中國圖書館館刊　第 22 卷第 1 期　頁 163－173　1989 年 6 月

包東波　民國時期叢書簡論

貴圖學刊　1989 年第 4 期（總第 40 期）　頁 59－66　1989 年 12 月

吳哲夫　談叢書的出版
海峽兩岸古典文獻學學術研討會論文集　頁 630－634
上海　上海古籍出版社　2002 年 12 月

賈鴻雁　民國時期叢書出版特點試析
江蘇圖書館學報　1995 年第 6 期　頁 22－24　1995 年

賈鴻雁　民國時期叢書出版述略
圖書館理論與實踐　2002 年第 6 期（總第 74 期）　頁 63－66　2002 年 12 月

陳東輝　古籍叢書的歷史貢獻與現實價值
杭州大學學報　第 25 卷第 4 期　頁 106－111　1995 年 12 月

陳東輝　中國古籍叢書的價值
中國典籍與文化　1997 年第 2 期　頁 63－66 轉頁 71　1997 年

戴慶鈺　我國新時期叢書述評
蘇州大學學報　1997 年第 4 期　頁 113－116　1997 年 8 月

陳東輝　古籍叢書所蘊涵的中日典籍交流
古典文獻與文化論叢　頁 157－172　北京　中華書局　1997 年 2 月

陳東輝　古籍叢書與中日文化交流
圖書館工作與研究　1997 年第 6 期　頁 58－60　1997 年 11 月

陳東輝　從古籍叢書看中日典籍交流

文獻　1998 年第 1 期　頁 258－262　1998 年 1 月

王國良　談近現代筆記小說之編輯印行——以臺北新興版《筆記小說大觀叢刊》、河北教育版《歷代筆記小說集成》為主的考察

海峽兩岸古典文獻學學術研討會論文集　頁 474－488

上海　上海古籍出版社　2002 年 12 月

各科叢書分論

古逸叢書

連一峰　黎庶昌、楊守敬《古逸叢書》研究

臺北　中國文化大學史學研究所碩士論文　243 面

1997 年 12 月　潘美月指導

吳天任　楊守敬與《古逸叢書》之校刻

大陸雜誌　第 32 卷第 10 期　頁 23－26　1966 年 2 月

黎東方　黎庶昌和他的《古逸叢書》

百年來中日關係論文集　臺北　不著出版者　頁 485－494　1968 年 10 月

長澤規矩也　古逸叢書の信憑性について

宇野哲人先生白壽祝賀記念東洋學論叢　頁 777－790

東京　宇野哲人先生白壽祝賀紀念會　1974 年 10 月

張新民　黎庶昌及其《古逸叢書》

貴州社會科學　1984 年第 2 期　頁 81－88　1984 年

劉兆祐　為流失海外的古籍傳書種——《古逸叢書》

國文天地　第 2 卷第 2 期　頁 39－41　1986 年 7 月

賈二強　《古逸叢書》考
古代文獻研究集林　第1集　頁224－273　西安　陝西師範大學出版社　1989年5月
陳東輝　《古逸叢書》考略
史學史研究　1997年第1期　頁61－66　1997年1月
葉　霜　《古逸叢書》刊刻述要
貴州文史叢刊　2003年第4期　頁70－72　2003年
張新民　黎庶昌的版本目錄學：讀《古逸叢書》札記
貴州文史叢刊　1992年第3期　頁33－40　1992年9月
羅　勤　黎庶昌與《古逸叢書》芻議
貴陽師專學報　1998年第1期　頁84－87　1998年
石田肇著，孔繁錫譯　《古逸叢書》的刊刻及刻工木村嘉平史略
貴州文史叢刊　1992年第3期　頁41－53　1992年9月
翁仲康　《古逸叢書》的校刻
貴圖學刊　1993年第1期　頁52－54　1993年5月
陳東輝　《古逸叢書》及其文獻價值
四川圖書館學報　1993年第3期（總第73期）　頁19－25　1993年5月
陳東輝　從日本輯刻的《古逸叢書》及其文獻價值
社會科學戰線　1993年第4期　頁268－273轉頁213　1993年
陳東輝　《古逸叢書》：中日文化交流的載體
文史知識　1994年第1期　頁108－111　1994年1月
王義耀　古籍整理一項重要成果──《古逸叢書》正編·續編·

三編簡介
圖書館學刊　1984 年第 4 期　頁 76－78 轉頁 82　1984 年 11 月

張人鳳　張元濟與《續古逸叢書》
出版史料　第 25 期　頁 90－94　1991 年 9 月

佚　名　周叔弢先生談《古逸叢書三編》
古籍整理研究出版簡報　第 107 期　頁 6－7　1983 年 6 月

陳東輝　《古逸叢書》與中日漢籍交流
中國書目季刊　第 30 卷第 3 期　頁 37－45　1996 年 12 月

李春光　從古籍叢書看日本對中國文化典籍的保存
遼寧大學學報　1994 年第 2 期　頁 15－18　1994 年

《四部叢刊》、《四部備要》、《叢書集成初編》

張敏慧　近代三大古籍叢書的比較研究
安徽師範大學學報（人文社會科學版）　第 31 卷第 1 期（總第 126 期）　頁 83－89　2003 年 1 月

《四部叢刊》、《四部備要》合論

李鼎霞　《四部叢刊》與《四部備要》
文史知識　1982 年第 3 期　頁 33－37　1982 年 3 月

鄭逸梅　《四部叢刊》和《四部備要》的競爭
書報話舊　頁 16－18　上海　學林出版社　1983年3月

喻劍庚　《四庫全書》、《四部備要》、《四部叢刊》異同略說
吉林省高校圖書館通訊　1987年第4期　頁 42　1987年

王淏華　《四部叢刊》與《四部備要》述略
中國出版　1991年第3期　頁32－33　1991年

《四部叢刊》

吳栢青　張元濟及其輯印《四部叢刊》之研究
臺北　東吳大學中國文學研究所所碩士論文　246面
1999年5月　劉兆祐指導

武內義雄　《四部叢刊》
支那學　第1卷第4號　頁76－79　1920年12月

神田喜一郎　《四部叢刊》底本の選擇に就いて
支那學　第1卷第4號　頁79－82　1920年12月

神田喜一郎　《四部叢刊》底本の選擇に就いて
支那學　第1卷第7號　頁73－77　1921年3月

費海璣　《四部叢刊》與敦煌學者的需要
出版月刊　第4期　頁19－20　1965年9月

劉兆祐　實用與善本並重的《四部叢刊》
國文天地　第2卷第3期　頁39－41　1986年8月

朱　吟　漫談《四部叢刊》
圖書與情報　1988年第3期　頁43－44　1988年

張人鳳　張元濟和《四部叢刊》
出版史料　第28期　頁19－24轉頁18　1992年6月

沈俊平　葉德輝與《四部叢刊》
古籍整理研究學刊　2002年第2期　頁82－87　2002年3月

山田崇仁　四部叢刊

漢字文獻情報處理研究　第 3 期　頁 183－185　2002 年 10 月

《四部備要》

劉兆祐　聚珍仿宋版《四部備要》
國文天地　第 2 卷第 4 期　頁 55－57　1986 年 9 月

李向群　《四部備要》版本糾謬
陝西師大學報　1987 年第 3 期　頁 120－129　1987 年 8 月

李向群　《四部備要》版本勘對表
古代文獻研究集林　第 1 集　頁 274－316　西安　陝西師範大學出版社　1989 年 5 月

李春光　《四部備要》述略——兼談與《四部叢刊》異同
遼寧大學學報　1988年第2期　頁97－100　1988年3月

白化文　解放前中華書局古籍整理出版工作的兩大項書——《四部備要》和影印本《古今圖書集成》
「中國傳統文化與 21 世紀」國際學術研討會論文集　頁 20－26　北京　中華書局　2003 年 7 月

卞孝萱　《四部備要》在文化傳承中的作用
「中國傳統文化與 21 世紀」國際學術研討會論文集　頁 27－35　北京　中華書局　2003 年 7 月

卞孝萱　高時顯與丁輔之——《四部備要》輯校、監造人
運城高等專科學校學報　第 20 卷第 2 期　頁 24－27　2002 年 4 月

紀曉平、朱宏誼　中華書局與《四部備要》

圖書館學研究　2002 年第 11 期　頁 83－84　2002 年

《叢書集成》系列

李解民　巨型古籍薈萃——《叢書集成》
大觀園　1985 年第 9 期　頁 32－33　1985 年

苑　紅　叢書與《叢書集成》
圖書館學刊　1991 年第 3 期　頁 60　1991 年 5 月

程毅中　古代叢書與《叢書集成》
文史知識　2000 年第 1 期（總第 223 期）　頁 33－38　2000 年 1 月

鄭逸梅　不齊全的《叢書集成初編》
書報話舊　頁13－15　上海　學林出版社　1983年3月

陳　抗　《叢書集成初編》——一部完備而實用的古籍叢書
文史知識　1990 年第 6 期　頁 61－63　1990 年 6 月

洪湛侯　《叢書集成初編》、《百部叢書集成》簡評
杭州大學學報　第 20 卷第 4 期　頁 53－60　1990 年 12 月

洪湛侯　《百部叢書集成》評
漢學研究　第 8 卷第 2 期　頁 423－440　1990 年 12 月
《中國文獻學新探》　頁 209－238　臺北　臺灣學生書局　1992 年 9 月

柳和城　張元濟與《叢書集成》
文教資料　1991 年第 5 期　頁 91－94　1991 年 5 月

張俐雯　《叢書集成初編》及其相關叢書考述
東吳中文研究集刊　第 8 期　頁 21－48　2001 年 6 月

王良海　　叢書叢中之叢書——《叢書集成新編》評介
　　　　　出版工作・圖書評介　1997年第11期　頁111－112
　　　　　1997年11月
費海璣　　我所讀過的《叢書集成簡編》所收的佳著
　　　　　出版月刊　第9期　頁31－33　1966年2月
王義耀　　《叢書集成》與古籍分類
　　　　　情報資料工作　1986年第3期　頁28－30　1986年5月

四庫相關叢書

續修四庫叢書

王紹曾　　編印《四庫善本叢書》和續修《四庫全書》芻議
　　　　　文史哲　1993年第1期（總第214期）　頁81－82
　　　　　1993年1月
王紹曾（方方）　論《續修四庫全書》
　　　　　文史哲　1994年第6期（總第225期）　頁91－93轉
　　　　　頁99　1994年11月
袁　菲　　評《續修四庫全書》（第一卷）
　　　　　北京大學學報（哲學社會科學版）　1996年第5期
　　　　　（總第177期）　頁121－122　1996年9月
齊秀梅、韓錫鐸　續修《四庫全書》
　　　　　亙古盛舉：《古今圖書集成》與《四庫全書》　頁200
　　　　　－206　瀋陽　遼海出版社　1997年8月

四庫存目叢書

王西梅　　古籍整理，以存為先——談《四庫全書存目叢書》的編

纂印行
圖書館（湖南）　1996年第1期（總第130期）　頁31－32　1996年2月

杜澤遜　《四庫存目》諸書的價值及其流傳與輯印
中國文哲研究通訊　第6卷第2期（總第22期）　頁121－139　1996年6月

杜澤遜　輯印《四庫全書存目叢書》之價值及現狀
北京大學學報（哲學社會科學版）　1996年第5期（總第177期）　頁86－94　1996年9月

季羨林、任繼愈、劉俊文　《四庫全書存目叢書》編纂緣起
文史哲　1997年第4期（總第183期）　頁3－9　1997年7月

季羨林、任繼愈、劉俊文　《四庫存目》與《四庫全書存目叢書》
北京大學學報（哲學社會科學版）　1997年第5期（總第183期）　頁15－21　1997年9月

王紹曾　印行《四庫全書存目叢書》之我見
北京大學學報（哲學社會科學版）　1997年第5期（總第183期）　頁22－24　1997年9月

程千帆、鞏本棟　也談《四庫全書存目叢書》的編纂出版
北京大學學報（哲學社會科學版）　1997年第5期（總第183期）　頁25－27　1997年9月

冀淑英　保存文獻　功在千秋
北京大學學報（哲學社會科學版）　1997年第5期（總第183期）　頁28－29　1997年9月

劉乃和　沾溉後世　受惠無窮——歡呼《存目叢書》出版
北京大學學報（哲學社會科學版）　1997年第5期（總第183期）　頁30－33　1997年9月

黃　建　《四庫全書存目叢書》整理拍攝工作完成
北京圖書館館刊　1998年第1期（總第23期）　頁139　1998年3月

葉守法、魏繼嵐　論《四庫全書存目叢書》的編纂
淮北煤師院學報（社會科學版）　1998年第2期（總第65期）　頁111－115　1998年5月

杜澤遜　《四庫全書存目叢書》成書始末
文史哲　1998年第3期（總第246期）　頁70－73　1998年5月

黃永年　修《四庫全書》時用什麼標準把書抑為存目書
北京大學學報（哲學社會科學版）　1997年第5期（總第183期）　頁34－36　1997年9月

杜澤遜　《四庫存目》書探討
北京大學學報（哲學社會科學版）　1997年第5期（總第183期）　頁48－56　1997年9月

李春光　四庫存目書的特點與輯印四庫存目書的意義
北京大學學報（哲學社會科學版）　1997年第5期（總第183期）　頁37－40　1997年9月

黃永年　談《四庫全書存目叢書》
中國典籍與文化　1998年第2期　頁70－72　1998年

沈治宏　四庫全書集部存目研究

北京大學學報（哲學社會科學版）　1997年第5期（總第183期）　頁41－47　1997年9月

周燮藩　被摒斥的珍籍——《四庫全書存目叢書》中的天主教文獻
世界宗教文化　1998年第1期　頁58－62　1998年1月

白莉蓉　《四庫全書存目叢書》收錄天津館善本古籍述略
圖書館工作與研究　1998年第5期（總第86期）　頁41－42　1998年9月

羅　琳　《四庫全書存目叢書》的徵訪及其著錄
淡江大學中國文學系主編　兩岸四庫學：第一屆中國文獻學研討會論文集　頁189－204　臺北　臺灣學生書局　1998年9月

張建輝　編印《四庫全書存目叢書》側記
淡江大學中國文學系主編　兩岸四庫學：第一屆中國文獻學研討會論文集　頁205－215　臺北　臺灣學生書局　1998年9月

王清源　《四庫全書存目叢書》與遼寧省圖書館
圖書館學刊　1999年第1期（總102期）　頁56　1999年1月

董廣文　《四庫全書存目叢書》的開發利用
雲南圖書館　1999年第2期　頁64－66　1999年

黃愛平　從《四庫全書》到《四庫全書存目叢書》
王俊義、黃愛平著　清代學術文化史論　頁401－424　臺北　文津出版社　1999年1月

馬　鼎　《四庫全書》與《四庫全書存目叢書》
新北大史學　第 1 期　頁 69－102　2000 年 5 月

潘樹廣　《掾曹名臣錄》撰者考——兼談《四庫全書存目叢書》的一點失誤
圖書館雜誌　2001 年第 2 期（總第 118 期）　頁 56－57　2001 年 2 月

張　升　《四庫全書存目叢書》失敗一題
圖書館工作與研究　2001 年第 4 期（總第 103 期）
頁 45－46　2001 年 7 月

潘榮生　《四庫全書存目叢書》子目著錄之隨意性舉證
圖書館建設　2004 第 3 期　頁 107－109　2004 年 5 月

羅友松　《四庫全書存目叢書》的文獻價值
圖書館（湖南）　1996 年第 1 期　頁 33－35　1996 年 2 月

侯寬權　《四庫全書存目叢書》的文獻價值
四川教育學院學報　第 15 卷第 7、8 期　頁 126－127
1999 年 7 月

四庫禁燬書叢刊

丘東江　文字獄·禁書·《四庫禁燬書叢刊》
圖書與資訊學刊　第 26 期　頁 28－35　1998 年 8 月

田款、魏書菊　存史與證史——《四庫禁燬書叢刊》及其文獻價值
歷史教學　2002 年第 4 期　頁 57－58　2002 年 4 月

張玉興　廬山面目於斯見——《四庫禁燬書叢刊》集部述略
明清史探索　頁 741－774　瀋陽　遼海出版社　2004

年 7 月

民國叢書

何淑蘋　《民國叢書》述論

東方人文學誌　第 2 卷第 1 期　頁 175－201　2003 年 3 月

郡邑叢書及其他

林照君　郡邑叢書之研究

臺北　國立臺灣大學中國文學研究所碩士論文　2000 年　潘美月指導

徐小燕　張壽鏞及其《四明叢書》研究

臺北　東吳大學中國文學研究所所碩士論文　197 面　2003 年　丁原基指導

丁良敏　《四明叢書》考評

圖書館研究與工作　1991 年第 2，3 期（總第 46，47 期）　頁 101－103　1991 年 9 月

瞿嘉福　張壽鏞及其《四明叢書》

東南文化　1992 年第 1 期（總第 89 期）　頁 242－251　1992 年 2 月

衣保中　弘揚區域文化的大型文化叢刊——《長白叢書》

中國典籍與文化　1993 年第 3 期　頁 41－43　1993 年

車金順　開發鄉邦文獻的壯舉：《長白叢書》評析

延邊大學學報　1997 年第 3 期　頁 40－43　1997 年

羅繼祖　金毓黻與《遼海叢書》

遼海文物學刊　1988 年第 1 期　頁 1－3　1988 年

羅正副　任可澄及其《黔南叢書》
貴州文史叢刊　2004 年第 1 期　頁 75－78　2004 年
黃鎮偉　雪堂所輯叢書輯要
古籍整理研究學刊　1997 年第 4 期（總第 68 期）　頁 9－15　1997 年 7 月
呂明濤　王國維與中國古籍叢書的東傳
圖書館工作與研究　2000 年第 2 期（總第 95 期）　頁 61　2000 年 3 月
張敏慧　徐乃昌古籍叢書編纂的成就及特點
安徽師範大學學報（人文社會科學版）　第 30 卷第 1 期　頁 72－74　2002 年 1 月

叢書目錄

何　朋　《續修四庫全書提要》簡介
崇基學報　第 5 卷第 2 期　頁 235－245　1966 年 5 月
書目季刊　第 1 期　頁 58－68　1966 年 9 月
王義耀　應當加強古籍叢書的介紹工作——兼評三種叢書目錄
圖書館學研究　1984 年第 1 期　頁 118－120 轉頁 99　1984 年 2 月
王義耀　兩部實用價值較高的古籍目錄提要——《四部備要書目提要》、《四部叢刊初編書錄》
圖書館學研究　1982 年第 6 期　頁 91－94 轉頁 64　1982 年 12 月
李向群　評《四部備要書目提要》
圖書館學研究　1989 年第 3 期　頁 95－98　1989 年 6 月

詹冠群　一部很有特色的叢書目錄——《叢書集成初編目錄》
福建省圖書館學會通訊　1985年第2期（總第22期）
頁66－68　1985年

馮春生　《叢書集成初編目錄》之未出書與補出書較比考錄
北京圖書館館刊　1997年第2期　頁67－71　1997年
6月

幷　文　探索古笈的有效工具——《中國叢書綜錄》
圖書館（北京）　1961年第3期　頁63－64　1961年
9月

宇　翁　《中國叢書綜錄》
藝林叢錄　第1輯　頁154－158　香港　商務印書館
1961年10月

俞海藍　《中國叢書綜錄》述評
圖書館（北京）　1962年第2期　頁57－59　1962年
6月

謝沛霖　《中國叢書綜錄》的成就
上海社會科學　1983年第5期　頁95－96　1983年

林　雨　書林之炳燭——《中國叢書綜錄》
中國社會科學（北京）　1984年第2期（總第26期）
頁180　1984年3月

沈文倬　《中國叢書綜錄》是一部實用的古籍目錄
語文導報　1985年第7期　頁38轉頁21　1985年

張　萩　《中國叢書綜錄》述評
四川圖書館學報　1989年第3期　頁73－77　1989年

5月
張宗茹　《中國叢書綜錄》訂誤
山東師大學報（社會科學版）　1995年第5期　頁99－100　1995年
姚伯岳　《中國叢書綜錄》質疑錄
圖書館學研究（吉林）　1996年第2期　頁28轉頁70　1996年4月
羅建國　《中國叢書綜錄》及其查找方法
湘圖通訊　1980年第1期　頁19　1980年
王　竟　《中國叢書綜錄》的二十五種檢查功用舉例
黑龍江圖書館　1985年第3期　頁60－62　1985年
楊秀君　《中國叢書綜錄》使用例析
松遼學刊　1992年第1期　頁94－97　1992年1月
仲　濳　《中國叢書綜錄》與《中國地方志綜錄》
歷史教學問題　1983年第3期　頁61　1983年7月
周光培　薦介《中國叢書綜錄補正》
圖書情報知識　1984年第2期　頁64　1984年6月
曹書杰、紀小平　略論《中國叢書綜錄補正》
古籍整理研究學刊　1994年第6期（總第52期）　頁46－49　1994年11月
劉尚恒　《中國叢書廣錄》簡評
圖書館雜誌　2000年第6期　頁61　2000年12月
蕭斌如　《中國近代現代叢書目錄》及其叢書
圖書館雜誌　1990年第2期　頁53－56　1990年4月